À

Sanaa

Puissiez-vous

cette sensibilité

vous rapproche

Lebel — parce

il ne faut pas

sa sensibilité

on doute, faut

COLLECTION FICTIONS

Un congé forcé de Normand Corbeil
est le quatre-vingt-huitième titre de cette collection
dirigée par Raymond Paul.

NORMAND CORBEIL

Un congé forcé

Roman

l'HEXAGONE

ÉDITIONS DE L'HEXAGONE
Une division du groupe Ville-Marie Littérature
1010, rue de la Gauchetière Est
Montréal, Québec H2L 2N5
Tél.: (514) 523-1182
Télécopieur: (514) 282-7530

Maquette de la couverture: Christiane Houle
Photo de la couverture: Serge Clément, *Montréal, Villa-Maria,* 1989.

Données de catalogage avant publication (Canada)

Corbeil, Normand, 1947-
Un congé forcé
(Collection Fictions)
ISBN 2-89006-556-1
I. Titre.
PS8555.059397C65 1996 C843'.54 C96-940151-5
PS9555.059397C65 1996
PQ3919.2.C67C66 1996

DISTRIBUTEURS EXCLUSIFS:

• Pour le Québec, le Canada et les États-Unis:
LES MESSAGERIES ADP*
955, rue Amherst,
Montréal, Québec H2L 3K4
Tél.: (514) 523-1182
Télécopieur: (514) 939-0406
* Filiale de Sogides ltée

• Pour la Belgique et le Luxembourg:
PRESSES DE BELGIQUE S.A.
Boulevard de l'Europe, 117,
B-1301 Wavre
Tél.: (10) 41-59-66 et (10) 41-78-50
Télécopieur: (10) 41-20-24

• Pour la Suisse:
TRANSAT S.A.
Route des Jeunes, 4 Ter, C.P. 125,
1211 Genève 26
Tél.: (41-22) 342-77-40
Télécopieur: (41-22) 343-46-46

• Pour la France et les autres pays:
INTER FORUM
Immeuble PARYSEINE,
3, allée de la Seine, 94854 IVRY Cedex
Tél.: (1) 49.59.11.89/91
Télécopieur: (1) 49.59.10.72
Commandes: Tél.: (16) 38.32.71.00
Télécopieur: (16) 38.32.71.28

Dépôt légal: 1er trimestre 1996
Bibliothèque nationale du Québec
Bibliothèque nationale du Canada

ISBN 2-89006-556-1

À celle qui,
d'une main amoureuse mais ferme,
nous a conduits à l'école;
à celui qui
nous y a maintenus longtemps.

Un merci tout spécial à
Alexandre Lazaridès
et au
Petit Ourson

Lundi 12 janvier

Faut-il que cette douleur m'étonne, ou craquer ou écrire. En fait, c'est déjà décidé, écrire, lui écrire. Essayer de faire descendre plutôt que vomir.

Constance,

Peut-être ne puis-je le dire qu'en ton absence, comme bien d'autres choses? Ce qui paraissait si facile il y a encore huit jours, la colère, les regrets, est devenu impossible, et ce qui était impossible, je ne suis pas capable de le retenir, je suis amoureux de toi.

C'est pourquoi j'ai raccroché tout à l'heure, même si tu téléphonais de Bruxelles. C'était mieux, j'étais figé, la tristesse me montait des pieds à la tête comme une paralysie mortelle. J'ai essayé de me contrôler, incapable. Quelque chose comme un bouillonnement d'amertume plein la bouche. Je sais que tu as pris l'initiative, tu es partie, c'était bien ainsi; je veux dire, je le savais, l'idée que tu partes était supportable, c'est depuis que tu n'es plus là que c'est insupportable. Que tu téléphones après cinq jours, ce n'était pas prévu non plus.

J'étais à l'écoute de ta voix comme jamais. (Non, j'exagère, j'ai épié ta voix cet été au téléphone avec la même tension malade.) Chaque mot que tu as dit me faisait descendre un peu plus bas, dans une grotte humide, à une époque préhistorique de ma vie. La tête fêlée comme par ce petit maudit instrument que le professeur de solfège cognait sur le coin du pupitre.

Dans ton coup de téléphone, Constance, il y a le pire du pire, t'en rends-tu compte? Il me semble que quelque chose d'immense s'en va, un paquebot plein de tout notre amour qui dérive, lentement mais sûrement, je ne suis plus à bord et je ne peux plus rien mettre dedans, il va s'enfoncer, ça commence, et pourtant il a l'air complètement vide.

Pendant que j'entends le bruit d'une cage de fer, qu'on laisse tomber et retomber sur une dalle du débarcadère.

Je suis complètement dérouté ici, à ne pas pouvoir m'en cacher au téléphone, toi, tu es heureuse là-bas, du moins ta voix semble si égale, et tu ne peux même pas le cacher au téléphone. Comment veux-tu que j'efface cette impression? À tout ce que je voulais mettre entre les lignes et qui branlait sur la ligne, tu réponds «comment ça va être après, puisque tu sais que je vais repartir?» Et quand je te dis que j'ai hâte de t'attendre à Mirabel, tu réponds «de toute façon, il y aura mon frère, et puis des vacances, ça te ferait du bien». Je dois rêver.

S'ennuyer, c'est un mot d'enfant, je le sais. Je dois être aussi dépourvu. Toi qui prétends te souvenir de tout, te souviens-tu m'avoir dit d'un ton irrité «penses-tu à moi, Lebel?» Mais moi quand je jouais à te provoquer, c'était pour mieux te serrer dans mes bras après. Nous n'avons pas joué longtemps cet après-midi! Dis-le-moi une fois pour toutes: «J'en aime un autre, un point c'est tout.» Ça finira là.

Je me découvre tellement sentimental et vulnérable, c'est écœurant. Je me découvre tout court comme le maniaque dans la foule j'ai bien peur. Constance, c'est oui ou non et qu'on n'en parle plus! Au lieu de me téléphoner comme tout à l'heure, pour finir par me dire que tu vas très bien, que tu ne téléphoneras probablement plus parce que c'est très compliqué. Me parler pour ne plus me parler.

Je t'aime.

P. ton arbre foudroyé

~

Je sens, j'ai tout de suite senti que je n'enverrais pas cette lettre.

Vendredi 16 janvier

1 h 30 du matin

Constance,

J'ai reçu ta lettre express. Je devais aller au restaurant rejoindre Christophe et Carmen qui se trouvaient à Montréal lorsque le messager a sonné. Il faisait déjà noir. J'ai traversé l'appartement avec le carré de papier bleuté que tu avais touché de tes mains, de tes lèvres (je revois le geste, quand tu collais une enveloppe), osant à peine regarder, comme s'il allait m'exploser en pleine figure. Qu'est-ce qu'il y a là? Ça m'apporte quoi? Ça va me réchauffer ou me tuer? Si je l'ouvre, pourrai-je sortir? Si je n'y touche pas, pourrai-je passer la soirée? De la vraie folie.

Je me suis décidé, les trois premiers mots et les trois derniers. J'ouvre. Je lis jusqu'au bas de ta première page. Avant, je m'étais versé un verre de cognac, tu m'as souvent vu faire ça seul à cinq heures de l'après-midi? J'ai sauté les deux pages suivantes, pas capable. PAS CAPABLE. On ne peut pas lire quand on étouffe, même en silence, as-tu déjà essayé? J'ai lu les derniers mots, «je t'aime». Je me suis dit que je pouvais au moins sortir — avec ta lettre. Je passais mon temps durant la soirée à tapoter ma poche.

Il a bien fallu rentrer. J'avais froid, tu sais que ça ne me ressemble pas. J'ai fait du thé, je me suis couché, avec tout ce qu'il faut pour écrire, je retardais le plus possible. Puis j'ai lu. Sur le coup j'ai bondi hors de mon lit, j'ai couru vers une fenêtre, puis vers le téléphone et l'annuaire, car je sais que je vais téléphoner à Bruxelles tout à l'heure. Me retenir serait bien mieux mais je ne pourrai pas. J'écris ceci pour essayer de me calmer, je n'y crois pas d'avance.

Je voudrais tant et tant te dire. Je t'ai déjà écrit une lettre tout de suite après ton téléphone de lundi, pour que tu la lises un jour, et puis elle est restée plantée là, comme moi. Tu dois me sentir lamentable, c'est vrai, je perds toute ma contenance. C'est dans un moment pareil que j'ai raccroché l'autre jour de peur de t'alarmer, de t'excéder aussi je l'avoue et pour ménager mon amour-propre. Trop tard, le mal était fait. Je me sentais depuis ce matin un peu plus serein. Comment t'expliquer? je sens qu'il faut que je t'explique. Toi, tu penses être claire! Je suis stupéfait de constater à quel point. Ici, à mes côtés, tu disais encore «je t'aime» et tout pouvait encore s'arranger. Tu disais que trois semaines ou quatre, c'est vite passé, et aussi: «quand je vais revenir, on va baiser comme avant.» Tu le disais presque joyeusement. Et je croyais comprendre: «oui, nous avons convenu d'une prise de distance, c'est difficile, nous sommes tellement attachés, mais c'est le seul moyen.» C'est ce que je comprenais que tu me disais. Mais où est-ce dans ta lettre? Où est l'érotisme fou à ton retour, et nos rencontres complices quand tu auras déménagé? Tu dis «je t'aime» et tu t'en vas... Que dois-je comprendre? Que tu as revu Jean-Pierre, que ce maudit traitement te fait évoluer, que tu changes depuis le 6 janvier, que tout change? Le pire, c'est que je t'aime plus que jamais dans ce changement. J'essaie de comprendre, que tu changes, que le propre du vrai changement c'est que ça échappe, qu'on change de changer! Que ton traitement te traite, que l'éloignement t'éloigne! Nous voulons tous les deux que tu sois libre et forte, mais je semble être le seul à penser que c'est possible avec moi.

T'es-tu demandé ce que je devenais pendant ton absence? Rien ne ressemble à cela dans ma vie, à cette expérience. Je ferme les yeux, je m'imagine aveugle, ce n'est pas difficile, il n'y a qu'à continuer ainsi — toujours! Aveugle et ne pouvant plus te voir, toi et ta lumière. Ou j'imagine ta mort dans un crash aérien au-dessus de l'Atlantique, ça n'arrive jamais. J'imagine cent autres abominations qui n'arrivent jamais. Mais ton absence, elle, arrive, à tous les instants, je suis celui à qui on annonce la nouvelle à chaque seconde.

«Je veux changer ma vie, dis-tu, ce n'est pas ta faute», etc. Comme cela semble léger. Est-ce ton traitement qui te suggère cette formidable légèreté? Sais-tu ce que me fait cette idée? Tu le devines, mais le sens-tu? J'ai bien peur de ne jamais pouvoir t'aimer raisonnablement. Le temps on dirait s'accélère, je suis malade d'être en même temps trop mature et trop immature pour toi, de n'avoir rien compris et de comprendre maintenant trop tard. Tu m'as souvent répété que tes vieux vingt-cinq ans avaient besoin de mes jeunes trente-huit ans, et je t'ai crue.

Mon amour est imparfait mais c'est de l'amour, voilà au fond tout ce que je viens te dire. Sentimental et égoïste, passionné, oublieux, paresseux, mais c'est le mien. L'autre jour, quand tu as dit en passant que notre histoire est une histoire de sexe, tu te trompais.

Il va être bientôt trois heures du matin et maintenant je vais aller te téléphoner. Te dire l'essentiel, que je suis toujours prêt à te suivre dans ce qui fut notre décision commune, sachant ce que nous savons l'un de l'autre, que je le fais pour nous, pour nous deux. C'est toi que je veux de l'autre côté du pont, TOI. Toi, qui te serais retrouvée. Et qui m'aurais choisi à nouveau,

Je t'aime.

P.

22 h 30

De ce téléphone à trois heures et quart, cette nuit, je ne retiens qu'un cauchemar blanc de dix minutes. Un homme a répondu poliment avec un accent français, ou peut-être belge, je m'en fous, des pas ont résonné dans le silence, j'ai attendu. Puis sa voix, un rien lasse ou plutôt lassée, ensommeillée, disant «ce n'est rien, ce n'est rien». J'ai réussi à garder mon calme parce que je n'avais qu'un seul objectif: qu'elle accepte de revenir sur son post-scriptum, que je puisse aller l'accueillir à l'aéroport. De silence en silence, de bribe en bribe décalées par la longue distance, j'ai gagné.

Je pouvais recommencer à manger jusqu'au 27 à seize heures. De fait, j'ai eu aujourd'hui moins envie d'écrire, et j'ai pu attendre jusqu'à ce soir. Le film de fin de soirée jacasse tranquillement, et dans le loft l'ambiance d'un début de fin de semaine d'hiver normal s'est installée, comme une récompense.

Mardi 20 janvier

Reçu à 9 h 30 ce matin:

TOUT BOUGE DANS MA VIE PRÉSENTEMENT — STOP — DOIS RETARDER MON RETOUR — STOP — REGRETTE SINCÈREMENT — JEAN-PIERRE POUR RIEN DANS MA DÉCISION — STOP — NE SAIS PAS QUAND RENTRERAI MONTRÉAL — STOP — NE PEUX VIVRE NOTRE SÉPARATION ET ÊTRE TON THÉRAPEUTE —

STOP — TU N'AS QU'À COGNER À UNE PORTE ET ELLE S'OUVRIRA — STOP — JE PENSE À TOI TRÈS FORT — STOP — JE T'AIME — STOP

CONSTANCE

Vendredi dernier, sitôt ma lettre transcrite, j'avais tenu de façon maniaque à descendre la poster en pleine nuit, question de me nettoyer l'esprit et de cibler mon coup de fil sur un objectif plus limité. Les deux avaient au fond, je le sais maintenant, un seul et même objectif: rendre plus improbable un pareil télégramme. Quelque part dans le ciel, nos messages s'étaient croisés comme deux bolides, sans se parler. A-t-elle seulement reçu ma lettre à l'heure où moi je lis son télégramme?

Pauvre fou, qu'est-ce que cela peut faire?

....

Dimanche 1er février

À la fin j'imagine, tout est affaire de force. À moins que ce ne soit au commencement.

Peut-être n'ai-je jamais eu que la force de subir. Lorsque Marie est partie il y a cinq ans, j'ai subi et supporté; Constance était à l'horizon il est vrai, c'était plus supportable. Mais j'aurais bien voulu tout garder. Quand Constance est revenue de son voyage l'été dernier, j'ai supporté ce qu'elle avait à m'annoncer, cette rencontre qui n'aurait jamais eu lieu si je lui avais consacré mes vacances; là encore je voulais tout garder. Puis le vide étrange qui a suivi, puis l'attente de sa décision: viendrait-elle vivre avec moi? Elle l'avait longtemps souhaité, était-il trop tard? Et puis ce second départ, j'en ai subi l'idée, j'en souffre maintenant le fait. Mal d'ailleurs, et d'autant plus mal que je pensais le prendre bien. Ça, c'était il y a quinze jours.

Mais cette fois, je suis étendu pour le compte. Sur ce lit d'hôpital, pour la première fois depuis jamais, je dois avoir la force, la force de décider. Ne rien lui dire. En avoir la force, cette question a-t-elle seulement du sens? Mais ce que je vais faire ou non en aura, du sens.

En attendant, j'ai du moins la force de l'inertie, je ne ferai rien, je ne lui dirai rien. C'est tout ce que je sais et il me semble que c'est le seul *must* de cette fin d'après-midi grisailleux.

La nuit en face tombe lentement, sur un coin de parc sale perdu parmi les lampadaires.

Lundi 2 février

Un accident bête, mais peut-être plus intelligent que moi.

À certains moments, je ne cesse de réfléchir, ou plutôt je réfléchis moins que je ne suis fasciné par la question: *que veut DIRE cet accident?* et cette autre: *que VEUT dire cet accident?* Comme si tout devait signifier et vouloir. Réflexe de métier probablement, de philosophe, avec le moi-conscience vissé dans le ventre. À d'autres moments, le réflexe contraire: qu'on ne me demande pas de penser au maudit hasard, comment, pourquoi, etc.

Personne, mon cher, ne va te le demander. Ton vrai souci doit être ailleurs. La force. Pour une fois, vouloir. Vouloir taire cet accident.

~

Il y a dix jours d'après le calendrier. J'ai reçu le télégramme de Constance le mardi 20 et Guy m'a téléphoné le lendemain, m'invitant à son chalet des Laurentides pour la fin de semaine. On ne s'était pas vus depuis des mois — ça fait de toute façon quinze ans qu'on se voit deux fois par année. Je me suis dit qu'il tombait bien. Il ignorait le départ de C., savait-il seulement qu'elle venait de s'installer chez moi? En tout cas, quand il m'a cueilli à la porte de l'immeuble, ce vendredi soir, il a ouvert la portière sans poser de question. C'était bien ainsi. Le monde des affects n'est pas son fort, et je le préférais au naturel; deux jours durant, il y aurait de longs silences, la politesse me distrairait de ces silences, ces silences me distrairaient de la politesse.

Je me souviens nettement: le samedi, il a fait extraordinairement beau et bleu. Certainement une des dix plus belles journées d'hiver dans les Laurentides. On aurait mastiqué cet air de janvier comme une hostie fortifiante, avalé par les yeux cette beauté tonique qui ne laisse pas traîner d'arrière-pensée ni le besoin d'elle-même, seulement celui d'aller dormir. De temps à autre, je pompais quelques bouffées à me défoncer, pour me sentir bien après la brûlure. Mais les suivantes me glaçaient.

Après le déjeuner, nous sommes descendus au garage. Guy ne cessait de faire des mystères calculés au sujet d'un achat récent. Voilà que nous étions face à la machine rutilante, et surprenante. Cultiver l'authentique, découvrir le ski de fond et la planche à voile avant tout le monde, s'indigner d'une odeur d'essence qui à elle seule tue le bouquet d'un sentier (j'aime les odeurs d'essence, je n'ai jamais osé l'avouer devant lui), tout ça pour se retrouver sur une motoneige à bientôt quarante ans! C'est vrai, me disais-je, qu'il a quinze ans de plus, qu'il aime plus qu'avant les vins authentiques et les placements authentiques. Je ne pouvais m'empêcher de sourire devant l'engin flambant neuf: tout en regardant Guy pester contre la Volvo et la corde de bois lui obstruant le passage, je cherchais celui qui jadis, tous les samedis d'hiver, avait pris l'autobus de sept heures du matin rue Lajeunesse, usé ses premières paires de ski dans les soutes des autobus Provincial, et en était si fier. Tout est donc possible dans cette vie.

Une heure plus tard, je souriais toujours, mais j'étais bien près de lui donner raison. Il n'y avait plus ni silences ni politesses, seulement des sensations nouvelles, de la passivité vibrante. Nous avons roulé, glissé en masse, c'est tout ce qu'il me fallait. Quelle machine! Écologique? Non, pas vraiment. Mais rapide et courageuse en diable! Guy, qui aime être dans le ton, arborait une combinaison rouge splendide. Assis à l'arrière, sans visière, je me contentais de l'ancien casque de moto de Louisette, restée à Montréal. Après trois heures, nous étions les mêmes qu'il y a dix ans sur nos skis de fond, aussi fourbus, encore plus gelés et plus assoiffés.

Le souper fut très calme, et même doux, sans conversation véritable, seulement quelques banalités, surtout sans *discussion.* Se doutait-il? Je ne voyais comment. Je dus encaisser au milieu du plexus certaines images de souper à deux, brillantes et acérées et fragiles comme les lames de glace pendues au coin de la nuit, qui me ramenaient de force à la fenêtre toutes les cinq minutes. Puis, j'ai fini par cogner des clous durant la troisième période du match de hockey, Constance ne le croirait pas, elle à qui je devais quémander des bouts de partie. En entrant dans ma chambre, l'angoisse était là, mais la fatigue aussi et l'air frais au ras du plancher qui fait dormir traîtreusement. Une journée était passée.

Il fit le lendemain encore plus beau s'il se peut. Plus pur je croirais, plus vif, plus froid aussi, un froid sec à geler le vent lui-même sur place. Guy après la vaisselle laissa passer trois quarts d'heure, marchant de long en large, bâillant, s'assoyant, tantôt lisant un bout de journal, se relevant, tantôt l'œil bleu fixé dehors, les mains dans les poches, pétrifié sur ses six pieds deux de hauteur, comme lui seul sait montrer, massivement, à quel point l'ennui est un sentiment pathétique. Guy ne sait pas dissimuler un désir, c'est sa plus belle qualité. «Avec un soleil pareil, il ne fait certainement pas moins vingt-cinq», dit-il par deux fois. «Je t'assure qu'on peut mettre de la crème solaire avec ce soleil-là!» comme si quelqu'un avait osé répliquer. Il passa la vadrouille, siffiota pour m'empêcher de lire, puis soudain, s'arrêtant net devant le lazy boy où je récupérais de la veille, les mains toujours dans les poches, il me frappa la semelle du bout du pied: «On essaie, rien que pour voir, O.K.?»

Et nous enfourchâmes l'incroyable bombe rouge feu, cette fois en direction du lac. Qu'on contourna d'abord à l'aller — j'avais en tête les images féeriques du *Bal des vampires* de Polanski — jusqu'à l'auberge de l'Estérel où une bière nous attendait. Il n'était pas trois heures et demie que j'avais déjà «un petit creux» comme disait une femme dont la pensée justement me fermait l'estomac deux heures auparavant. C'était plutôt bon signe, cet homme-enfant arrivait avec ses jeux à me faire manger. On ajouta un sandwich à la commande;

mais le soleil commençait à baisser dans les carreaux, il ne fallait plus moisir au chaud. Une fois sortis, on s'aperçut qu'on n'avait pas payé le sandwich; Guy était content, ça lui rappelait l'école secondaire. Il fut décidé qu'on allait traverser le lac dans sa plus grande diagonale, le pied au fond. Je regardais s'enfuir les sapins, mon foulard au vent en guise de cache-nez, nous roulions en nous enfonçant comme dans un Krieghoff fantastique, je voyais même les chevaux et leur haleine blanche et j'entendais leurs grelots. Passé le milieu du lac, la machine modère, s'arrête, je crus à une panne. Guy se retourna en se frottant vivement les mains pour me crier, comme s'il roulait encore, «veux-tu essayer, si ça te tente, c'est le temps!» J'hésitai. Je me sentais engourdi; par contre, j'avais commencé en arrière à penser un peu trop à Bruxelles. «Mais décide vite par exemple!» Est-ce la première, la deuxième ou la troisième de ces considérations qui me fit oublier de lui demander son casque? Je montai devant. J'avançai d'abord prudemment. Guy, qui ne disait rien, ne devait pas appécier il me *sembla*, il avait froid *probablement*, et la vitesse de son ennui *risquait* d'aller plus vite que la machine. Et c'est sur ces *apparences* que j'accélérai. La rive ne semblait pas grandir si rapidement. Sur cette autre apparence, je poussai au maximum, sentant la vibration dans les poignets et les épaules; c'était facile — le fameux sentiment d'invulnérabilité je suppose, plus fort que le froid dans la figure.

Le reste m'échappe, ou me revient confusément.

Guy me rappelait hier encore qu'il avait crié en apercevant la pierre à droite, collée à la piste, là où ça commençait à monter en tournant vers le sous-bois. Il avoua qu'en fait il en avait plutôt deviné la saillie, blanche sur fond blanc. Le bord du train avant droit s'est brisé net et nous avons été éjectés. Je me suis ramassé à soixante-cinq kilomètres à l'heure tête première contre la souche d'un arbre mort, dont les arêtes ébréchées m'attendaient comme des scalpels prédestinés. La machine avait culbuté. Guy a mis quelques instants à retrouver ses sens. Quand il m'a vu étendu à plat ventre, à côté de l'animal écarlate et fumant, la neige commençait à rougir autour de mon foulard. Les ébréchures du tronc faisant office de rasoir m'avaient emporté proprement une partie du visage. Mon casque avait protégé la tête, le front, le menton, pas le reste. Je devais apparemment la vie à deux circonstances fortuites: d'avoir heurté de biais les lames de bois acérées, et au passage d'un motoneigiste attardé, en route vers son feu de foyer. La même machine qui avait manqué de me tuer m'empêchait de mourir. Avec mon foulard et de la neige poudreuse, il réussit à ralentir l'hémorragie. Je saignais dans son dos tranquillement comme on dort pendant qu'il traversait en trombe le lac pour me conduire à la clinique de Sainte-Marguerite, d'où je fus transféré à Montréal le soir même. Un temps doux au lieu d'un temps glacial, et plus personne pour pousser ce crayon. Là encore, ce qui poussait vers la mort un instant plus tôt retenait la vie.

Un détail, insignifiant sur le coup: mon sauveteur, un motoneigiste tout ce qu'il y a de plus classique dans le genre, que j'aurais qualifié d'épais quarante-huit heures plus tôt, qui avait réussi l'impossible en se chargeant du plus gros morceau, laissait sans le voir, tout près, quelque part dans la neige rouge ou sur la carcasse de l'engin, un morceau de chair qui commençait à sécher: mon nez, ou ce qu'il en restait. De la clinique, sitôt qu'on eut enrayé les saignements et constaté l'état de la blessure, on dépêcha quelqu'un avec Guy: trop tard, il faisait déjà nuit et, de toute façon, une greffe se serait avérée médicalement non viable. Ces deux morceaux devront vivre désormais séparés.

À la place, on parle autour de mon lit de «plastie».

Le 4 février

La force de subir un accident, la belle affaire. Subir un traumatisme, et ce traitement qui commence, supporter l'hôpital et ses fadeurs, ce n'est pas de la force, même si on s'en vante parfois. Mais à chaque maintenant, ne pas la faire prévenir. Sans que je le demande, elle reviendrait, je le sais. Et pourtant, à cause de cette certitude? je peux d'instant en instant différer ce coup de téléphone. Pour téléphoner, il est vrai, il faudrait qu'on m'aide, or rien que cette idée me fatigue. Et c'est cette fuite qui m'aide dans ma «volonté» de ne pas téléphoner. Je crois bien n'avoir jamais pu expliquer à mes élèves avec un exemple aussi clair qu'un sentiment ne peut être dominé que par un autre, que la volonté est chose impure, qu'elle n'est pas un muscle, mais une ruse.

Puissance du fait. Le fait est l'anti-pensée, quand il arrive on est sans connaissance, on le reconnaît sans l'avoir connu. Le fait est brutal dit-on. Non, ce n'est pas assez dire. Le fait est d'un autre temps, d'un autre espace. Le fait est sidéral, il gèle, étrangement, de venir de si loin derrière si près. Ça ne peut pas être plus ou moins un fait. Ou il frôle et ne reviendra jamais, ou il terrasse, il a frappé, c'est trop tard. Le fait tragique est un train dans lequel on est monté, les possibles filent de l'autre côté de la vitre, on les voit mais ils ne sont plus possibles, le temps et l'espace qui comptent désormais sont ceux du train. Tu es convoqué au parloir.

Jeudi 5 février

11 h 30

Il y a une dizaine de jours, je n'avais en me réveillant qu'une épaule disloquée et ce pansement sur le visage, des contraintes aux mains pour ne pas y toucher. On me donnait des calmants aussi, et j'ai compris que c'était assez sérieux. Je n'étais pas heureux d'être sauvé, d'être en vie. Une colère rentrée, malsaine, tournée contre les forces du corps. On me nourrissait sans me demander mon avis, j'entendais les échos assourdis d'une chambre intérieure: «qu'est-ce qu'on me veut encore! qu'on me lâche, merde! qu'on me lâche un peu la peau, ça n'a pas de bon sens!» Je me suis alors muré dans un silence mauvais, amer, en me jurant de ne plus rouvrir ce cahier commencé avec le départ de C. Une journée a passé, puis une autre, à laquelle a succédé une troisième, et voici que me taire, je ne peux pas. Il le faut. Forcé: comment souffrir sans de quelque manière le dire? Me revoici crayon en main. Je me le dis depuis des années, si j'arrivais à décrire minutieusement les différents états d'un chagrin ou d'une envie, peut-être pourrais-je l'évacuer. Ce chagrin-colère, ici, ils doivent bien connaître. Et les différentes façons d'assurer le suivi.

16 h 15

La force que je n'aurai pas est celle de me taire tout à fait, de ne rien exprimer du tout. N'ai-je pas déjà commencé à écrire ceci, chaque ligne de mon accident, à transcrire même mes brouillons de lettre. Je songe depuis quinze ans que seul un chagrin solide me fera écrire. Depuis, je l'attends sans l'attendre. Une force appliquée de l'extérieur aurait libéré la force, ou la faiblesse dans la force... Cette soustraction a donné ce plus: en chute libre vers le fleuve huileux où je fantasme quelques secondes par jour que je vais me jeter, j'imagine aussi que je sors mon crayon pour décrire la descente et le vertige entre ciel et mer, entre mer et fond. Bref, je relève mon col avant d'entrer dans l'eau noire d'hiver. D'ailleurs, d'après ce que j'ai lu, à cette vitesse ce n'est pas de l'eau mais de l'acier en fusion, c'est plus dur que liquide et plus brûlant que glacé. Pour l'instant, j'arrive à supporter migraine, mal de ventre intermittent, insomnies, et si le feu prenait, je sais que je sortirais de cet hôpital. Sauf que j'aurais l'air courageux, je ne sortirais pas parmi les premiers. Une femme et une motoneige seraient en train de réussir là où tout avait échoué, me rendre fou, courageux, et écriveur.

21 h 15

La machine-présence. Il suffit de nous tourner et elle nous multiplie et nous émiette le monde doucement; chacun revient à soi, mondialisé dans sa douleur. On se sent réuni. On demande à cette machine de jouer un rôle affectif, d'être une *présence.* Avant, on avait besoin de personnes pour jouer ce rôle. Maintenant, la télé joue ce rôle mieux que personne. Ce n'est pas un meuble comme les autres qui ronronne dans le coin et que j'entends aussi bien en provenance des autres chambres, c'est ni plus ni moins la voix de la mère dans la cuisine.

Le 6 février

J'ai demandé qu'on téléphone à mon frère Marc. Quand il arrive, la tête dans les épaules, en se dandinant comme un lutteur, les coudes pliés, les mains pendantes, il écarquille les yeux et coule des regards de chaque côté à sa manière comique particulière, un mafioso qui veut garder ça confidentiel:

— Bon, je te l'accorde, tu as réussi ton effet, maintenant tu peux me dire un peu... c'est quoi l'idée?

Je n'ai pas tellement envie d'expliquer, j'ai encore de la peine à bien articuler:

— Un accident pas mal stupide. Faut pas s'en faire paraît-il, c'est plus spectaculaire que grave.

Et j'enchaîne aussitôt sur mon téléphone. Je ne veux pas que Constance se doute de quoi que ce soit, et comme je tiens ses agissements pour imprévisibles, je veux qu'il aille chercher mon répondeur. Je lui explique tout de même un peu, sans entrer dans les détails, ce qui le gênerait de toute façon. J'ai cogité un message *ad hoc*: un début de session retardé par la grève (c'était prévisible, j'en avais parlé devant elle) et l'idée d'un voyage de dernière minute (ce qui était vaguement dans mes plans avant son départ), je vais broder là-dessus, ça va suffire.

Je vois bien à ses tics qu'il fatigue. Son côté affairé vient à la rescousse de son côté inquiet: il me dit qu'il doit rentrer au bureau en vitesse. Sa façon de me tapoter vivement la main me réchauffe: «T'en fais pas mon grand» — je suis depuis toujours plus vieux et plus grand —, «je vais t'apporter ça.» C'est tout ce dont j'ai besoin pour souffler un peu. La paix, la sainte paix.

Samedi 7 février

19 h

J'ai deux infirmières. Celle de quarante-cinq, cinquante ans, brave pan de mur avec la vocation inscrite dans la figure, bouclettes grises et sourire de religieuse: optimisme de commande et maternage discret dans la voix (elle doit sentir que mon âge oscille d'heure en heure entre huit et trente-huit ans). L'autre, la trentaine pas plus, châtaine et bien tournée, le nez assez fort, les yeux bleu-vert je crois, enjouée plutôt que souriante. Je n'arrive pas à lire son visage quand elle est en ma présence. Je devrais dire: j'aimerais voir son air après qu'elle a quitté la chambre. J'aurais peine à noter quoi que ce soit de précis sur l'expression de sa figure. Sinon ceci: à intervalles assez fréquents, elle baisse le nez et porte l'index à sa bouche avec un léger pincement des lèvres, en balayant des yeux l'espace devant elle. Il m'est facile d'imaginer que ce geste involontaire, sans nom, au bord de l'insignifiance, devient vite ce qu'on appelle un trait adorable, et fait partie de ceux qui vous attachent à une femme pour la vie. Elle s'appelle Élise, Élise Fournier, je l'ai aussitôt retenu, le nom de ma première maîtresse d'école.

Ces deux femmes, comme si je n'étais pas assez ouaté en dessous des yeux, ont décidé d'en remettre. Leurs mains chaudes me touchent avec attention, il ne me reste qu'à y mettre la fantaisie d'une intention. C'est un souvenir probablement: massages du cou et manœuvres de soutien me font le même chatouillement voluptueux et endormant que les mains de ma mère après le shampoing, quand elle me séchait vigoureusement les cheveux du bout des doigts, me les peignait ensuite — un chatouillement situé à la base du cou entre les oreilles. Un court-circuit entre deux samedis soir à trente ans de distance.

Ce toucher discret, malgré ou à cause de son innocence, évoque chez moi des prolongements qu'elles ne peuvent satisfaire. Gazé ce soir dans tous les sens, dans la face et dans mes souvenirs et dans mes fantasmes, gazé par les femmes depuis mon enfance. Cela, diable, le savent-elles? — Elles doivent s'en douter.

Dimanche 8

D'un côté, rien n'est sûr, tout est possible. Tu n'es pas mort, tu as encore figure humaine, le portrait endommagé mais ç'aurait pu être pire, on fait à notre époque des miracles, tu vas retrouver une tête passable un jour ou l'autre, seulement un peu plus virilisée, une gueule de gladiateur. Ce réflexe dure une minute par jour.

D'un autre côté, tout est sûr mon vieux, rien n'est possible. Tu es immobilisé pour longtemps sur ce lit et dans ton désir, tu n'allais déjà pas bien, le temps se met au pire. Tu es un comédien sur le retour, les rôles de jeune premier, tu peux oublier ça. De Roméo à Frankenstein en criant ciseau. Tu es fini. Ce réflexe dure le reste de la journée. Ne reste qu'à renverser la tendance comme on dit sur Wall Street.

C'est le moment où jamais, mon cher, de méditer le remaniement conceptuel d'Épicure: est-ce que tu es dans la grande douleur? Non? Alors tout va bien, tu es dans le plaisir! Pas de moyen terme, plus de vie grise, c'est l'un ou l'autre. La vie par nature vogue sur le plaisir comme sur la mer, on ne rencontre des récifs que de temps en temps. Ou bien tu choisis ce peu qui est tout, ou bien tu continues à rêver le tout, l'illimité, qui est toujours trop peu. Tu vois, c'est pas compliqué, cesse d'espérer et tout se met à aller bien. *Dry* le bonhomme, comme je disais aux élèves, mais tonique. Est-ce que je peux oui ou non, tel quel, espérer vivre dans le plaisir? Oui, à force de ne rien espérer.

20 h

Le possible, parlons-en, c'était ta drogue. Le moment est venu de réfléchir là-dessus ou merde. De l'*envisager.*

Veut, veut pas, le tragique est entré par la porte, ce qui était un est devenu deux et on ne peut plus le recoller et tu ne peux encore y renoncer. Bon. Constance par ailleurs, tu la voulais et tu ne la voulais pas, au fond tu te voulais d'abord, et tu ne peux renoncer ni à elle ni à toi. Et ainsi de suite, tout se dédouble, tu voudrais à la fois te taire et qu'elle sache, ton héroïsme et sa douceur, l'effacement et les applaudissements. Tu voudrais à la fois écrire sans qu'il se soit produit d'événement, être guéri sans avoir à travailler, avoir du temps pour penser sans avoir rien à penser. Avant, tu pouvais être triste, maintenant tu es tragique, voilà: le tragique n'est qu'une suite de rapports semblables, de rapports insolubles.

Le tragique a fait son entrée dans ta vie comme dans toute vie tôt ou tard, mais ce n'est certainement pas la sorte de fête triste et un peu délectable que tu fantasmais, la soirée venteuse d'automne, la pluie dehors, la bouteille de scotch et une femme aimée sur le sofa, fondue dans les lueurs du feu: on frappe à la porte, faites entrer le tragique! Tout ce que tu peux ici, c'est décrire les maintenant les uns à la suite des autres, en espérant qu'ils finissent par se relier les uns aux autres. Comme écrire ici à quelqu'un qui n'a plus de figure alors que toi tu restes persuadé du contraire. Ce n'est pas que personne soit à ta place, c'est que vous soyez deux et qu'il n'y ait plus de place pour un, c'est ça le tragique.

Lundi 9

Il faut que je me réveille et appelle Marc: les débrayages sont terminés, le collège doit reprendre ces jours-ci et je n'ai encore rien signalé. Il y a les formulaires d'assurance et toute la *bullshit.* Dans leur jargon, je dois «demander» un congé de maladie, espérons qu'ils vont me l'accorder!

Suggérer au collège que mon hospitalisation est imprévue et pas sérieuse, que j'aimerais la prolonger en congé différé (j'en avais parlé l'automne dernier, ils penseront que je me suis décidé). Que personne ne rapplique au pied du lit, l'incognito est mon seul orgueil, mon seul désir réalisable. Rien qu'à l'idée de ce travail de mensonges je me sens écrasé, je ne suis déjà plus dans le coup.

17 h. Le responsable du bureau du personnel a semblé un peu surpris de mon ton, j'ai dû aborder les détails avec un je-m'en-foutisme digne de mention, l'air de dire: de toutes tes nuances, mon cher, je me balance royalement. L'approche de la mort dit-on procure aussi ce détachement supérieur: «tassez-vous!» Les convenances en souffrent mais on est le dernier à s'en apercevoir. Plus le temps! L'égoïsme rentre en force comme un nouveau devoir moral que l'on se doit à soi-même. Il y aurait donc un souverain, mieux, un homme libre en chacun de nous, mais il ne sort qu'à la veille de mourir — alors que c'est toute la vie qui pourrait s'exercer avec cette liberté

intérieure. De l'égoïsme légitime comme victoire avant la limite.

Mardi 10 février

Le téléphone.

C'est Christophe. Prévenu par Marc sans doute, ce qui a dû lui prendre du temps, je ne sais plus moi-même où est mon carnet d'adresses. Lui rappeler à ce cher frère la consigne de l'autre jour, qu'il n'y touche sous aucun prétexte. Sauf qu'en entendant la voix de Québec, pas une seconde je ne regrette son indiscrétion.

Cette voix qui pose les questions les plus banales, les bonnes vieilles questions, cette voix enjouée qui *écoute*, qui semble si bien épouser ce que je viens de dire. Christophe a placé une fierté dans le fait d'écouter, ou un pouvoir, le joueur d'échecs en lui peut-être qui épie le jeu de l'autre, je ne sais pas, mais c'est un art que je n'ai pas. Cette voix réchauffe, et son inquiétude me replace dans le monde des vivants.

J'entends Christophe au bout du fil me dire bien d'autres choses que ce qu'il dit. Ce diable d'homme et moi, encore ti-culs, avons échangé sur tant de sujets. Sur les filles, puis sur les femmes, le hockey, le cinéma, la culture, le Québec, sur les autres et nous autres, et avec Proust, Truffaut, Borduas, Félix Leclerc et quelques semblables, nous étions les meilleurs, meilleurs que les autres et leurs autres. De façon fondamentalement sérieuse, c'est-à-dire minimalement cérébrale, maximalement vibrante. Lorsque nous nous voyons, nous avons encore l'émotion intacte dans la voix, comme si nous voulions toujours nous convaincre, nous séduire. Si différents, tellement pareils. À chaque rencontre, nous jouons à réviser nos dossiers, à reparler de tout pour la énième fois, comme si l'enjeu était de nous vérifier après vingt-cinq ans, de tester ce bois dont on est fait. Christo me dit qu'il est là, qu'il sait, déjà marqué lui aussi, avec cette intonation typique, beauceronne, genre le père Gédéon, qui faisait dire à Carmen un peu jalouse que nous parlons après cinq minutes une langue différente sans nous préoccuper de la tête des autres.

Que sait-il? Pas grand-chose, comme Marc, comme moi. Mais il sait, et ce qu'il dit, dans le grain de sa voix, dans les blancs entre ses mots, c'est que l'improbable dont nous avons tant parlé a frappé à la porte, qu'il a bien fallu qu'un de nous deux aille ouvrir. Romantiques, encore plus avec le temps, nous l'avons évoqué de mille manières, nous demandant depuis dix ans lequel viendra se pincer le nez sur la tombe de l'autre. Nous n'avions pas prévu que l'Accident nous arriverait avant, en forme de coin de gueule arraché. En principe, c'est ma face, mais en fait l'accident lui arrive aussi, c'est cela que j'entends dans sa voix. Entre une femme séparée, trois enfants, une amante, trois lieux de vie différents, il a déjà fait une place au vétéran qui rentre de la guerre, même si cela doit durer des mois. En attendant, il vient vendredi me rendre visite.

Lui qui pose d'abord et toujours la question des affects ne me parle nullement de Constance. Distrait, bousculé, ému? Ou par pudeur? Ou Marc lui a fait part de ses impressions? Il connaît la trame et sait où nous en sommes, sans doute a-t-il deviné, ce père Gédéon s'identifie facilement. Partager avec lui la subtile amertume? Trois jours pour y penser, ou n'y pas penser. Je vais commencer par là, ne pas trop y penser.

~

Et puis j'ai eu une image, et ça ne m'a plus quitté. Ce macho maternel qui me sert d'ami avec son nez du chef des Black Hawks de Chicago, Guy et son pif en forme de fruit merveilleux, Marc et son appendice en escalier, mais ces trois-là sont équipés monsieur, ils se moquent de moi, ils en ont de trop!

Mercredi 11 février

Visite du médecin-chef de l'unité: le docteur Voyer. Puissante ironie de son nom, et rassurante aussi je ne sais pourquoi. L'ironie, seconde nature de la philosophie, serait de mise sur un étage où chacun se bat pour sauver la face.

Cinquante-cinq ans, visage rond, ouvert et clair, yeux souriants sous des cheveux courts argentés, pointes dégarnies sur le front, une tête à la Jack Lemmon dans un rôle grave, ou celle d'un curé dans le vent, jovial — mais il est étranger à l'ironie, bref un médecin pas un prof de philo.

Il m'approche gentiment, psychologue: il ne fait ni l'important ni le pressé, seulement un fond de préoccupation dans son attitude. Sitôt déposé son dossier, il palpe ma figure «autour».

— Ça fait mal?

— Non...

— Et ici?

— Oui, ça tire.

— Là aussi?

Il venait de tendre ma lèvre supérieure. Il s'arrêta, se retourna vers son dossier, me regardant du coin de l'œil:

— Vous savez ce qui vous est arrivé?

— Oui, un accident!

— Un accident bête. Et pas n'importe où. Vous êtes un peu inquiet?

— Oui, mais j'aimerais bien savoir de quoi au juste?

— Vous savez, les patients qui relèvent de ce genre d'accident ont toujours certaines appréhensions...

Sa voix avait monté sur «toujours».

— ... Vous faites de la philosophie à ce que je vois dans votre dossier. Au collège, si je me souviens bien, les vieux philosophes, c'étaient des hommes qui savaient prendre une claque... Parce que c'est un peu ce qui vous est arrivé, monsieur Lebel.

— Oui, une claque sur la gueule, je m'en rends bien compte.

— Écoutez, ce n'est pas très joli, c'est vrai. Ce sera assez long. Mais j'ai bon espoir qu'on puisse arranger ça; à première vue, vous avez des tissus particulièrement favorables, je veux dire un épiderme en santé, bien hydraté, une peau épaisse, les perspectives sont, oui, on peut franchement dire encourageantes.

— Encourageantes pour quoi?

— Pour procéder à quelques greffes de tissus. Voyez-vous, ce sera nécessaire pour retrouver une apparence normale...

Je me sentais calme mais... suspendu...

— Vous avez eu la peau du visage abîmée...

— J'ai eu la peau du visage labourée, je m'en doute, ce que j'aimerais savoir, docteur, c'est à quel point.

— Oh, en termes savants, vous ne seriez pas très avancé. Disons que vous avez eu le nez emporté, pratiquement au ras de l'os. Cette partie comme vous le savez n'a pu être récupérée.

Il prenait tout son temps, le temps de l'autorité.

— Même si nous avions retrouvé les tissus manquants, monsieur Lebel, une greffe pratiquée sur-le-champ n'aurait probablement pas donné de bons résultats. Nous devons oublier ça. Un nez, ce qu'on appelle «le nez», dit-il en se prenant le nez du bout des doigts, n'est qu'une masse de tissus d'importance vitale secondaire et même fonctionnellement secondaire. C'est surtout sur le plan esthétique que c'est... que c'est, disons, dérangeant. C'est là notre principale difficulté, nous avons donc surtout un problème esthétique à régler. Autour, les hématomes sont assez sérieux mais circonscrits et en résorption normale. Franchement, ça peut paraître drôle à dire, monsieur Lebel, mais ç'aurait pu être pire.

Un peu stupéfait, je ne répondis rien. Il en profita pour continuer, sa pause n'était que politesse:

— Sans entrer dans les détails, il va falloir d'abord restaurer le pont du nez avec une première greffe de cartilage, c'est la première étape, sur laquelle nous bâtirons ensuite quelques greffes de tissus charnus. Je dis «quelques» greffes car, vous comprenez, le volume du nez ne peut être restauré d'un coup. Trois greffes au minimum, plus une ou deux chirurgies épidermiques pour terminer.

— Bref, c'est la guerre. Est-ce que je peux vous demander combien de temps?

— Pas de travail pour la prochaine année comme je vous l'ai déjà expliqué, ça c'est sûr. Après, vous pourrez décider. Pour les interventions, au total, de trente à quarante mois. Mais, dans dix-huit mois, vous pourrez constater des résultats encourageants, j'en suis persuadé. Bien sûr, c'est une période assez difficile à passer à différents points de vue, et vous savez que nous avons des psychologues attachés à notre service.

Il appliqua une main légère sur mon épaule, j'étais atterré. Il termina:

— Quand je dis que ç'aurait pu être beaucoup plus grave, vous devez prendre cela au pied de la lettre, monsieur Lebel, c'est une question de centimètres et de fractions de seconde dans des accidents de ce genre, nous voyons cela à tous les jours. Il faudra vivre à court terme avec une image différente comme tous les malades doivent faire. Ce qui sera un peu spécial dans votre cas, c'est que vous devriez recouvrer bientôt une parfaite santé. C'est un avantage et un inconvénient, nous le savons ici, car vous aurez toutes vos forces pour souffrir dans votre amour-propre.

C'est le mot de curé commode qu'il avait dû trouver depuis longemps.

— Mais, poursuivit-il, les gens qui remontent cette pente peuvent arriver en haut avec un moral indestructible pour le restant de leurs jours. Et puis le sens de l'odorat devrait revenir peu à peu à la normale, je vous le promets. Il vous reste, conclut-il dans un sourire, il vous reste la bouche, les yeux et toute votre tête! Un accident comme le vôtre, deux fois sur trois on n'en revient pas, les vertèbres ne tiennent pas le coup; et la troisième, vous n'appelleriez pas ça une chance de vous en être tiré. Vous aviez, paraît-il, des habitudes de sportif, vous pourrez les reprendre le moment venu...

— Oui, je vois ça d'ici, Dracula faisant son exercice de nuit!

— Ah! là, écoutez, monsieur Lebel...

Il haussa les épaules pour prendre un autre élan d'autorité, et sa voix devint plus nasillarde, cela me frappa, il ne faisait pas d'ironie mais son corps oui...

— ... Dracula n'était pas opérable et il avait au moins soixante-huit ans, pas trente-huit que je sache. Dans quatre, cinq ans, vous aurez un visage singulier, vous verrez, et entre nous laissez-moi vous dire que les femmes regardent et même apprécient les visages qui ont du caractère.

Cette allusion — je ne l'attendais pas — me gifla. Ou bien n'attendais-je qu'elle? Elle s'est détachée immédiatement du reste de l'entretien pour aller nicher dans une loge spéciale. Pourquoi, pourquoi avait-il cru nécessaire de la lâcher? Ce curé jovial et traître, que j'appréciais déjà. Il ajouta enfin:

— J'imagine que vous êtes de plus en plus curieux de voir votre visage. On changera le pansement complet la semaine prochaine. Vous aurez la permission de regarder. Vous avez le choix bien sûr. D'ici là, pensez-y. Sachez seulement qu'il va le falloir tôt ou tard. De toute façon, vous en avez encore pour un bon dix à quinze jours avec nous.

Le 12 février

Journée de lourds flocons qui tombent posément depuis une demi-heure, et puis, de temps à autre, un soleil circonspect qui traverse les nuages parmi la neige. Mon corps connaît ce temps, je sens ces flocons et soleils alterner sur ma joue comme si j'étais dehors.

15 h

De longues heures durant, je regarde devant moi le mur vert, vert blanc espérance, comme si j'y cherchais les traits d'un visage. Est-ce ton avenir que tu regardes? M'en suis-je jamais soucié de l'avenir autrement qu'en balayant devant moi les deux ou trois mois qui font partie du présent, comme tout un chacun? Pas besoin d'avenir quand on a un visage. À jongler sans miroir, tu risques d'échapper tes boules.

Vendredi 13 février

Visite de Christophe, la crainte associée au plaisir, comme jouer au tennis quand on a un genou amoché, ou comme devant une fille qu'on voudrait aborder en anglais. Je me demandais quel air il ferait en entrant. Je ne voulais être ni à ma place ni à sa place non plus: que pouvait-il bien dire? Il entre en effet avec ce curieux de sourire embarrassé qu'on apporte à l'hôpital. Si jamais tu lis un jour ceci vieux frère, sache que j'ai bien lu ton malaise.

J'ai à peine reconnu ta voix. Ta nervosité m'a semblé pareille à celle que tu cachais en onzième quand tu nous adressais la parole en tant que président de classe, te frottant les mains et regardant devant toi — non pas droit devant mais légèrement vers la droite, vers les fenêtres au-dessus de nos têtes. Tu t'es mis à regarder de même vers la lumière et tu frottais tes mains brunes, régulières, que j'ai toujours aimées. Il faisait pourtant chaud dans la chambre, dans la classe aussi en hiver il y avait de la buée dans les carreaux et tu flottais dans ton tricot.

Tu as changé de voix plusieurs fois, là encore comme à l'époque où tu voulais nous convaincre d'embarquer dans telle œuvre de charité ou tel projet de semaine étudiante. Sauf que je n'ai pas eu droit ce matin à ton sens de la conclusion. À un moment donné, imprévisible, tu t'es arrêté subitement; il fallait que je parle. Que je te dise, indirectement (quand dirons-nous les choses directement?), que j'avais compris que tu avais tout dit, que tu répétais ce que j'avais senti au téléphone, que *cela* t'était arrivé aussi. Même avec tes questions les plus prosaïques tu le disais: «Tes assurances? Veux-tu rester à Montréal, venir à Québec? As-tu fait toutes les démarches, veux-tu que j'en fasse?» Car tu n'es pas amoureux, tu ne fais que m'aimer et prendre soin de moi. Diable que j'en ai besoin.

Que pouvais-tu cher homme, assis là, changeant de fesse sur le bord du lit, que tu n'aies fait? Une farce plate peut-être, que j'ai dû faire à ta place sur le concours du plus gros nez. Tu as stocké l'ennui de tout ça, je m'en voulais presque de te l'infliger. Et puis tu t'es levé. Je revois ta jambe gauche se balancer hors du lit. Avant de te lever, quand tu m'as serré dans tes bras, j'ai senti frémir ta joue d'Indien.

Samedi 14 février

La tête vide, c'est-à-dire trop pleine. Une association de pensées arrive comme un train qui entre en gare, laisse tomber son paquet, puis repart. Maintenant, on attend le train suivant. Je suis pris ici avec l'insignifiant des jours, des heures, des secondes, j'essaie de me l'expliquer, sans succès, ça retombe à la fin dans l'incohérence, au même point qu'avant. Et ça recommence, ce qui s'appelle penser la tête vide. Une chose qu'on oublie souvent à propos d'intelligence ou de profondeur, c'est ce qui demande de la force. Ce qui vient, c'est toujours une sensation, une image, une idée, pas plus profonde, non, simplement après une autre, contre une autre. Pour être intelligent, il suffit de maintenir l'effort plus longtemps, et aussi la possibilité de noter, ce qu'un malade qui rêvasse ne peut faire. Si je peux écrire, je peux devenir profond, car la profondeur n'est qu'une suite de choses superficielles dont on trouve le lien (il y a ainsi des mécaniciens profonds et d'autres qui ne le sont pas). Ce qui me fait penser à Hume et ses fameuses boules, il n'y a jamais de cause en soi, profonde, il n'y a qu'une boule qui arrive *et puis* l'autre qui part. Il n'y a pas de fond, de cause ultime, même un accident est une affaire superficielle, surtout un accident. Il n'y a jamais que ceci, et cela, et ceci, etc. L'accident continue ses ravages, la preuve...

Mais, avant de chercher le lien, si seulement j'arrivais à passer d'une sensation à une autre, ce serait déjà pas mal. Comme des cycles météorologigues: ceci fait cela, puis ceci, on voit sur la carte X qui sera suivi de Y, sans qu'on comprenne trop ce qui relie les images. Finalement, on sort du moins son parapluie, il va pleuvoir.

Par exemple, à me contenter de vouloir décrire la suite d'épisodes qu'a été l'accident-Constance dans ma vie, cela et seulement cela, qui sait à quels résultats je pourrais arriver? Et décrire est déjà difficile, il faut savoir naviguer, voir venir. Si j'avais été capitaine aguerri, si j'avais bien décrit depuis le début ce qu'a été ma rencontre avec le vaisseau Constance, j'aurais pu voir venir, il n'y aurait jamais eu de rencontre violente, de naufrage, tout aurait été différent, ce n'aurait pas été le même cap, la même vitesse, la même croisière. J'aurais guéri au fur et à mesure que j'aurais décrit à chaque soir dans mon journal de bord, sans anticiper sur l'itinéraire. Décrire, juste décrire, décrire juste, est le plus difficile; surtout quand de toute façon nous voulons nous échouer quelque part. Quand nous préférons sauter des bouts et ne rien savoir. Nous préférons, en amour, si souvent *imaginer* que regarder, même quand la chose à décrire est à côté de nous, est nous; surtout alors. Décrire le vouloir-tomber et sa chute, voilà le plus que difficile.

À défaut d'avoir décrit jusqu'ici les débuts, essayer désormais de décrire la suite, ce qui risque de ressembler à un train d'incidents. Essayer. Être le train, la vitesse du train, sur le train sans sauter du train, sans sauter dans la gare qui vient de passer ni la prochaine.

Dimanche 15

9 h 30

«Vous savez, monsieur Lebel, c'est vous que ça regarde, c'est votre décision»; «Je suis sûr que vous allez faire ça comme un grand»; etc. C'est le leitmotiv du jour, avec le petit sourire de circonstance. Mais le coup qui m'a ébranlé est venu ce matin: «... et puis, il y a petit bout et petit bout!» C'était Élise. Elle sortit en coup de vent, une œillade jetée lâchement de travers. Je n'ai pu réagir. Je voudrais bien revoir cette sortie, comme un gardien de but voudrait revoir une rondelle qui lui a échappé. Que disait l'œillade et son sourire en coin? Chère Élise, ses jambes blanches et bonnes sont les seules choses verticales de mes journées.

13 h 30

Un double dessert sucré (une petite faveur de la même) me procure un rêve et un réveil amers: pas de nouvelles de Constance, toujours pas. Je me secoue: «pourquoi en aurais-tu, pourquoi en aurais-tu, tu n'en attends même pas, arrête tes conneries!»

Une chance que j'ai Montaigne, et son art de vivre. Exemple: se réveiller en pleine nuit pour le simple plaisir de retraverser les brumes qui mènent au sommeil. En arriver là un jour mon cher, que ta vie au moins soit esthétique! Montaigne est précieux, il est en deçà du savoir, ou au-delà. Toutes ses lectures ne le sauvent nullement du souci de vivre bien, le comble de la culture qui donne le comble du goût de la vie. Le sourire fin et chaleureux qui rend complice: «Je ne sais rien vouloir constamment, absolument...»

Mais je me sens tellement plus défini que l'auteur qui s'essaie si magistralement — et bien plus indéfini que lui en même temps. Montaigne est accompli dans l'incertain, c'est ce que je pense en le lisant. Sa sagesse ample et fine est faite comme un bon fromage, moi je ne suis que possible, un possible de moins en moins possible. Montaigne est accompli, je suis une esquisse, une esquisse définitive.

~

J'attends je l'avoue la visite de mon frère, imaginant la lettre qu'il pourrait apporter. Me cacherait-il quelque chose? — Que fait-elle là-bas à cette heure? Qui voit-elle à l'instant présent? Et qui, quand elle ferme les yeux?

19 h 45

En ce jour de visite, Guy et Marc sont venus. Sans leurs femmes, j'avais fait des recommandations expresses: pas de veillée au corps. Avec eux, solides, généreux, deux émus pas trop émotifs, je ne peux que m'attendre à des réactions un peu filtrées par leur commune pudeur, ce qui est plus supportable que le contraire. Avec eux, immanquablement après quelques minutes, voici les signes que tout va bien et que rien n'est perdu! Je pourrais penser: ouais, rien n'est perdu pour eux. Mais non, ce que je dois lire dans leur attitude, c'est que si rien n'est perdu pour eux, c'est la meilleure preuve que rien ne l'est pour moi. Ne me disent-ils pas, de plus en plus compacts et naturels à côté du lit, qu'à ma place ils passeraient certainement un mauvais moment, mais la question de tenir le coup ne se pose même pas. Que faire d'autre? Quelque chose de l'épaisseur d'un fil est arrivé dans le monde. Presque rien, un coup de rasoir entre jamais et toujours. Ne sont-ils pas, l'un avec ses deux cents livres qui commence à oublier qu'il a oublié de me céder son casque, l'autre avec sa nervosité habituelle, ne sont-ils pas le plus merveilleux remontant? Ils bâillent pour moi, se mouchent le nez pour moi comme s'ils avaient juré d'avoir le rhume ensemble. La vie plate continue voyons! Guy me parle d'assurances, la vie continue! Marc raconte ses dernières blagues cochonnes, la vie continue!

Lundi 16 février

C'est demain le grand changement de toilette. On vient me préciser qu'il faudra prendre quelques photos, indispensables à la constitution de mon dossier. Je vois d'ici les jeunes stagiaires, spécialistes en plastie, qui se penchent sur ma face en noir et blanc pour leur plus grande édification: tous les nez ne se déchirent pas de la même façon. Et j'entends leurs farces: «Mal équipé le gars pour faire du charme à soir.»

Élise me rappelle que de nombreux patients, des patientes surtout, s'abstiennent alors de regarder. Que d'autres, par contre, arrachent leur «catin» bien avant qu'on leur ait donné la permission. Il y a une heure, on a mis sur ma table un livre de photographies, au cas où je déciderais de constater sur pièces les progrès étonnants de la chirurgie moderne...

Je lui demande si on sait seulement à quoi je ressemblais avant. Elle me répond qu'ils se sont renseignés; je revois alors ce moment du réveillon où Marc avait sorti son appareil dans le manque d'enthousiasme général, il était tard et nous étions un peu éméchés. C'est, j'imagine, d'une tête un peu plus ronde et d'un nez un peu plus rouge que les médecins devront s'inspirer pour suggérer les correctifs appropriés. Constance portait une robe pervenche et soyeuse qui lui donnait toute une allure, elle était ravissante et rieuse — notre dernière sortie. Je n'ai pas vu ces photos, mais eux oui; tous les stagiaires du monde me font chier.

Mardi 17

Feuilleté quelques pages du livre «avant-pendant-après». Ce ne sont pas les plaies; ce ne sont pas les étapes de la restauration-reconstitution qui frappent, c'est l'attitude physionomique des «clients», leur tête, leurs yeux surtout. Qui sont curieusement toujours épargnés dans ces gueules cassées.

Est-ce le choix de l'échantillonnage ou de l'appareil, la lumière de ces photos est toujours crue, technique, plate, blafarde; la chair blanche comme une chair de carcasse rejetée par la mer. Album d'anatomie. Des visages, sans âge, une tristesse hagarde, sans âge, comme si l'insulte venait de se produire, persistait. Littéralement stupides. Comment avoir l'air intelligent quand on est en quarantaine et cobaye? D'ordinaire, on sourit quand on nous tire le portrait, on cherche un air. Déjà qu'une photo où on ne retrouve pas son air habituel, où on ne se *replace* pas, c'est saisissant. Avec un bout de visage rongé, mangé, arraché, on n'en est plus, plus de place, on entre en prison, c'est la sentence à vie.

Fataliste en surface, anxieux en réalité, et cette réalité doit se voir en surface. J'ai la surface fendue en fait, et j'ai peur qu'elle commence à fondre. C'est le possible qui me hante, quelle va être la vie maintenant que les cartes ont été rebrassées? Est-ce que j'ai le courage d'une nouvelle gestation, suivie d'un accouchement sans illusion? Au fond, on ne veut pas vraiment recommencer sa vie.

Je n'aurais fait jusqu'ici que penser penser.

18 h 30

Après les bandages et les crèmes gluantes sont venues les photos. On a approché les lampes. Deux techniciens silencieux, rapides, froids comme le terrazzo et l'acier des armoires, sans doute gênés, dont le métier est d'être gênés.

Une plainte de grande bête lâche, quand on rate une marche.

Surtout ne pas pleurer pour ne pas empirer. Ce doit être une farce ce que j'ai vu, ça n'a pas de christ de bon sens!

Les femmes de ma vie, même elles, ne pourraient voir ça. Même elles ne pourraient mentir comme il faut. Dites quelque chose, ostie!

Lundi 23 février

Ils le savaient, ils se sont effacés. Autrement dit, ils en avaient vu d'autres. Quels autres? Où les cachent-ils? Montrez-moi voulez-vous, soyez gentils, montrez-moi ceux qui ont perdu la face et ont rappliqué comme si de rien n'était.

La parfaite répugnance à savoir cela sous le pansement. À imaginer le revoir. Quant à l'idée d'y toucher... Comme dans les supplices chinois, l'organe que le bourreau fouille à la main dans la plaie béante, un cœur palpitant, un morceau de foie encore tièdes, l'horrible qu'on vit de ne jamais voir. Ce chancre ne m'appartient pas, ce n'est pas possible. Ce n'est pas un nez, c'est une morve.

Un haut-le-cœur, bien plus que si je touchais cela sur le corps d'un autre. Non pas un visage sans âme, un visage qui restitue, qui se retourne l'âme à l'envers. Ça, cette affaire-là, ça ne marche plus, ça ne cadre plus avec tout ce qu'on m'a appris. Être plaqué de la façon la plus dégoûtante, lorsque ta propre face te quitte.

Quand on pense à toutes les grimaces de ceux et celles qui replacent leur mèche, se lissent le sourcil, se retroussent le cil, se caressent la moustache, se parfument. Même celui qui va mourir demain les fait quand on lui enlève son masque à oxygène. Et on voudrait que j'oublie ça.

Mardi 24 février

Depuis hier, l'hôpital sent l'éther, du moins il me semble. Incertitude et indifférence.

Je n'arrête pas de regarder ma montre. Avant, c'était le contraire. Je voulais prolonger ce que j'avais commencé sans renoncer à ce qui s'en venait, je courais donc toute la journée en retard, ne faisant que la moitié de ce que j'aurais voulu et encore, recommençant de plus belle le lendemain, incapable de regarder les choses en face. Je ne voulais renoncer à rien et je ne voulais rien savoir. Avoir peur de regarder sa montre, une analyse de mon cas aurait pu commencer là — avant. Maintenant, monsieur a d'autres préoccupations.

Comme un tout nu au vestiaire qui vient de se faire voler, ce qui est resté là ne m'intéresse pas. Ce que je vois obsessivement sans pouvoir le toucher, c'est ce qui manque, cette veste, ce stylo acheté en voyage avec elle, etc. C'est un nez que j'avais laissé au vestiaire et je ne vois que lui, ce nez avec son bout si particulier, le mien merde! le mien!

Écrivant ceci, je me l'entends crier. À quoi bon, on s'aperçoit un jour que les mots ont commencé dans l'absence, sont de l'absence, ne peuvent dire l'absence.

Le motoneigiste, M. Charland, est venu me voir. Le cheveu noir, énormes moustaches, la quarantaine carrée et pesante. Il est gêné, il sourit et rougit tout le temps. Je lui dis qu'il a modifié une de mes idées toutes faites... Je lui serre chaleureusement la main, combien de fois? Avant de partir, il me donne un petit paquet, trois tartelettes au sucre faites par sa femme. Nous nous promettons de nous revoir.

À vrai dire, mon idée toute faite s'est plutôt approfondie que modifiée. Il faut à un certain moment arrêter de penser si on veut avoir du cœur. Le cœur est un organe qui a besoin d'une épaisseur minimale.

Mercredi 25 février

L'odeur de sa bouche dorénavant? Avec ma bouche peut-être?

En deux semaines, j'ai été privé de sa beauté, et j'ai été privé de ma beauté (car quelle beauté déjà qu'un visage regardable). Tu as donc perdu le bonheur, qu'est-ce que tu veux que je te dise!

Être séparé, c'est s'avancer vers la fenêtre et voir sans répit la même personne. Être défiguré, c'est fuir même les reflets des fenêtres, sans cesser d'être une personne.

Jeudi 26 février

Marc a rapporté quelques effets hier, je me félicite d'être fin seul aujourd'hui. Seul sinon fin fin. Avec quelques recommandations d'usage sur les changements de pansement, je quitte tout à l'heure l'hôpital, plus hébété que satisfait.

Élise n'est pas là, pour qui j'avais pensé à un merci spécial. À la place, j'embrasserai deux fois la plus âgée. Ne fais pas le difficile.

Dans le hall, surprise, personne ne se retourne sur le passage de l'homme-éléphant. Ce hall verre et métal gris verdâtre est le spectacle le plus inouï, l'agent de sécurité, les visiteurs, les employés qui vont et viennent, mais surtout cette lumière d'hiver le midi qui fouette, qui bouge et brille, une lumière pleine d'échos.

Dans le taxi, la ville défile lentement comme au cinéma, j'ai aussitôt une impression bizarre mais quoi? Le soleil comme un stroboscope frappe dans un angle éclatant, la rue, les voitures, moi aussi, avec le lumignon blanc collé à la vitre. Voici le parc où elle se venge, s'étale, la royale hermine, plantée d'arbres couleur de nickel. Qu'il fait beau, mais qu'il fait beau! On va entrer bientôt dans cette demi-saison de changements que je préfère, de la fin de février à la mi-avril. Je n'ai d'aptitude que pour les changements naturels, qui coulent doucement et ne demandent pas de courage.

Le taxi tourne sur la rue Rachel vers l'ouest, passe le poste de police, c'est exactement l'achalandage que je prévoyais, et maintenant je prévois encore au lieu de regarder, je sais que ce gros village va devenir métropole d'une minute à l'autre, tout en gardant le charme intimiste d'un gros village, «la rue Saint-Denis entre 3 et 6 en février», une essence bien spéciale, ces étudiants et pas d'autres, cet élan dans l'hiver qui casse, ce soleil qui renforce, ce trafic et pas un autre dans cette lumière, il faut être là pour le voir, et justement je voudrais être là, rester plutôt que passer. — Mais si je descendais du taxi à l'instant, d'un œil je regarderais, de l'autre je le sais je me mettrais à prévoir, ou à me souvenir.

Au bout de la rue Rachel, j'imagine l'avenue du Parc qui doit grésiller en passant ses milliers de voitures au beurre fondu. Et au-dessus, le mont Royal, avec sa falaise en balafre au milieu du portrait. A-t-il fait aussi beau depuis un mois? J'espère bien que non.

La porte à peine franchie, j'ai une impression difficile à définir. D'une pièce à l'autre, une absence, mais laquelle? Les choses sont à leur place, le lit fait, à peine un peu de poussière blanchâtre sur les surfaces vitrées, les plantes sont en forme, Marc a fait ses devoirs. Toutes ces choses, et ces soucis et ces désirs, qui étaient mortes pour moi, tout cela continuait à exister, à me survivre en fait, mon appartement posthume, les visites commencent à quinze heures.

Sauf qu'au salon funéraire... mais oui! c'est alors que j'ai fait le rapport, ça ne sent rien ici. Mon pansement et la légère impression de givre sur la muqueuse m'empêchent encore de sentir distinctement la plupart des odeurs. De peu de conséquence à l'hôpital où manquaient les repères, c'est ce qui m'aura paru étrange dans le taxi, cet intérieur brun, ces milliers de cigarettes et cette poussière qui n'arrivaient pas jusqu'à mon cerveau. Et l'air doux et humide de l'extérieur, je le devinais, je ne le sentais pas non plus avec mon nez.

Réveillé vers 19 h 15 avec l'envie de manger. Marc avait eu l'idée géniale de laisser quelques restes au frigo, le genre de choses qui se mangent en écoutant TSN. J'ai ouvert une bière, une boîte de petits poissons, un paquet de biscottes. En déposant le tout devant la télé, j'ai retrouvé sur le plateau inférieur de la table à café, à côté du *Télé-presse*, aussi démodée que lui, ma lettre à Constance commencée le 22 janvier et que je n'avais pas eu le temps de finir. Je la croyais alors tellement urgente, comme tout ce qui veut différer l'insupportable. Comme au parc quand on s'agrippait à la barre de fer, les paumes glissent et brûlent mais on tient, encore une seconde, si on lâche c'est pire!

Verser ce document au dossier de l'homme-qui-devient.

Montréal, le 22 janvier

Toi,

Toi qui me laisses suspendu. Tu te souviens quand je te cassais les oreilles avec le beau titre de Saul Bellow, Dangling Man, *le plaisir que j'avais de te l'expliquer, à cause de la musique des mots. Je suis comme un pantin à la ficelle, suspendu.*

Quoi te dire d'autre? désemparé, ébranlé, pas même soucieux de te le cacher, chambranlant au bout de ma corde. «Branlant dans le manche», comme disait mon père. Les mots aussi, comme tu vois, branlants au bout de ma plume. Tu sais comment je rage quand les mots ne veulent pas se former. Ils semblent m'avertir que c'est pas la peine!

Mais je veux rester calme. T'écrire en amant quelque chose que tu pourras lire en amie. Sans vouloir te séduire — si possible. Comme ce n'est pas possible, tu ne liras peut-être jamais ceci.

Tu as incarné pour moi l'Idéal. J'ai quitté une autre femme pour cet Idéal. Tu as eu un pressentiment néfaste à ce moment, tu as eu peur, tu te souviens, nous nous sommes quittés à notre tour pour bien penser à notre affaire, c'est même toi qui l'as suggéré. Tu étais courageuse, tu risquais gros à me laisser mariner ainsi; tu suivais un obscur instinct de femme je suppose, tu ne t'es pas trompée. Quand nous

nous sommes retrouvés, j'avais gagné l'impression de t'avoir méritée. J'avais agi suivant une force déraisonnable qui m'emportait, c'est vrai. Le courant de la vie qui va contre la raison. Cruel, déraisonnable, je me suis trouvé à l'être, oui, mais vivant! Je te l'écris à toi, qui feras peut-être un choix contre moi pour la même raison.

À travers les fenêtres, le ciel est gris en face, la ville grise plus bas, je pense au pire et à toi, et je me dis: si cela arrive, il me reste le ciel gris. Comme un mur je le regarde, il reste là, et c'est tout. Durer cinq minutes de plus. Et cinq autres ensuite.

Je suis idéaliste et je t'ai prise pour une Idée éternelle, j'ai voulu que tu le sois. Mais en cinq ans les idées s'usent, ce n'est pas ta faute, ce sont mes yeux qui sont paresseux, qui se fatiguent. Dès que je m'en suis aperçu, j'ai commencé à construire immédiatement sous toi, j'ai pilé et empilé images, résolutions, poèmes, raisonnements, calculs, pour que jamais tu ne redescendes. Je savais, j'avais vu une femme s'user sous mes yeux, des femmes sous les yeux des autres. Pas toi, je ne voulais pas. Évidemment, il serait bon que je me demande si je me suis soucié de t'aimer pendant ces années. Me suis-je demandé ce que toi tu voulais? Cela est dur à envisager, que son propre amour, que l'on croyait parfait, est aveugle comme n'importe quel autre, qu'il ne vaut même pas un vieux proverbe.

Dès vendredi dernier au matin, après cette nuit où je t'ai écrit et téléphoné, j'avais commencé une autre lettre dans ma tête où je comptais te dire que oui, tu avais raison, j'entreprendrais une thérapie,

que oui, j'accepterais tes conditions: une séparation indéfinie, pas de lettres, de billets, de téléphones

que mon but est que tu ailles bien d'abord et avant tout

je n'exigerais en retour qu'une seule chose au nom de ce que nous avons été, que ta démarche soit vraie et sincère, que tu ne t'arrêtes pas à cause d'un enthousiasme passager comme tu es souvent portée à le faire.

Je finissais cette lettre orale en marchant, je me souviens très bien, j'étais au coin du boulevard Saint-Joseph et de la rue Lejeune, et je me disais: toi, tu n'as pas fini avec ma patience, je t'attends le 27, à seize heures, à Mirabel. Il était décidé que tu repartirais de la maison sitôt arrivée, peu importe, tu serais dans la même ville, avec moi, time is on my side.

Mais ton télégramme est venu me prendre au mot. Il est plus difficile d'aimer après ça. Je me sens tassé, véritablement minable, c'est écœurant, chambranlant rien qu'à l'idée de m'arracher à mes habitudes pour une petite fin de semaine (Guy m'invite à Entrelacs). Je m'entête à croire que tu es seulement malhabile à me rassurer. Peut-être ne veux-tu pas me rassurer du tout. Qu'importe, seize jours après ton départ qui n'ont été qu'une série de jours seul sans toi, je veux que tu saches que je continue à me dire: c'est égal, de toute façon, là-bas ou ici, ça ne change rien, elle n'a pas fini avec ma patience.

En attendant, le plus important, je suis résolu à...

Lundi 2 mars

Le soleil entre les lames du store.

Je prévoyais faire le mort, jouer à me survivre un certain temps, j'imaginais la chose non sans douceur. Dans ma tombe depuis à peine quarante-huit heures, j'en suis déjà à recueillir et soupeser, la main en creux, les cendres d'après-midi préhistoriques. Le soleil entre les lames, que je corrige à tous les quarts d'heure pour obtenir exactement l'effet voulu, à la limite du soleil direct, éclairage réfracté au maximum vers le plafond, une lumière qu'on peut presque toucher. Dans les rayons en fines baguettes pailletées se promène la poussière en suspension, des atomes qui neigent, flottent, hésitent, remontent, qui cherchent à capter la substance joyeuse de l'après-midi. C'est la même poussière qui se dépose sur la table en chêne sombre de la salle à manger de mes tantes quand j'ai trois, quatre ans. Je m'amuse à la regarder disparaître sur la dentelle du napperon, dans le compotier de verre étincelant, dans les rideaux pâles. Le phonographe joue en hiver les chansons de Raoul Jobin, du folklore normand ou breton, *Malbrough s'en va-t-en-guerre, J'irai revoir ma Normandie, Il était un petit navire,* etc. Mes tantes Alice et Gilberte me gardent en l'absence de ma mère, je me souviens de leurs tabliers fleuris, elles me font chanter aussi, c'est le bonheur et je m'ennuie légèrement dans ce cocon. Très légèrement et très clairement, malgré les bonbons rouge et blanc à la menthe forte. Je veux certainement aller dehors mais il n'y a personne pour jouer, ceux qui vont finir l'école à quatre heures ne pourront pas sortir, il fait trop froid.

Je n'ai plus déjà les mêmes goûts qu'il y a un an ou deux. Vers deux ans et demi, j'ai découvert un objet de passion incomparable: les «gros bédindes». J'avais dû trouver le secret en ouvrant une bonne fois les portes sous le comptoir de leur cuisine, vieilles portes de bois teintées, veinées de jaune caramel pour imiter le chêne, avec un loquet brun-noir coulissant. Je plongeais avec un ravissement sans pareil la tête la première, autant que je pouvais, pour aller humer l'intérieur des grands et magnifiques chaudrons, les sortais à grand fracas pour enlever le couvercle, et là, je replongeais lentement la tête entière pour en renifler les fonds plus ou moins fatigués, patinés, cabossés, mais tous si délicieusement odorants. Je sens exactement, trente-cinq années plus tard, cette odeur de campagne essentielle, il me suffit de fermer les yeux. Mes préférés sont les grandes marmites où l'on fait cuire le blé d'Inde, mot que je ne maîtrise pas encore très bien. Cette fascination à quatre pattes semble beaucoup étonner et dérider mes tantes, mais comment font-elles pour ne pas sentir, goûter comme moi jusqu'à l'ivresse, cette odeur si forte, si pleine, humide et terreuse, si totale, si bonne?

La fine poussière danse et valse dans le rayon lumineux où passe de temps à autre un atome rosé, bleuté; mon actuelle timidité aussi va tomber, c'est affaire de temps, comme le soleil de mars que je vois du coin de l'œil frôler mon pansement. J'ai ouvert un livre, inutilement, toute lecture semble à côté. J'essaie de m'empêcher de songer, tout aussi inutilement, que ce serait simple si seulement elle était là. Alors des instantanés de douceur développés à même son style envahissent la pièce, sa grâce à la fois indolente et ferme de danseuse, telle apparition dans l'encadrement de la porte, ou tel empressement à prévenir mon désir, cela plutôt imaginé que véritablement remémoré puisque je constate que Constance ne m'a jamais soigné, ne fût-ce qu'une indigestion, puisque, sauf les derniers mois, nous ne vivions pas ensemble, puisque j'ai eu tout bonnement la chance de n'être pas malade, que sais-je? sinon que j'ai quasiment envie de le regretter. Peu importe, je transpose allégrement: la revoyant en pensée s'occuper du bébé de son frère, ou sourire à telle connaissance dans la rue, ou soigner la préparation d'un repas, c'est automatiquement sur moi que j'imagine converger ces douceurs et câlineries, c'est moi le bébé, l'amie, le repas. Je me secoue en songeant aux moments pénibles traversés, à l'horreur que ce serait de passer à l'instant des chaudes vibrations de l'imaginaire amoureux aux contractions d'une querelle de couple. Bienfait tout relatif à vrai dire: du moins ces instants amers étaient-ils vécus ensemble.

Mardi 3 mars

Je fixe la date de ma première promenade: vendredi 6 mars.

Dehors, temps gris. Tout le monde est égal, la tristesse équitable.

Celui qui va sauter du pont, du quai du métro, a-t-il regardé le temps ce matin?

~

La réponse est non. Pas de place pour ça, plus de place pour rien dans un suicidé, ça s'est opacifié. Quand il saute, tout saute, son âme avec. Il faut être déjà mort pour se tuer je crois. C'est tout d'une pièce, comme chez le dentiste, la mâchoire de bois. On est gelé j'imagine. Le spectateur sur le quai, lui, il est infiltré, il est deux, il reste et il saute en même temps. Le tragique est ressenti par les infiltrés, les infiltrés veulent encore se remplir, les opacifiés sont au-delà, ils ont tout lâché, ils sont légers, ils sautent. Du moins je pense.

17 h 30

Ce soir au téléphone il y aura la voix de Christophe, et ses silences. Elle me réjouit déjà, encore plus que la perspective d'un bon film à la télé. Peu importe ce qu'elle dira.

L'oreille attentive de Christophe, fût-ce au téléphone et même sans les yeux de Christophe, est quelque chose. Et la voix fatiguée et drôle, un peu traînante, un peu basse, sourde, si difficile à décrire (qui diable entend une voix à partir d'une description?). La sienne merde! corsée, rieuse, «christique» justement, mais d'un Christ un peu iroquois qui m'énergise, me relance. Nous irons de quelques «mon vieux» chantés comme de très loin derrière la fumée de cigares imaginaires, nous nous étirerons en parlant de n'importe quoi, c'est-à-dire toujours la même chose, la Vie, l'Amour, la Mort, et le Reste. Le reste, ça risque d'être moi, qui suis devenu précieux, «non, non, tu l'étais déjà un peu précieux», m'a-t-il glissé l'autre jour, cet Iroquois fait parfois dans le XVIIIe siècle. Et puis, quelles que soient les premières notes, nous accorderons peu à peu nos instruments. Pour atteindre la même vitesse, la même ferveur, deux espèces de flûtistes entêtés, échangeant à n'en plus finir leurs phrases. Conversation perpétuellement interrompue depuis vingt-cinq ans. Nous avons la même origine mais différente, nous disons la même chose mais autrement. Je tiens à ce mélange d'inédits et de rengaines. Comme les balades en voiture d'il y a trente ans avec la tante Alice et l'oncle Henri, qui aboutissaient immanquablement au même comptoir de *snack-bar* à Saint-Jérôme et au même 7-Up et aux mêmes patates frites, les variantes tenant à ce qu'on vire à droite ici, à gauche plus loin, au lieu du contraire, c'était le signe patent, redoublé par l'annonce de mon oncle «qu'on s'en va prendre un autre chemin Alice». Il n'y avait qu'un autre chemin, mais ces variantes nous faisaient coller le nez à la vitre.

C'est à Christophe de téléphoner, c'est lui qui a le privilège de la ligne directe. Pas d'obligation entre nous. À lui seulement la responsabilité de prendre l'initiative ou de passer pour sans-cœur, à moi de me refuser quelque velléité de sortir parce que je suppute qu'il pourrait... Sinon, je suis déçu forcément, mais sans lui en vouloir. Le contrat est de non-obligation mutuelle, et dès lors, le plaisir pour demain plus probable. À la différence de la situation amoureuse, l'angoisse se mue en une espèce d'expectative, ignorance joyeuse. *L'Amitié n'exige,* ce serait une belle devise. Et pourtant elle comble. Même ces jours-ci je peux dire: arrive onze heures, limite consentie par le privilège de la ligne directe, je sais que ce sera pour demain, Christophe ne téléphonera pas, c'est tout, et il y a presque de la douceur dans cette déception, cette non-déception, à côté de l'amour amer. Pourquoi ce besoin de me l'entendre penser et écrire? je ne sais trop, je sais seulement que le jeu des contraintes de cette ligne et son heure de tombée, de cette déception jamais définitive, suspendue, reportée et annulable, se terminerait néanmoins, en amour, dans le cuisant, quoi que je dise ou me dise. Au lieu de quoi, en amitié, je me dis que le possible jusqu'à onze heures moins cinq est toujours présent, et puis après, le présent est toujours possible. J'écris cela, c'est comme rien, j'ai dû placer quelque chose au-dessus de l'amitié pour en être où j'en suis. Je dois préférer les possibles qui coupent l'appétit et le sommeil.

Vendredi 6 mars

Il fait quand même un soleil maigre et doux, trois ou quatre degrés. Temps compromettant pour renouer avec la vie, une sortie ratée est toute à mes dépens, ce que je rabâche en rinçant mes assiettes — et si je remettais à demain? Pour chasser cette fausse question maudite, je m'entortille deux ou trois fois le foulard autour du cou et ajuste mon *stetson*. Mon attelle et mon chapeau ont beau faire un autre homme, c'est le même homme qui doit se pousser dehors. Allez, SORS!

Un bol d'air. Un autre. L'air de mars a un goût frais et sucré sur la langue. En remontant l'avenue de l'Esplanade, je longe à gauche un parc gonflé, chenu, pentu. Au coin de Mont-Royal, je traverse un peu tard l'avenue du Parc, meurtrière comme avant, je dois courir, ce qui m'étourdit; je n'ai pas même regardé la montagne. On dirait que je regarde ce que je fais, non les choses. Le monde tranquillement repasse à l'intérieur, c'est comme recommencer à manger je suppose.

Par Hutchison, je passe Villeneuve, puis le boulevard Saint-Joseph. Avenue Laurier, m'attend l'animation familière, celle qui a existé antérieurement à tous les chagrins et accidents d'amour, dix heures trente un vendredi matin, ses livraisons, ses belles promeneuses. Je débouche sur le coin de Querbes en dégustant le tableau, soudain le tonnerre, je me retourne, un deuxième coup. Devant l'église Saint-Germain, quelques silhouettes bougent au ralenti sur le parvis, c'est le glas qui sonne mon entrée dans le monde au moment où quelqu'un en sort. Plus vivant que jamais, j'enfile aussitôt vers ma droite et redescends vers l'avenue du Parc, car j'ai mon plan de promenade, longer l'Esplanade à nouveau, puis par Rachel descendre sur Saint-Laurent jusqu'aux environs du carré Saint-Louis et de la rue Saint-Denis, en prenant soin d'éviter les abords du collège.

Le parc est enrobé d'un gris-blanc nacré presque soyeux mais cette robe laisse voir des trottoirs nus, où dégouline ici et là un sang noir. Des trottoirs nus poudrés de calcium jauni, un avant-goût du sable d'été. Grisé par je ne sais quoi dans l'air, essayant de méditer là-dessus, un bout d'Aristote me vient — du moins je pense que c'est lui — qui déclare le plaisir de la vue plus pur que les autres puisqu'il n'a pas fallu souffrir du besoin auparavant. Puissance versatile de l'œil, moitié soldat, moitié poète, qui se pointe au front et se retire aussitôt, se concentre ou divague, accommode ou contemple, qui peut toujours voir autre chose, se tourner ailleurs au même moment, tellement qu'il ne le fait jamais, l'œil est facilement blasé. Le nez, lui, est plus dépendant de l'offre. Est-ce que les odeurs seront changées? Devrais-je me contenter de humer une demi-journée de printemps? J'ai toujours cru que les joies printanières c'était d'abord le nez, que l'odorat est l'organe poétique irremplaçable, branché sur l'âme sans intermédiaire, que le nez ne fait pas que représenter la vie, il la présente, il y a une horloge dans le nez, ce n'est pas la rose essentielle ou la ville en général, mais le volatil de l'heure du jour au coin de telle rue, l'odeur de café rôti, de crème à pâtisserie, de jambon fumé qui diffusent en direct. J'avance lentement, sans rien sentir de tout cela, sans découragement non plus. D'abord, je ne suis pas radicalement privé d'odeurs, elles sont plutôt atténuées avant de traverser le pansement, on dirait que j'ai peur, comme si renifler pouvait être douloureux ou exagéré. Et puis, chaque minute qui passe me force à observer davantage, à rectifier, le temps qu'il fait n'est pas une sensation, plutôt un sentiment, ce qui est senti nous vient tout autant des yeux, de la peau, des oreilles, de la mémoire, c'est le corps entier et l'âme qui sentent tout s'adoucir, se ramollir, se réchauffer, les atomes du trottoir, des klaxons, des couleurs qui se mélangent à nos atomes — plus qu'un sentiment, une intégration.

Au café Cherrier. J'ai droit à un garçon extrêmement poli, alors que je le sais habituellement d'un air sinistre notoire. Je pouvais croire jusqu'à aujourd'hui que cela n'était pas personnel; je dois me détromper, sous mon *stetson* il n'a reconnu ni ma tronche ni mes pourboires. Du bon usage des déguisements. Il faudra que je change chaque fois de pansement, de chapeau, ou de pourboires. Ce qui n'est pas facile vu la tête qu'il a. Voilà une prescription inattendue, se faire la tête d'un monstre pour éviter un air de beû.

Dehors, c'est... onze heures dix du matin rue Saint-Denis. Les passants clairsemés, des livreurs stationnés en double file, des rentiers, cinq, six types sortis de la taverne d'en face, des étudiants de l'école d'hôtellerie qui traversent la rue en direction du square, un curieux sablier qui pourrait donner l'heure à un observateur perspicace. Dans l'air, un rien se précise, un léger supplément. J'en ai fait depuis vingt ans la théorisation scientifique. C'est ma fameuse théorie de l'impression saisonnière, formulée pour la première fois dans mes modestes carnets d'étudiant et resservie comme dissertation française en philo II: nous avons une sensation très nette de printemps chaque fois que les températures fraîches montent brusquement, qu'on soit en hiver, en automne, peu importe, il y a par exemple des printemps de début décembre quand, ne fût-ce que deux jours, la terre et ses odeurs viennent se détendre et se décanter dans un air plus tiède; inversement, il n'y a rien comme un refroidissement marqué pour imposer l'idée d'automne et vous freiner l'allure d'un mois de mai ou de juillet. Ma loi est imparable: l'impression poétique mon Sieur est affaire élastique, différentielle-z-et structurale.

Les premiers clients de l'heure du midi arrivent et occupent bruyamment les tables le long des fenêtres. On parle hockey, un autre coup bas. Sans copies à corriger, sans lectures à rattraper, je pourrai suivre les séries tout à mon aise. Oui, mais sans les collègues non plus à qui en parler, et à qui ces clients dans la trentaine me font penser. Raison de plus pour déguerpir, le collège est à côté.

Dehors, ça s'accuse, un midi jeune, parcouru de courants tièdes et frais en alternance, un midi de printemps au goût suret, un midi de premier rouge à lèvres. Avenue des Pins, surprenant au passage sa physionomie dans une vitrine, l'Homme invisible rendu soudain visible, si poli, si petit. Constance, toi si grande, que fais-tu à cette heure d'inquiétante métamorphose? Quelle heure au fait? Là-bas il n'est pas midi, ce n'est pas le soleil effronté sur cette vieille joue polonaise étonnée, ce n'est pas la rigole rutilante le long du trottoir, ce n'est pas le mont Royal bison poivre et sel au bout de la rue, ni le sel de calcium trempé comme une pâte de chocolat aux noix sous les semelles, ce n'est pas le petit printemps têtu qui récidive, là-bas, c'est une autre heure, une autre lumière, c'est elle qui était à moi et qui m'échappe, elle qui fait quoi? qui se promène où? qui rêve à qui? elle qui se sauverait si elle me voyait.

Allons, regarde ce soleil, c'est encore lui dans les petites rues que tu empruntes, c'est exactement l'heure à laquelle toi-même jadis, il y a trois mois, tu serais rentré déjeuner à la maison après ton cours du matin. Comme tu étais bien et heureux avec cette gueule que tu promenais sur la rue Saint-Laurent...

Étais-tu si heureux avec la gueule que tu promenais sur la rue Saint-Laurent?

Samedi 7

Il faudrait que tu te demandes, ici, maintenant, qui était Constance pour toi.

D'abord, elle était belle. Mais belle, c'est trop peu dire. *Constance était la Beauté.* Voilà ce que je pensais, sentais, vivais depuis le début. Constance est celle qui a réalisé dans ma vie ce thème, poursuivi de longue date par le fétichiste que je suis, le thème de la beauté. Mais loin d'être un thème parmi d'autres, comme certaines femmes le sont pour tel esthète qui aime autant les chevaux ou les voyages, Constance à mes côtés était la fréquentation intime de l'Idée, l'Idée du Beau et du Bien, du *kalos* et de l'*agathos,* vécue dans cette vie. Avec elle, et je le sentais de façon continue, je ne vivais plus dans l'horizon de la philosophie, j'avais trouvé, j'avais traversé la frontière et touché l'horizon, je vivais dans la contemplation comme plaisir. J'avais peut-être quelques dispositions, mais si je n'en avais pas eu, elle m'en aurait donné.

Dans les mauvais moments, je me disais que ce n'était pas vrai, Spinoza et cie riraient de moi, Constance ne pouvait être à elle seule toute la Beauté, la Beauté toute et pour tous, que la folie a beau habiter n'importe quel amoureux, même Platon n'aurait jamais admis qu'on associe à l'amour d'une personne un tel délire (Platon il est vrai ne pouvait savoir que Constance était un délire si divinement réel). Et pourtant... Pourquoi les autres aussi regardaient-ils Constance de ce regard, pendant que moi je la regardais être regardée par eux? Il m'arrivait, certes, d'entrevoir que Constance représentait dans ma vie la Beauté que d'autres avaient pu connaître différemment, cela ne pouvait rien m'enlever, et cependant je m'y résignais à grand-peine tant cette femme était pour moi liée objectivement à l'idée de Beauté. Je le dis avec emphase et ne peux le dire autrement sans trahir l'essentiel: Constance était la présence de la Beauté comme la mort peut signifier l'Absence.

Constance était la Beauté qui marche dans la rue, visible pour tous, visualisée cependant d'une façon unique par moi. Soit, mais encore? Constance avait du pouvoir, un pouvoir, la pire sorte, pouvoir de fuite, pouvoir de partir, donc pouvoir de faire mal. À quelqu'un comme moi qui n'ai appris à l'école que le pouvoir d'arriver, très peu celui de quitter, sur qui même les petits départs font impression. Je me souviens de notre première dispute. Constance soudain tourne les talons en pleine rue, me laissant figé, désemparé, coup de poignard. Mais je rentre, peu à peu calmé de carrefour en carrefour par le soir d'été, grave mais calmé, me disant que je ne peux rien regretter dans cette discussion, rentrer et attendre, voilà tout ce qu'il y a à faire. Je marche, ma douleur en sursis comme un paquet sous le bras. Que faire d'une longue soirée de juin en trop? Rentrer d'abord, on verra bien. Des couples passent dans le soir tiède, le porche de l'immeuble s'avance de plus en plus sombre et redoutable. Dans l'ombre, dans l'angle, cachée comme tout à l'heure dans l'angle de la conversation: Constance, droite et confuse, souriante, indécente de beauté.

Je me suis senti fort à ce moment, j'ai eu tort. Toute notre aventure est là, en abyme. Je ne savais pas encore que le pouvoir de partir se double du pouvoir, non moins traître d'être logique, de revenir. Constance déjà savait partir, loin s'il le faut, et longtemps, et personne ne savait revenir comme elle, vous surprendre entre deux résolutions.

Constance devait ainsi me faire souvent des surprises. Nous nous connaissions depuis deux semaines qu'elle parlait de voyage, sans m'inclure, elle était le bateau naturellement, j'étais le quai. Ne songeant à l'époque qu'à m'évader pour être seul quelques heures avec elle, qui ne parlait que du Sud et du soleil. Comme elle se disait amoureuse, et comme elle parlait de voyage! Je lui adressai un petit texte ironico-sentimental, espérant au moins quelques formes de protestation, qui ne sont jamais venues. Les silences de Constance.

À l'été de l'année suivante, elle partit de nouveau: son coup de téléphone après dix jours retentit par un temps d'orage, elle étirait son voyage de quinze jours à trois semaines. Après avoir raccroché, un coup de tonnerre me réveilla, je commençai à imaginer toutes les démarches nécessaires pour prolonger un voyage en cours, toutes les explications, justifications, soupesées puis décidées fébrilement, appliquées à rester loin de moi sept jours et sept nuits supplémentaires. Elle m'aimait pourtant d'un amour encore jeune. Quel démon chérissait-elle tout autant, ou davantage? Étonné, tremblant quoique sachant cet amour, j'avais sauté sur mes Brooks et je m'étais lancé en plein boulevard sous un ciel violet, il faisait dans les trente degrés, tout ce que je sentais c'était quelque chose dans la poitrine qui se dépliait peu à peu. En dépit d'un genou pour lequel on me déconseillait la course, je redescendis le mont Royal aussi sec, traversai l'avenue du Parc en courant, le risque me soutenait, puis la rue Saint-Urbain; c'est alors qu'une crampe intestinale me prit, je dus redoubler d'ardeur jusqu'aux toilettes peu invitantes du rez-de-chaussée de l'immeuble. Je me souviens du masque de sueur, des filets qui me coulaient dans le dos, de mes efforts, accroupi, tout autour était en nage, jusqu'à ce papier moite de canicule, et puis ce fracas épouvantable qui soudain fit résonner les murs de béton, le ciel venait de se fendre en deux. Dans ce sauna improvisé, mon corps seul pleurait; au-dessus de lui, comme séparé, je me sentais le cœur léger, vidé, soulagé.

Constance était belle de la beauté des départs, mais la question se repose, pourquoi souffrir de la Beauté? Avant de rencontrer Constance, je la cherchais comme cela dont on n'a pas à se demander «ce que c'est», non qu'on le sache, mais parce que c'est ainsi, une de ces choses que l'on recherche sans savoir pourquoi. Une évidence non justifiable, qui aide à donner la définition des autres choses (parce qu'elle-même non justifiable). On a fameusement décrit la Beauté comme «une promesse de bonheur». Qu'est-ce que cela veut dire? N'est-ce pas définir une chose compliquée par une autre plus compliquée? La Beauté était peut-être d'une certaine manière tout ce que je demandais à la vie sans savoir pourquoi, parce qu'elle était là, antérieurement à toute autre valeur. La Beauté comme archi-présence, comme Mère? Nous oublions, c'est vrai, que la Mère fut jeune et belle.

Dimanche 8 mars

Encore dérangé par les lignes d'hier; quoi que j'écrive, je ne serai pas tranquille. Pourquoi le pourquoi? Comprendre le principe m'empêcherait-il de continuer, changerait-il quoi que ce soit à mes obsessions? Alors que la simple fatigue, elle, me change si facilement.

Finissons-en: Constance, belle, était la Beauté, toute. Dont toutes les autres étaient la copie. Dont j'avais une soif qui renaissait interminable, comme un enfant. Le mot est lancé. Y a-t-il là une dépendance nécessaire, est-ce que la beauté s'accroche à l'immaturité en nous? Peut-on être fort, équilibré, et pourtant vulnérable à la beauté? Qu'importe! Ce qui compte, c'est que Beauté et Immaturité se sont rencontrées pour brûler ensemble. C'est la loi, s'il y a une loi à mon cas, c'est celle-là. Car je l'aimais. Aimer la Beauté, nous en avons tous besoin peut-être, tous tant que nous sommes, ceux qui s'en doutent le moins comme les autres. Mais à vrai dire je m'en fous! Pensant aimer Constance, j'aimais sa Beauté, pensant aimer Beauté, j'ai fini par aimer Constance, *so what!* je l'éprouvais comme une drogue, c'est tout ce qui compte. L'abc de ma vie, l'Amour, la Beauté, et la Constance comme dirait Pagnol. Le cercle vicieux, et adoré.

Et puis, disant «la Beauté habitait ma vie», je dis non seulement cela. Je dis aussi: l'émotion qu'elle me causait était plus forte que mes ordinaires soupçons professionnels. Je ne me préoccupais pas des livres et des thèses, de savoir si la Beauté en soi existe, si une telle idée fonde réellement notre expérience, si Platon avait raison ou tort, si je disais des bêtises philosophiques, s'il n'y avait dans l'existence que des expériences esthétiques ou émotives chaque fois particulières, sans qu'on ait besoin de recourir à des entités abstraites superflues, je ne feignais pas de respecter non plus ces scrupules. Le nominalisme, les critiques du langage, j'avais lu tout ça. Je ne voulais rien savoir d'un langage exact, je balançais allégrement Platon et ses contradicteurs et tout le bataclan, et les précautions heuristiques autant que le langage familier. J'oubliais science, esprit critique et mise à distance. Ce que j'avais à dire était fatal et à dire sur un ton fatal. Mon énoncé avait à voir avec une expérience antérieure, celle du naïf qui trouve les mots emphatiques les meilleurs. Pas logique mais sensitif, pas persuasif mais ému. (Romantisme trop élevé bonhomme, deux minutes de punition!) Oui, il m'arrivait de l'être à mes heures, de m'émouvoir par exemple devant un film de Chaplin, mais ce n'est pas pareil. Rien n'est plus pareil. Pour «romantiquer» son homme, il n'y a rien comme l'amputation. L'absence de nez qui donne un surcroît de sentiment.

Lundi 9 mars

À quelques minutes d'intervalle, au milieu de l'après-midi clément, des odeurs de café brûlé (au coin de Marie-Anne), de goudron bouillant et brillant dans son tombereau (près de Villeneuve), de jambon fumé sucré (sur Mont-Royal) percent ma gaze. La fonction sinon l'organe! Des odeurs fortes. Avais-je jamais réfléchi que les odeurs sont des chaleurs, des choses qui chauffent quelque part. Des accélérations de particules qui nous demandent de ralentir, il faut s'arrêter pour bien sentir, tout le corps doit se dresser et se faire... nez.

Mardi 10

Depuis hier, une de ces pluies décourageantes. Bref, ménage, aspirateur, lavage, nettoyer les stores vénitiens. Cela m'impose une gymnastique contraignante et inventive; dès que je me penche, je sens une pression désagréable dans la moitié de la figure, que je cherche à éviter, en résulte un vague taichi. Après la douche, c'est déjà la fin de l'après-midi, me voici à ma table, fatigué. C'est-à-dire utile, justifié, comme les autres.

Entre un tapis que je fixe des yeux et un détergent oublié dessus dont j'essaie de me rappeler l'odeur surgit Constance. C'est curieux, je pense à elle plus qu'à mon accident. Si je n'avais eu que Constance, ou si je n'avais eu qu'un accident dont m'occuper... Non, justement. Ces deux événements indépendants ne s'additionnent pas dans le pire, ils se valorisent mutuellement. L'un plus l'autre, c'est sans doute devenu le TROP, et ce trop devient une forme dans laquelle j'entre et qui m'aide à vivre. Ta beauté m'aide, Constance, peut-être plus qu'avant.

Par mes grandes fenêtres, une fin d'après-midi couleur de ville, une ville couleur de rat, quelques feux scintillent dans la flotte. Sur les bords du Richelieu, dans les Basses-Laurentides, en Beauce, les érables vont commencer à couler, gris sur ciel gris.

Mercredi 11 mars

Beau soleil, ce n'est pas ce qu'on avait annoncé. En un instant je décide de sortir, improvisation exceptionnelle. J'ai envie d'Outremont-en-haut, j'ai envie de cossu.

Je prends Côte-Sainte-Catherine puis enfile sur ma gauche une de ces avenues qui sont en fait des allées montant à pic vers Maplewood, et dans l'échelle sociale. Il me semble qu'il y a une éternité. Sous une neige ici encore blanche et veloutée, l'eau se répand en filets sur les trottoirs déserts. Après quelques minutes sur le boulevard Mont-Royal, je suis descendu sur Springrove, m'arrêtant pour admirer la maison de brique rouge en surplomb sur le coin, toute en lignes simples, discrètement japonaises, qui rappellent la première manière de Frank Lloyd Wright, l'élégance, la force, la simplicité. C'est alors que mon cousin Robert est venu me tenir compagnie, en un clin d'œil aussi présent que cette haie grisjaune attachée par une corde, que cette borne-fontaine d'un rouge entêté. Le cousin Bob, on se voyait par bourrées pour quelques matchs de tennis l'été. Je l'aimais bien, je ne lui ai pas assez dit. Son côté contemplatif et son goût pour l'architecture nous rapprochaient, nous avions visité des expositions de design ensemble. Mais surtout, fils des deux frères, ayant grandi dans le même quartier ouvrier, dans la même maison, l'un en haut, l'autre en bas, on avait feuilleté à tour de rôle et parfois côte à côte les mêmes vieux numéros des mensuels américains *Home, Houses and Cottages,* il faut croire qu'il en était resté des traces. Bob formait avec sa femme un couple à l'anglaise, très fétichiste du *home sweet home,* j'appréciais leur sens de l'humour et leur classe. Ils avaient une maison confortable au bord de la rivière, c'est-à-dire qu'ils rêvaient d'une plus confortable. Assez pour inventer un jeu: s'étant fait imprimer une feuille d'appréciation avec les rubriques «style», «jardin», «verdure», «allées», etc., ils cochaient et commentaient à qui mieux mieux les maisons et les goûts de leurs propriétaires dans tous les quartiers qu'ils visitaient une fin de semaine après l'autre. Avant de déposer dans la boîte aux lettres leur bulletin vert, avec ses mentions allant de l'admirable au minable, ils prenaient bien soin de remplir la rubrique «conseils», et signaient «les snickeux d'Ahuntsic inc.».

Un jour de printemps, Bob et Angie (elle s'appelait Marie-Ange évidemment) se sont ainsi aventurés sur les hauteurs d'Outremont à flanc de montagne, ils songeaient de plus en plus sérieusement à vendre leur cottage du parc Nicolas-Viel, ils visaient plus haut maintenant, au-dessus de leurs moyens sans doute, le prix qu'il fallait toujours payer d'après Bob pour une maison. Les voici sur Maplewood justement. Cet homme que j'avais vu les yeux humides aussi bien devant un vieux clocher de Lacadie que devant une structure de Mies van der Hohe se trouve en pâmoison: l'horizontalité, les lignes de force, les effets de briquetage moucheté, tout de cette maison le ravit. La tradition architecturale de F. L. Wright encore, mais seconde manière, avec effets d'avancée en surplomb et une indéniable inspiration japonaise pour le chapeau du toit et le tour des fenêtres cloisonnées. Subjugué devant ces lignes proposées par un véritable architecte, et surtout malade de possession, il quitte le bras de sa femme pour mieux reculer et se faire une idée d'ensemble, sa feuille verte pendante au bout du bras. Un pas, un autre, c'est le moment que choisit un industriel éméché, par ce beau samedi d'automne, pour le ramasser avec sa Mercedes à soixante kilomètres à l'heure. La tête de mon cousin avait heurté la voiture stationnée tout près, le coup lui infligeant une fatale fracture des vertèbres.

Je fais aujourd'hui la même promenade que lui. Au loin, j'aperçois la maison japonaise. J'ai le réflexe de comparer mon bonheur, mon malheur avec le sien, ce même réflexe qui nous conduit à nous consoler avec les drames des faits divers. Se comparer, se mesurer, pour le meilleur et pour le pire, qui y échappe? Échappe-t-on à un réflexe? Une seconde ou un siècle de réflexion sur un réflexe... Ce réflexe est aliénant? Mais n'est-ce pas mesurer, comparer, qui ont fait cette Raison dont nous sommes si fiers? Classer, comparer, l'esthétique n'y échappe pas non plus, n'est-ce pas ce que faisait Bob lui-même en cet ultime après-midi. On se compare comme on respire, pour rester en vie, faute d'avoir trouvé mieux.

Les deux pieds plantés devant la maison qu'il n'habite pas, tu peux bien comparer ton aventure avec l'aventure de Bob. N'as-tu pas plus de chance que lui? Tu n'arriveras pas à faire taire tout à fait cette voix qui te dit: même avec le visage intact, même avec Constance au bras, que pourrais-tu faire de mieux cet après-midi que cette balade esthético-poético-architecturale, hein? que ferais-tu donc de mieux? Tais-toi et jouis de l'instant, toi qui as la Chance de goûter des «deux heures de l'après-midi» au mois de mars.

En bas de Côte-Sainte-Catherine, je croise quelques jeunes mères, et sans doute quelques bonnes, poussant un carrosse. Elles en ont le museau tout attendri. Constance et son profil parfaitement grec, au bout de nez légèrement arrondi. Koré boudeuse.

Jeudi 12 mars

L'écho. La communication nous tient fort nous les éclopés, les exclus, les meurtris dans leur corps et leur cœur, les détenus, les futurs faits divers de poste de police, les écœurés de toute sorte. Asociaux épris de communication nous sommes. Ça doit ressembler à un rayonnement noir et les autres le voient. Et le plus curieux, c'est qu'ils répondent. Les beaux et les laids, les normaux et les anormaux ne se comprennent peut-être pas, mais ils s'attirent. Comme si en chacun de nous était planqué un pauvre type, il est prêt à payer le prix, pourvu qu'on vienne entendre ce qu'il a à dire. Je ne peux exprimer autrement ce que sur la rue aujourd'hui j'ai senti, l'intime certitude d'être regardé — oh! une seconde — avec un drôle de sentiment dans leurs yeux, avec de l'*envie*.

Vendredi 13

Cherchant dans mon carnet d'adresses le numéro de téléphone d'une librairie, je tombe sur une note, qui doit remonter à l'été ou l'automne dernier. Je me sens vide aujourd'hui, j'aurai au moins noté ceci:

... après cette conversation, je ne peux que me dire: c'est clair, si tu regardes derrière les mots, elle se détache de toi, elle y tient de moins en moins, que veux-tu donc de plus? Mais surtout souviens-toi, si elle changeait d'avis dans x *semaines,* il faudrait ne pas la croire, *c'est qu'elle dirait alors sur son amour, le plus sincèrement du monde,* n'importe quoi. *Et elle pourrait recommencer, et te faire encore plus mal.*

Plutôt que «les mots», aujourd'hui j'écrirais «la voix». C'est de sa voix que je m'ennuie le plus. Constance pouvait faire des fautes de grammaire, mais elle était une artiste de la voix.

Samedi 14 mars

Trouvé ce matin un cheveu, couché confortablement dans les mailles du tricot que je porte. Au bout de ce cheveu, ses tempes châtaines, leur douceur fine entre mes mains, la tiédeur à mes lèvres de son front bombé, ses yeux qui se ferment, sa voix qui fait «hum...», sa tête qui s'incline, sa main sur mon poignet qui serre plus fort, sa bouche qui s'entrouvre, ses genoux... J'allais sans façon me séparer de ce cheveu, le rouler du bout des doigts, le laisser tomber. Je le remets délicatement à sa place, lové dans son lit de fourrure qui l'attire et le garde. Nous nous séparerons sans le savoir.

23 h

Ce «sans le savoir», tout est là. Ne rien vouloir savoir, qu'elle me trompe, où, avec qui, et même qu'elle ne me trompe pas! Quelle que soit la vérité, elle ne ferait pas mon affaire. Incapable de renoncer et à elle et à l'idée qu'il faudrait renoncer. Incapable de ne pas imaginer, incapable également d'imaginer jusqu'au bout, c'est-à-dire de voir l'imagination comme simple imagination. Je donne de la corde, je tire. Ce lâcher-retenir est le mieux que je puisse faire sur la jument de ma dérive; incapable de descendre comme incapable de nous lâcher à l'épouvante dans le terrain vacant.

Dimanche 15 mars

Je remonte mes stores un à un, déroulant les pans de la même ville qu'hier matin, à l'affluence près. La même ville... oh non! Cette démarche là-bas, ce léger balancement des épaules, l'écharpe enroulée autour du chignon, cette aura romantique, ce côté «châtelaine du Liban», mais qui est-ce? D'en haut, je la suis, changeant de fenêtre dans un travelling interloqué. Mais la très belle monte presque aussitôt dans une voiture noire. Un vaisseau sidéral, qui clignote rouge deux ou trois fois, et disparaît dans un autre espace-temps.

Quoi, Elle n'est pas unique! Une autre existe, respire, va et vient impunément dans la même ville, le même quartier, là où l'originale aurait aussi bien pu paraître en personne? La bouche entrouverte, pâteuse, je cherche où m'asseoir, monte et redescend le podium, les bras ballants, les genoux mous, sonné. Il y a certaines images que, comme l'alcool, on ne porte pas. Et si c'était, écris-le, *et si c'était peut-être Elle...*

Lundi 16

La saison québécoise, du corps à l'âme. Gels et dégels. Plusieurs semaines par année franchir la barre des deux ordres, le solide et le liquide, sentir monter et descendre le sang dans son corps comme fait le mercure dans le tube, expérimenter le changement, voyager de force, fréquenter le seuil de la douleur et les faux espoirs, se sentir mourir et renaître, plus âgé et en même temps plus jeune, forcé d'avoir ainsi plusieurs corps par année — plus que d'autres peuples. Mûrir par le corps, cent soixante livres d'eau et d'émotions barouettées, l'âme ne peut y échapper. Temps de l'année que j'aime, je me sens de ce peuple.

Mardi 17 mars

Il décide de se rendre sur le pont Jacques-Cartier regarder le spectacle des glaces. Il a conscience d'accomplir là un geste singulier, de flirter avec le drame: chaque hiver après tout, n'est-ce pas le dernier voyage de plusieurs? Cette décision subite, sitôt prise, a pourtant quelque chose d'inexorable. Un pèlerinage sur les os de ce brontosaure qui enjambe le fleuve, combien de Montréalais l'ont entrepris une seule fois dans leur vie? Le pont «du Havre», comme disait mon oncle Henri, alors que c'était le pont Jacques-Cartier pour tout le monde depuis longtemps. Mais il y avait dans sa prononciation campagnarde, dans la syllabe fermée (comme «poivre»), tellement plus de magie shakespearienne, de brumes et d'embruns que chaque fois qu'on entendait le mot le pont immense semblait s'éloigner et reculer dans les siècles.

Une fois sur le pont, j'essaie d'oublier le bric-à-brac des édifices portuaires, le vent, la circulation infernale sur les millions de jointures rouillées, et je commence à voir les glaces, les dernières de la saison. J'essaie d'oublier que je m'avance en bordure, sur une passerelle de fer tricotée contre la nuit huileuse et opaque du Saint-Laurent, soixante mètres plus bas. Peu à peu je réussis, et j'entre dans un silence d'avant tous les bruits. Parvenu au beau milieu du grand arc du tablier, j'hésite, je m'arrête, pose un coude, puis l'autre, et je regarde. Alors Paul-Émile Borduas remplace l'oncle Henri et vient me tenir compagnie. Ses derniers tableaux bougent lentement sur le fleuve, lentement, pour l'éternité. Henri et Paul-Émile s'appellent, je vais du regard bleu de l'un au regard noir de l'autre; petits, osseux, l'œil vif, ils se ressemblent et sont nés exactement la même année. Aussi nerveux, entier, je n'ai pas de peine à imaginer Borduas comme jumeau de mon oncle, ce pourquoi j'ai toujours trouvé la présence physique du peintre, du moins ses portraits, familière et aimable. Dans le souvenir, les morts n'ont-ils pas le même flou que sur les vieilles photos, les mêmes traits granités sur le visage?

Sur le pont, les glaces comme un puzzle cosmique venu de très loin glissent, erratiques, Borduas à ma droite, Henri à ma gauche, le vent les contrariant fort et les décoiffant, ils ont cinquante ans dans leur costume noir. Je ne sais pourquoi je suis pris pour eux d'une telle tendresse, c'est la sirène du port peut-être, sa plainte répétée comme un adieu aux armes, j'ai froid. À force de regarder, le grand charrieur de tableaux me semble en face et non en dessous, majestueusement insensible au colloque d'un fou avec deux anges qui ne se connaissent pas. Une sirène passe, suivie de son remorqueur. Le fleuve a l'air de vouloir dire quelque chose, m'expliquer que tout a ses limites, qu'un homme peut être grand, une vie longue, le Temps finit toujours par les contenir comme un lit contient un corps, un corps sur son lit de mort commençant sa dérive. Il contient tous les lits, tous les corps, toutes les dérives. L'homme patine sur le Temps, peu à peu le Temps se réchauffe, la glace fond, se détache et l'emporte. N'est-ce pas ce que Borduas semblait dévoiler dans ses derniers tableaux: il y a toujours bien une limite, je suis arrivé au bout, à la limite de mon temps, la peinture ne me porte plus.

Au retour, descente sous une neige agitée, vers des rues sans visage, comme enveloppées de gaze, devant un admirable soleil gris floconneux. D'autres tableaux dans ma mémoire, de Fortin à ce clocher, d'Adrien Hébert à ce silo géant, de Cullen à cette neige qui a l'air de tomber, tourbillonne et remonte vers le ciel, toutes ces images du pont et ses alentours à l'époque où Montréal était une ville encore étonnée par son fleuve, chantée par ses poètes. Une fin d'après-midi pour me rappeler ce qui me semble une évidence, nos plus grands poètes sont peintres. Chercheurs de riens, promeneurs un peu dérangés, toucheurs avec vos yeux, voyeurs avec vos mains, je me sens près de vous.

18 h 30

De Paul-Émile B. je me sens proche à cause de mon état sans doute, je me sens comme j'imagine d'après ses portraits qu'il se sentait à la fin de sa vie, grave. J'aime croire à certains instants que ma gravité s'élève jusqu'à la sienne. Gravité de l'inachèvement peut-être. Pourtant, Borduas avait bien des raisons de penser qu'il était parvenu à quelque chose; peut-être que, de son point de vue à lui, il n'y était pas parvenu. Ou bien était-ce au contraire la conscience de l'achèvement? De savoir qu'il avait, de façon enfin adéquate, exprimé la limite, qu'il était rendu au bout, et de reculer devant cette vérité.

Il y a autre chose. Je voudrais comme lui me sauver par l'expression, m'arracher à moi-même pour me réconcilier, je n'y arrive pas. Le peu qui arrive *m'arrive.* Qu'on ne vienne pas me parler psychologie et optimisme mur à mur, *never mind*! Je ne suis pas en classe, je n'ai nulle envie de «dialoguer» avec la réalité. Je me sens dans l'œil du cyclone. Je suis dans l'expérience. Je ne veux pas «communiquer», je veux communier, ostie!

Mercredi 18 mars

Visite chez le médecin. Dans la salle d'attente, personne ne regarde personne, même la grosse femme sans séquelles visibles. Les autres sont tous pansés dans la figure ou dans le cou, est-ce un hasard? Je n'ai pas demandé au docteur Voyer sa spécialisation esthétique (comme si j'étais son seul patient, je ne lui ai pas demandé non plus pourquoi il est rattaché à Notre-Dame alors qu'il a un bureau à côté de l'Hôtel-Dieu). Il regarde longuement ma plaie, chose que je n'arrive pas à faire. Il palpe ici et là, parfois loin de la blessure. Le plaisir de me faire toucher avec l'attention et la concentration d'un toucher professionnel, la même euphorie que chez le coiffeur, je décolle quelques instants dans une sorte de somnolence curieuse, sensuelle, comme si on me massait directement le cerveau.

Le docteur semble satisfait. Me recommande encore une certaine prudence, foulard et même cache-nez si nécessaire. Attraper une sinusite amènerait toutes sortes de complications, pas graves, mais très ennuyeuses, que j'imagine sans peine, je supporte déjà mal les démangeaisons de la lèvre supérieure, aussi bien laisser dormir le volcan. Il m'assure calmement que je vais retrouver mon entière capacité de sentir les odeurs au fur et à mesure que la membrane olfactive sera protégée, «kératinisée» par la cicatrisation mûre des tissus internes et externes. Je m'aperçois que je n'y pensais plus, en tout cas pas en entrant dans son bureau. Comme si en aucun moment je n'aurais pu hésiter: donnez-moi un nez, n'importe lequel, qu'il hume ou non! Plutôt l'apparence que la fonction.

Sortant vers l'ouest, me voici sur l'avenue des Pins, à sautiller dans l'abominable rond-point qu'on traverse au risque de sa vie, puis, tout s'apaise, le rideau se tire, j'entre dans la montagne. Dès le premier sentier, petit pincement au cœur, quelques coureurs en groupe descendent joyeusement en se tenant sur les bords croûteux. Le temps frisquet, la neige fraîchement tombée, la dernière peut-être, font illusion et me ramènent deux mois en arrière — je pense au chemin parcouru. Je croyais à tort qu'il n'y avait qu'un narcissisme. Le narcissisme de la belle image étant devenu sans issue, irréparable, j'ai d'abord pensé en finir (mais cette pensée, elle-même imaginaire, en était un dernier symptôme). Alors, autre chose est monté à la surface, un autre emploi dans la vie.

Ce nouvel emploi se divise en deux, narcissisme jouissance ou narcissisme puissance. Le luxe du choix, pour éclopé nouveau: ou bien se laisser aller à tout ce qui lui plaît, cajolage et dorlotage infinis, noix d'acajou entières, bain aux huiles essentielles, techniques d'auto-érotisme sur musique du Nouvel Âge, vins chers, dépense et ramollissement. Ou bien au contraire sortir, marcher, se tonifier en masse. Ou jouir ou courir. Finie la Beauté, vive l'Énergie! On emmagasine ou on décharge, ou l'un ou l'autre, excessivement, c'est si facile de tomber dans l'excès, plus facile en tout cas que d'équilibrer. Entre paresser au lit et galoper comme un poulain, d'instinct je choisis le poulain. Un nerveux je suis, héritier de générations d'ouvriers nerveux, qui «fatiguent» quand ils sont assis, et à qui on a dit de s'occuper.

À défaut d'être beau, être fort. Comme je comprends les marathoniens adipeux qui se traînent sur quarante kilomètres. Ils se nourrissent du possible et le prouvent chaque jour. Le possible, c'est la maison dans laquelle vivent les hommes. Chacun sait et se dit: je ne courrai jamais le marathon en 2 h 15. Ce qu'on s'en fout! Mais quoi faire avec le goût âpre du dépassement, du «dépensement», avec ce désir infatigable? Si ce n'était qu'une affaire d'image, la plupart abandonneraient, les accidentés désespéreraient, le pire serait toujours sûr. — Soyons honnêtes avec l'image, les hommes se passent plus facilement d'être champions dès qu'on les considère comme bons, comme «quelqu'un», on accepte mieux la modestie si on nous fait un peu héros. Évidemment, le philosophe, lui, devrait faire mieux sur la pente des excès: «Chez la plupart des hommes, le calme est léthargie, l'émotion fureur» (Épicure). «Avec toi, c'est tout l'un ou tout l'autre», disaient nos parents. Érotiser le temps et non le tuer. Ouais. Pas encore assez philosophe, ou pas assez parent, j'ai juste envie de courir.

Le long du sentier, Montréal bouge irréellement, glisse sur ma droite entre les sapins comme un *Titanic* illuminé, sous un ciel d'un bleu fondant, violacé. La neige autour, un peu fluorescente, rend le chemin plus gris, les troncs plus noirs, je marche vite, profitant de la pente, avec l'effet d'un radiateur entre le mufle et l'écharpe qui m'entoure le cou, allègre, excité, quasi joyeux.

Vendredi 20

Une journée. Levé à huit heures et demie, il faut passer les cinq premières minutes. Je refuse l'invitation, les larmes doivent rester dans les yeux. Arroser plutôt les plantes, ouvrir la radio, verser un jus d'orange à un type qui se demande quoi faire. Une heure, deux heures coulent, le temps coule toujours, faire ma toilette ou du ménage, ou bien lire le cahier *Arts et lettres* de la dernière fin de semaine. Je me ramasse à midi, après avoir lu tant bien que mal, découpé un ou deux faits divers, noté quelques petites choses. Je me récompense en m'empiffrant, cinq, six toasts, beurre d'arachide, pâté végétal, pomme ou poire, écoutant Radio-Canada, lisant le journal si j'ai eu le courage d'aller jusqu'au coin de la rue. Puis je sors jusqu'à dix-sept, dix-huit heures, et même plus tard (tous les jours sauf mauvais temps extrême). Hygiène indispensable — une des rares choses dont je ne doute pas. Je m'arrête ici ou là pour transcrire mes impressions de voyage. Vient un moment où il faut rentrer, après la dernière impression, avec un mélange bizarre de fatigue et de satisfaction d'avoir tenu le coup. De carrefour en carrefour, je regarde les façades, le vide entre les façades, parcourant mentalement le télé-horaire de fin de soirée, sûr d'avance qu'après m'être préparé à souper, je ne serai plus bon qu'à cela, me laisser circonvenir par les ondes enveloppantes et féminines de la télévision. De 22 h 30 à minuit passé, me répète à tous les quarts d'heure que je devrais lire un peu, «travailler», à la place de quoi je navigue du divan à la cuisine, me servant une énième tasse de tisane, laquelle me forcera à me lever *x* fois en pleine nuit pour pisser. Le dernier quart d'heure, transperce sous la fatigue une maussaderie faite de larmes séchées au grand air, c'est demain matin qui se prépare. Je finis par m'endormir sur une idée de lecture à une heure où toute lecture est ennuyeuse, en me disant que ça pourrait aller plus mal. Et je rêve que c'est vrai.

Samedi 21 mars

Je continue de songer au buffet blond qui me fait signe chez Artremo. De façon parfaitement contradictoire d'ailleurs, puisque je songe en même temps à dénuder mon espace, faire à l'extérieur ce que je me sens être à l'intérieur; redevenu consommateur et heureux, je recommencerai à surcharger.

Les maisons m'intéressent, comme bien des fils de locataires. «Quand la maison est finie, la mort y entre», dit un proverbe arabe. Donner forme, parfaire, et mourir, comme les insectes. Mais le plus souvent, on ne meurt pas devant sa maison terminée, et on ne jouit pas longtemps non plus. L'attachement à une maison de toute façon n'empêche pas l'envie de partir. Mon père, qui souffrait de la maladie du cordon ombilical, serait mort de quitter la rue et le quartier où il était né, mais il n'arrêtait pas de sortir et de rentrer, passant le plus clair de son temps dehors, debout à fumer sa pipe, marin sans bateau et sans équipage, regardant au large sur le balcon. On sacrifie tout pour avoir une maison, tôt ou tard on en sort. On joue à la refaire. Combien de fois je regarde autour en faisant bouger les choses, cherchant quoi améliorer, je monte alors vers un effet, vers le mirage final, un peu obnubilé, j'oublie tout le reste. Comme ce matin, fantasmant sur l'effet qu'aurait, à la place de ma fougère, une colonne et son buste à la grecque, alors bêtement, c'est venu tout seul: pourquoi est-ce qu'on trouve si beaux ces visages massacrés?

Parce qu'ils continuent à sourire, à penser, comme si de rien n'était.

Dimanche 22 mars

Sois franc, pour ton édification future, et consigne ce qui t'étouffe aujourd'hui:

je sens que je ne dois pas craquer, je ne dois pas m'apitoyer sur moi-même, je dois sortir, communier ostie! aller au-devant des autres

mais dès que je sors, je suis renvoyé à ma différence et à ma pitié, je n'en peux plus.

Lundi 23

Ce genre de journée entre deux saisons où tout a l'air de travers. En hiver, le paysage se tient, la neige l'enveloppe, le supporte comme un tapis, en été même chose, le velours donne du corps, il y a une cohésion. Aujourd'hui, seulement des pics, tout est rêche, revêche, l'air sec a rendu le paysage comme lui, frippé et mal rasé, un tableau hirsute.

Hier, comme j'éteins, une sensation de caverne, de première nuit du monde. Tourne et retourne, m'entendant râler... pour entendre quelqu'un. Puis, une démangeaison inhabituelle, une espèce de supplice du chatouillement sous la peau. Un état du corps qui ne se résigne pas. Il faut que je me calme cette crise de nerfs entre derme et épiderme. Au début de nos rapports, je me souviens, C. était érotique et envoûtante. Et puis peu à peu, je ne sais trop comment... Constance appartient-elle à cette catégorie de femmes dont on se dit: «comme ça leur passe, la sexualité n'est pas leur affaire, seulement l'amour»? Est-ce que j'appartiens à cette catégorie d'hommes dont elles disent: «vous, c'est le contraire»? Est-ce cela qu'on appelle le rapport sexuel?

Mardi 24 mars

Il me semble que ma démarche a changé. Le médecin, à qui je téléphone ce matin à un autre sujet, me dit que c'est à cause du traumatisme et que tout cela va «se replacer». Pas si sûr. J'ai plutôt l'impression que ça ne se replacera pas.

Ce soir, une autre impression d'irrémédiable. Il était tard; descendant la côte à Baron, je me dis que je pourrais bien passer devant le collège, juste pour voir. La rue Sanguinet approche, j'hésite. Finalement j'y vais. Malgré l'heure, malgré le temps frais, malgré tout, des souvenirs ont commencé à descendre les marches de l'entrée. Alors trois élèves en chair et en os les ont aussitôt remplacés et sont passés devant moi en riant. Ils riaient si fort, comme si tout le collège riait aux éclats.

Dans les vitrines, en rentrant, j'ai surpris une nouvelle fois ma démarche, déjetée un peu par en arrière, balourde, chaloupée, le cou légèrement par en avant, une démarche béante, bête, décentrée sur le bord extérieur des semelles. Déséquilibrée.

Mercredi 25 mars

Promenade au mont Royal. La neige de la semaine dernière est chose du passé. Il reste de belles plaques d'eau rutilantes collées à la falaise noire, qui dégoulinent en gazouillis parmi les feuilles séchées. Et des sentiers boueux par endroits, capricieux pour la promenade, ce qui fait qu'il n'y a personne en ce milieu d'après-midi de milieu de semaine.

Je regarde, contemple plutôt la tête des arbres sur fond d'azur, j'entends défiler les remarques de M.-A. Fortin qui comparait la couleur de l'atmosphère ici et en France, là-bas, c'est plus gris dans le bleu, ici plus violet. Aujourd'hui en tout cas, c'est évident, il y a du violet dans le ciel. Particulièrement au-dessus des branches, blondes et vivantes comme des mains dressées qui rament dans l'eau tranquille. Au bout de ces doigts, d'abord une frange très claire, un gris lumineux extrême, puis c'est plus violacé, et plus on élève son regard, plus le bleu est profond, toujours avec un restant de violet mélangé.

Et dans l'air une fois de plus, cette incroyable odeur de Jell-O aux cerises, j'aimerais bien un jour qu'on me dise...

Jeudi 26 mars

23 h 30

Ce soir, téléphone de Christophe, la médecine indispensable, à prendre deux fois la semaine. Je n'ai pas à lui dire, il sait que je suis malade. Je devrais lui dire quand même.

Nous avons esquissé une fois de plus le livre par lettres que nous projetons depuis des années. Un échange de lettres sur l'amour, sur l'amour des femmes, l'espèce de «recherche de l'Absolu» que nous avons de chevillée au corps depuis toujours et qui va se perdre avec nous, car évidemment de Shakespeare à Stendhal à Bataille ou Miller, personne n'a dit là-dessus ce que nous allons dire, et qui est beaucoup plus simple, évident, fort et universel, etc.

Bêtement, je n'ose lui avouer non plus que j'essaie d'investir ce thème, mais pour mon usage seulement, que je répugnerais à entrer dans un échange direct sur le sujet, fût-ce avec lui, du moins maintenant. Je ne suis pas mûr pour le mode transitif, je file pronominal. D'abord m'écrire la vie, jaloux des quelques pierreries que je peux ramasser, bien trop pauvre encore pour échanger.

Cette dernière heure après le bulletin de nouvelles, alors que tout est calme, même la télé qu'on a oubliée, j'ai un faible pour elle. Au moment d'éteindre ma lampe de travail, je jette un regard sur la ville qui dort à mes pieds, elle est belle avec ses grains de beauté. À regarder avant de s'endormir. Elle sera là demain.

Vendredi 27 mars

Les femmes du vendredi soir commencent à sortir. Nous ne sommes pas encore au printemps, mais on dirait qu'elles y sont.

À la Librairie du Square, je feuillette un album de Steinberg, le dessinateur américain, consacré au *nez*. C'est visiblement d'après lui l'organe le plus important du corps humain. Comme nous sommes d'accord.

Samedi 28

Avant même d'ouvrir les yeux, il y a la couleur du jour, à moins qu'on l'ait rêvée les stores encore baissés. Il y a le déjeuner qui est pris en vitesse. Il y a le trottoir sec et doré, ce grattement doux sous les semelles, et la certitude que c'est le dernier calcium d'hiver. Il y a les arbres dans la matinée, plus dorés et plus souples que la veille, la tête plus arrondie. Il y a ces petits parterres bien gras de terre foncée, humide, et quelques longs brins couchés de travers. Il y a surtout l'essentiel, diable! qui est en moi. C'est bien une journée comme celle-là qu'attend mon grand-père, que j'appelle pépére, pour sortir mon tricycle et me le descendre sur le trottoir, chaque année ce jour revient, la porte s'ouvre, celle du vestibule, puis celle du balcon, et la matinée ensoleillée me saute à la figure pendant que les odeurs de la rue se mélangent aux odeurs cuites et tassées de la maison. Juché sur les blocs de bois qui entourent les pédales — pour pouvoir les atteindre, car ce tricycle doit servir longtemps et à ceux qui suivent —, j'avale du trottoir dans tous les sens, poussant le moulinet au maximum. Ce trottoir sablonneux et jaune doit être éternel et chaque printemps revient ce premier jour, que je passe assis sur mon tricycle bleu royal, filant à toute vapeur en pleine rue Saint-Vallier, j'ai le souffle court rien que d'y penser, et le muscle de la cuisse tendu pour toucher la pédale, parmi des voitures comme des œufs géants, parmi des perrons de planches qui ont quelque chose que je ne sais pas être vénitien, dans le rayon bienveillant et parfumé de la pipe de pépére, pas peu fier de ses beaux blocs taillés à la main. Et il flotte dans l'air une odeur absolument indéfinissable, intransposable, qu'il ne peut y avoir, je le jurerais, qu'à Montréal à ce moment cardinal de l'année, après tant de neige, de gels et de dégels et de glace fondante, lorsque commence à monter un soleil de plus en plus piquant. Ce n'est pas le moment de mourir, si on a attendu jusque-là, il faut attendre encore.

Aller jusqu'à l'épicerie ne m'a pas suffi, je suis ressorti, j'ai remonté jusqu'à Rachel puis traversé le parc, l'autoroute m'a découragé, à la place j'ai poussé vers le sud jusqu'aux vieux murs de pierre de l'Hôtel-Dieu, puis tourné à gauche pour descendre ensuite Saint-Urbain. Et puis non, me dit une voix, tu n'emprunteras pas Saint-Urbain, c'est moche, prends la suivante. Cette voix est impérieuse. Les justifications viennent nombreuses et je pourrais les formuler, trop de voitures, pas d'arbres, etc. Mais ce qui me frappe, c'est à quel point je tiens à ce changement impromptu, il n'est pas question que j'y renonce. Les yeux rivés sur les granulosités du trottoir, je sonde l'ambiguïté de l'expression «y tenir», suis-je l'arbre ou la feuille?

N'est-ce pas la même chose quand il s'agit de renoncer à Constance, y tenir est-il vraiment affaire de choix? Il faudrait que je tienne à y renoncer, que je me tienne attaché à l'arbre du détachement. La seule façon de m'en sortir est de chercher à construire un autre désir auquel tenir — et de là renoncer. Comme la promenade, parce qu'on la continue on peut renoncer à telle rue. Passer d'une volonté-idée à un désir-force, que je pourrai toujours appeler ma volonté, mais qui sera surtout une autre machine dans laquelle être pris, mon intégration à un autre circuit, qui sera une action et non une décision. Faire son yoga ou son jogging à sept heures du matin n'est plus une décision, c'est un «tenir à».

J'ai pris Clark, tourné sur Prince-Arthur pour déboucher de plein fouet dans l'animation de la rue Saint-Laurent où l'heure du lunch m'attendait comme une gifle. Devant cette affluence de grande ville, j'ai passé en vitesse la librairie Androgyne, le cinéma Parallèle, l'avenue des Pins, je n'appartenais pas à cette foule, je ne faisais que me défendre, fonçant tête penchée, je n'avais plus rien à dire, à me dire.

23 h

Remarquer à quel point notre psychisme a quelque chose de... sphinctérien. Nous souffrons, par exemple, tout juste autant que nous avons à souffrir. Nous prenons ce que nous avons à prendre, ce qui doit passer passe, nous devons nous y faire. Si nous finissons par accepter pire que ce que nous aurions pensé pouvoir supporter, nous oublions aussi vite et recommençons à nous plaindre sitôt après pour beaucoup moins, nous collons de façon élastique à notre douleur. Comme si nous l'aimions, toujours au bord d'être intolérable, toujours tolérée, et avec tout cela, nous voulons donner, communier, et jusqu'au dernier moment tirer le maximum de ce processus de produire-maintenir-retenir qui s'appelle une personne. Je dis nous, disons des forces en nous.

Entre vouloir communier avec le monde et vouloir rationner à tout prix, entre l'hostie et le sphincter, et si c'était là que se trouve la Beauté, qui peut seule nous sauver? Et si c'est cette alternance, cette respiration que je demandais confusément sans le savoir à la Beauté vivante, de relier les deux versants de mon âme, le vouloir-communier et le vouloir tout avoir?

Dimanche 29

Toute la journée dehors, la bouche ouverte, à respirer un air paradoxal: froid, même au soleil, un air liquide qui goûte la glace et l'hiver, alors que le temps est sec, poussiéreux et picote le fond de la gorge. Un iceberg mis à fondre dans le Sahara. Des promeneurs du dimanche, la bouche ouverte aussi, réchauffaient chacun l'oreille de leur amie.

Lundi 30 mars

Ce soir, après le souper, pluie fine et froide comme la déprime subite qui me tombe dessus. Je suis sorti, optant pour le moindre mal.

Ne plus coïncider, décoller me répétais-je. Constance n'est pour un autre qu'une autre femme, même pas, un autre être humain. Si seulement tu pouvais quitter le point de vue métaphysique où tu cherches l'Absolu, la Femme idéale, l'Image incomparable. T'en tenir au monde qui est là, équivalent pour tous, le monde commun, dans lequel il faut bien vivre, travailler, désirer, oublier. Mais non, ce soir je m'empoisse jusqu'au fond de la gorge, jusqu'à l'épaisseur de ma salive. L'hiver, on dirait, va recommencer, les arbres luisants et les néons s'en balancent, la nuit elle-même a fermé ses portes, et la face qui m'apparaît dans toutes les vitrines, un vrai guignol, ce n'est pas possible.

La pluie cessait, reprenait, j'ai continué à traîner, je n'avais pas envie de m'en priver. J'ai dû errer comme ça trente, quarante minutes, avenue du Parc, Hutchison, Laurier, comme si je cherchais quelque chose, ne croisant que des silhouettes pressées, dont le tempo, le «rythme de vie», se moquait du mien. Je n'attendais plus rien, je rentrais déjà sans le savoir lorsqu'une affiche vieillotte m'a attiré, une affiche de l'Institut Goethe à la devanture d'une librairie, et voilà Werther qui surgit à mes côtés sous un réverbère comme s'il n'avait fait qu'avancer d'un pas, et même qu'il parle: *«ce que tu sais, un autre peut le savoir, mais ton cœur n'est qu'à toi.»*

Juste ce qu'il me fallait. D'autres aussi sont infirmes, défigurés, en attente de chirurgie pour une partie de figure qui ressemble à une figue, bon d'accord, mais cette idée ne t'aide pas. Ce qui t'aide, ou du moins te console, c'est que ton cœur comme ton nez montrent une blessure dont les contours sont uniques. Ce n'est pas ton nez rien que ton nez, ce n'est pas ton cœur rien que ton cœur, c'est ton cœur plus ce nez, et ce nez qui t'écœure! C'est pourquoi tu voudrais tellement communier ce soir, sombre capitaine qui s'étouffe dans son coin avec ses histoires merveilleuses de baleine.

Si tu savais seulement vivre le siècle sous la cloche du prévisible, comme tes contemporains qui se fichent des philosophes, de la Beauté avec un grand B, et du Bien transcendant. Ils se contentent des biens contingents, ils savent qu'ils ne peuvent perdre leur maison de campagne et leur BMW le même jour, les statistiques sont là et les assurances aussi.

Mardi 31 mars

Odeurs diffuses mais réitérées dans le pansement. Odeurs de terre de la campagne, odeurs de fumier «comme» diraient mes élèves, sans rien ajouter, pour laisser régner le flou suprême. Une odeur suave et délectable de pourriture, déposée jour après jour, comme l'odeur des pieds de la femme qu'on aime, aggravée à chaque pas d'une journée de marche. Goûter sous leurs bas blancs à ces pieds dorés et parfumés par la fatigue, qui nous étaient fades et indifférents à la sortie du bain.

Le nez est un sens surpris, le printemps est la saison des surprises. L'émotion à retrouver ce qu'on croyait mort. Question mystère: préférerais-tu t'avancer dans la ville le nez en avant et intact, mais sans rien sentir?

Mercredi 1er avril

L'insurmontable! Quand j'enlèverai un jour ce ridicule bonnet de nez pour exhiber l'incommensurablement plus redoutable encore! Oui, je l'avoue, j'aimais la jeunesse et j'aimais mon image. Je croyais aux apparences, plus que d'autres, mieux que d'autres, c'était mon péché capital et à cette époque je ne me conjuguais pas à l'imparfait. Tant qu'elles sont avec vous, croire aux apparences, la belle affaire! Mais quand les apparences se tournent contre vous... Il reste l'âme. Quoi? Comment, vous avez bien dit «l'âme»? Dans une autre époque, j'aurais eu des modèles d'héroïsme à côté desquels mon état aurait été de la petite bière, mais Socrate et Caton, c'est pire que mort, c'est démodé! Il me serait resté une religion, un salut, une famille, cette blessure eût été relativisée. Dans la nôtre, elle est LE MAL ABSOLU. — Au nom de quoi prétendre la surmonter, quelle autre physique, quelle métaphysique opposer au physique? Quelle transcendance, quelle profondeur, quel au-delà des apparences? Plus j'y pense, cette blessure est MORTELLE. Il n'y a plus d'explication, il n'y a que la figuration. Je me mets à leur place, que peuvent-ils faire les autres que je croise dans la rue, sinon frissonner et me plaindre le dos tourné? Ce gars-là n'est pas mieux que mort.

Jeudi 2 avril

Et qu'on me comprenne bien, le mal absolu est un tabou. L'époque qui engendre le mal le nie en même temps. Nous avons des valeurs non écrites fortes et des valeurs écrites faibles, les valeurs du neuf à cinq dont tout le monde se fout, et celles qui commencent après, les vraies. Le pire, c'est que si jamais je surmonte l'adversité et les adversaires, rien n'y paraîtra, cela n'existera même pas. Le tragique est la petite différence qui fait la différence, que rien ne comble et que personne ne voit, l'infirmité sans la reconnaissance de l'infirmité. Être un spectacle sans être payé, même pas remercié.

Dans cette époque règnent les chromosomes, il y a ce qui est donné, et dans ce qui est donné il y a la chance, on l'a ou on l'a pas. Je suis beau ou moche, excellent sportif ou balourd, cela est rien, cela est tout. Contre le Hasard, aucun travail qui tienne. Au train où vont les choses, «se faire une raison» ne deviendra même plus possible, on se permettra de plus en plus de compensations, ce qui n'est pas pareil. Les gros, les moches, les malchanceux seront plus tristes, alcooliques, violents, toujours plus. Les stoïciens ont raison, ce qui ne dépend pas de nous (Beauté, Santé) n'est rien. Mais non, les stoïciens n'ont rien compris, nous dit la pub, ce qui ne dépend pas de vous est tout, rien d'autre ne compte, combien de fois va-t-il falloir vous le répéter? Que les stoïciens se rhabillent, vive la philosophie du Hasard! — Il faut un bout de nez dérisoire pour me forcer à prendre conscience de l'insondable richesse et complexité, des rouages obscurs de la machine qui opère sous la peau, où s'organise un bout de rien, un bord, une frange d'épiderme, une limite où le corps rencontre l'air de cette façon si inouïe, si esthétique, cette affaire de surface qui s'appelle un nez. Nous avons redécouvert le corps, il nous revient en pleine gueule, c'est d'une ironie suprême. Il n'y a rien que mes élèves avaient de plus parfait que les dents, alors que leurs grands-parents étaient édentés.

Mais ceux-ci ne tenaient pas leur vie avec leurs dents. Si le merveilleux est une chance, le merveilleux est scandaleux, comme la chance. Car cette chance qui est celle de la peau, cette chance doublement vulnérable en tant que chance et que peau, soumise au hasard des rencontres et des accidents, est aussi, qu'on me comprenne bien, LA valeur, il n'y a rien d'autre. Nous avons l'ordre du merveilleux, sans tête et sans cœur. Il n'y a plus qu'un immense stade du spectacle qui rugit et en redemande, où l'on donne aux uns le sentiment de leur chance, à même la malchance des autres.

Petit paralogisme pour mes élèves passés, présents et futurs: j'aimais jouer avec ma peau; j'ai joué et j'ai perdu; attention, à ce jeu on perd tôt ou tard; attention à l'attention: il n'y a pas d'autre jeu.

Vendredi 3 avril

À part les coups de fil de Christophe et les faux numéros, quelques rares appels de Guy et de mon frère, le téléphone ne sonne jamais. J'avais refusé deux ou trois invitations de tennis en novembre et décembre, les copains se seront découragés. Quant à mes collègues, ils doivent être intrigués par une décision prise à la dernière minute, mais on peut rester longtemps intrigué. Tant mieux, tout favorise cette entrée en religion que je poursuis depuis deux mois et demi. Ce qui ne m'empêche pas de leur reprocher ce silence affairé, du genre important, qu'on impute facilement aux autres, comme s'ils étaient coupables de ne pas prendre de vos nouvelles, alors que vous faites tout pour qu'ils ne se doutent de rien. Ou bien peut-être est-ce un silence douloureux qu'ils traversent aussi — comme s'il y avait le moindre bon sens à croire le monde entier malade parce qu'on l'est soi-même! En réalité, apprendra-t-on plus tard, ils se sont particulièrement amusés pendant cette période, ont beaucoup voyagé ou ont acheté une maison, et nous avaient précisément très loin de leur pensée, comme on le souhaitait. Ce qu'on souhaitait vraiment, c'est ne pas les voir ni les informer, et qu'ils sachent pourtant et ne pensent qu'à nous. Qu'ils s'inquiètent, qu'ils devinent.

C'est dans ce silence, celui de l'ennui probablement, que le téléphone a sonné à dix heures moins vingt, c'était Constance. Elle pensait que j'allais donner «signe de vie» après mon voyage (le mensonge du répondeur [!], la supposée grève, le voyage pour me changer les idées, y avait-elle cru? — pourquoi pas, elle avait peut-être des raisons pour le croire comme j'en avais pour le raconter). Ses premiers mots, pour dire que le silence entre nous «lui pèse». Panique. D'avoir à s'avouer à quel point on tient encore à quelqu'un. Quelques secondes folles et maudites. Qu'elle soit là et qu'elle m'aime, tout le reste aboli. En finir, lui dire la vérité, dans une seconde mettre ma vie. Non. Je veux l'amour de Constance, je ne veux pas de la vérité, je ne peux me permettre aucune aggravation, je ne veux rien savoir de l'effet que lui ferait la nouvelle de mon accident, tout mais pas ça! — si Constance est la moitié du monde, ce secret-là en est l'autre moitié, je ne veux pas qu'elle me relativise, me dégonfle en un seul instant, je ne veux pas qu'elle hésite, je ne veux pas qu'elle joue. Qu'elle crie, pleure, lâche tout et accoure est la seule réponse que j'admettrais. À défaut d'en être sûr, je préfère le *possible.*

Je comprends bien que je ne lui dirai rien, que je n'en ai jamais eu l'envie, au moment où je commence d'une voix de ventriloque à débiter des banalités sur «ce qui arrive». J'entends les mots dans ma gorge, je me vois déployer et contenir des yeux, comme un paysage urbain (je regarde la ville abasourdi), la masse colossale, les dimensions architecturales du capital d'orgueil sur lequel je vis, avec tous ses monuments d'amour-propre, depuis soixante-quinze jours. Surtout ne rien perdre des maigres avantages de ma position, gagner du temps. Car Constance, pressée par les frais d'appel, a commencé à parler d'elle à sa façon évasive caractéristique, sans que je puisse me figurer rien de précis sur sa vie européenne, et après un «c'est ça...» traînant, seconde attaque: elle aimerait me voir, revenir à Montréal, sans trop «savoir quand au juste». ... Il faut dire quelque chose. Je lui lance, je m'entends lui lancer que j'aimerais autant qu'elle attende encore un peu. C'est dit, c'est sorti. C'est ce que j'avais de mieux à dire, je le sais, puisque c'était le plus difficile. Que j'ai tout à gagner ainsi, que c'est la seule réponse. Est-elle surprise? Constance est comédienne, mais à moitié, comédienne sincère, elle peut travailler la plus fine nuance de ses variations d'humeur, elle n'est pas capable de les taire. Je reconnais donc sa contrariété dans le ton qu'elle prend pour répondre: «oui, moi aussi, je pense que c'est mieux d'attendre encore un peu avant de se voir.» Je compte alors, oppressé, les secondes qu'il me reste à essayer de toucher cette voix qui, elle, me touche, qui est tellement plus qu'une voix, décidée et lasse à la fois, nerveuse et retenue, chantante et qui ne chante plus, que je n'entendrai pas avant des semaines, des mois, qui va parler à un autre, à d'autres hommes, qui va rire, soupirer, avant de me revoir jamais. Calvaire! C'est fini! Je sais que je ne ferai plus grand-chose de cette journée.

12 h 30

Je repasse ce téléphone au ralenti. Sa voix sur tel et tel mot, ce stage près de Paris, seule? avec qui? quelle réponse est la pire? qu'est-ce que le pire? Si elle est amoureuse là-bas, cela me tue, mais au moins ce bonheur entre dans l'épreuve du temps, le temps use l'enthousiasme des voyages, et peut-être... J'aurais enregistré cette conversation, mis sur logiciel toutes les données, son centre émetteur là-bas sur ses deux jambes m'échappe, les jambes les plus belles de la terre m'échappent, les talons les plus dodus de la terre m'échappent, je sens leur texture sous mes dents, ils traversent la rue, montent dans une voiture et vont... À travers mes fenêtres, les trottoirs ne sont plus printaniers, Montréal est une ville petite et remplie de monuments d'orgueil en terre séchée, rien ne circule plus d'elle à moi, les secondes sont du mastic dans la bouche, je sens une attelle ridicule qui me tire les lèvres, je m'entends dire à voix haute «j'en ai assez, je suis fatigué».

17 h 30

Ce téléphone une énième fois, un vrai modèle du genre. Depuis maintenant six heures, je joue au pire pour me ménager le meilleur, je passe mon temps à imaginer que Constance a eu ce tact de ne pas vouloir paraître trop heureuse, que ça va encore mieux pour elle qu'elle ne veut le montrer. Mais devant cette feinte par le pire, d'une Constance polie et heureuse sans moi, j'hésite, je recule et vire de bord: après tout, la couleur affective de Constance était bien ce qu'elle paraissait, elle n'était pas si heureuse. Toujours cette chienne de difficulté à juger des autres et d'elle sans passer par moi-même. Un exemple encore brûlant, ce beau jour de l'automne dernier où, elle et moi étendus sur le lit, je cède à son envie de regarder les photos de son dernier voyage, lequel voyage m'avait tué de jalousie avec ses possibles rencontres et ses téléphones laconiques. Sur l'une des photos, encadrée de visages souriants, Constance est la plus radieuse: «On était au café, j'allais justement t'appeler, te souviens-tu?» Oui, je me souvenais.

Samedi 11 avril

Depuis huit jours, état masturbatoire total. Une seule sortie, il y a une semaine, à la Régie des alcools où j'achète trois châteaux coûteux, et au Lux quelques revues, de celles dans lesquelles on se réfugie; narcissisme I, phase triomphale. À la caisse, une ancienne étudiante à moi, charmante, bien plus qu'avant il m'a semblé, dont le sourire donnerait envie de faire des choses. Sauf «qu'en l'état» comme disent les antiquaires... Non seulement ne me reconnaît-elle pas avec mes verres fumés et ma casquette, elle prend même un air un peu étrange, je suis une antiquité sortie du magasin des accessoires de la Paramount, le gars qui va faire la caisse en plein milieu d'un après-midi de fin de semaine. Je ne ferai rien du tout et file avec mes trois revues glacées sous un ciel de pluie *idem*, frisant la giboulée, et qui dure toujours; la saison avance à reculons et ça se voit dans la face des gens. Le drame de leur vie, c'est la pluie le samedi après-midi.

Après trois, quatre jours de ce régime, je me découvre un corps mou, avachi, celui que j'aime voir aux autres. J'ai persévéré pourtant, Narcisse I qui descend dans l'eau pour voir jusqu'où il peut aller. Mais Narcisse II l'épie et sait qu'il va remonter, que Narcisse I ne fait qu'étirer un peu le plaisir masochiste de se laisser couler, qu'il ne peut ni ne veut défaire l'image qui l'a fait vivre jusqu'ici.

je joue
je le sais
je joue quand même

Un autre petit syllogisme paralogique à explorer avec mes élèves.

Dimanche 12 avril

J'aime au tout début de la partie de hockey lorsque les joueurs ouvrent la porte, s'élancent, font des ronds, se dandinent au son de l'hymne national, retenant mal leur trop-plein de vitalité. C'est mon enthousiasme à voir pépére ouvrir la porte du vestibule et pousser devant lui mon tricycle, c'est la vie.

Les mêmes joueurs, tête penchée, en contre-plongée, le bâton tel une épée pendante, inutile, vidés, qui sortent en glissant comme des colosses figés avant d'esquisser quelques entrechats maladroits sur le tapis de caoutchouc à la sortie, c'est pépére qui s'endort pour la dernière fois un soir de mai, après avoir senti «une boule» dans l'estomac, la tête inclinée, dans la voiture de l'oncle Henri vis-à-vis cette même porte; c'est la vie.

Lundi 13 avril

Rien, le vide, le désarroi de 21 h 30, sauvé *in extremis* par la télé française. Des femmes viennent parler devant la caméra de leur expérience de chirurgie plastique. De leur mammectomie, par exemple, et ses conséquences pour leur image, leurs réactions, hantises, angoisses, celles de leurs maris, amants, etc. Une expérience traumatisante ne change pas forcément quelqu'un, on peut fuir comme on le voit souvent, refuser le rendez-vous. Pas ici. Sans exception, toutes ces femmes sont différentes, fraternelles, mes semblables, mes sœurs.

De quoi se sont-elles approchées? De cela qui en chacun chacune veut toujours s'éloigner et pour quoi je ne trouve aucun nom. Je passe mon temps à me lever, me rasseoir, esquisse un va-et-vient devant l'appareil, fais semblant d'aller remplir ma tasse de thé — en pleine crise de pudeur — mais j'écoute, fébrile, tout mélangé. L'émission terminée, je pitonne, panne de sélecteur: un canal communautaire annonce le service aux aveugles de La magnétothèque. Prêter ses yeux et lire des textes pour les aveugles, une idée si simple. J'étais allé à la magnétothèque il y a dix ans, tiré par deux élèves, un garçon et une fille; autant qu'il m'en souvienne, la fille était jolie. Et puis, après deux visites... J'étais entier à l'époque. En fermant l'appareil, un flash absurde, devant moi le visage d'un aveugle qui cherche en tâtonnant, lentement, à toucher mon nez absent. Demain, j'irai à la magnétothèque.

Mercredi 15 avril

La préposée, souriante, cinquante ans, m'a fait entrer dans une toute petite pièce, une cabine en fait, pour faire un test. Elle est ressortie pour dire: «je vous engage quand vous voulez.» Je le savais, mais j'en fus flatté. Sans perdre un instant, elle m'a donné à lire un chapitre sur la géographie physique du Brésil, c'était le programme pour aujourd'hui. À la fin, j'ai demandé si on pouvait suggérer des lectures, je voulais déjà placer mon désir dans cette affaire. C'est possible à l'occasion, mais tout est fonction des demandes et de la banque de textes (l'air bête de découvrir qu'on n'est pas le seul de «bonne volonté»). Elle ne l'a pas dit, mais c'était tout comme, cette contrainte-là faisait partie du sacrifice.

Dehors, dans la matinée radieuse, je reste conscient de voir. Si j'étais aveugle, sentirais-je mon corps ne se résumer qu'à ce qu'il est vu par les autres, épinglé comme le Brésil sur une carte? En tant que voyant, je peux contre-attaquer, je ne vois pas les autres corps ni mon corps comme des objets aux contours définis. J'éprouve tout cela de façon bien plus riche et subtile, je ne vois pas seulement des corps ni le mien, mais «eux» et «moi», je me dédouble, je suis l'Autre qui me voit. Je suis toujours en rapport, rapport de force, de grandeur, et même de valeur, avec les autres corps, je suis la différence dans l'équation complexe du monde, je me sens message, publicité ambulante, mais aussi Dieu et roi, présence ou absence, jamais simplement masse de chair, bref, je passe mon temps à exister, c'est-à-dire à être celui qui croit plus que ce qu'il voit. Cela va dans les deux sens, ce que je suis rejoint ce que je vois, nous sommes de la même farine, les objets comme les personnes, ce pourquoi il est si tentant de faire parler les maisons et les arbres. Je ne regarde pas des corps mais des personnes, pas du vert ou du chrome mais des pelouses, des rues, des voitures, je ne suis jamais devant, mais dans le monde, c'est pourquoi c'est indescriptible la sensation de s'avancer parmi les choses. Je passe dans les yeux de mes semblables, lesquels passent dans les miens, ils perdent leur certitude, ils m'enlèvent la mienne, nous sommes «réversibles», et nos yeux sont ces plis, ces anti-choses par où notre doublure se montre à l'extérieur. L'illusion de tout voir et d'être dans tout ce que je vois, de coïncider sans être tout cela, d'être le point de vue et le point de mire tour à tour, c'est la même maladie et la même santé: mon corps est plus que ce qu'il est, en même temps qu'il n'est jamais assez. Il faut que je me répète que je n'ai pas le droit de ne pas regarder le monde sous prétexte que je ne veux pas être regardé, que je ne dois pas passer mon temps à craindre le retour d'un regard comme un boomerang, que je dois m'efforcer d'inventer moi le premier un regard innocent, qui ne blesse ni le monde ni moi-même.

Au Cherrier ensuite, une petite récompense. La terrasse avant n'est pas ouverte mais le patio sur le côté, oui, d'où tout de même une communication avec l'extérieur et la brise captivante. Les garçons debout dans leur gilet noir rayé, très parisiens, la boivent à petites gorgées d'un air entendu, tournant carrément le dos à la salle, ne pas déranger. En comptant les deux autres clients et le barman accoudé sur son journal, on est six. Un tableau à la Philip Surrey: *La terrasse du Cherrier en avril vers 15 h 30.*

Encore imbibé de la magnétothèque, je joue à fermer les yeux puis les rouvrir, avec application et sérieux. Les garçons disparaissent, ne restent que zébrures sur fond jaunâtre vibrant, c'est beau. Quand j'ouvre les yeux, c'est beau et c'est plus. Je les referme, je fais durer, durer, dix secondes de cécité de plus — et revoici deux zèbres sur fond de monde. Un aveugle ne voit même pas ce que je vois les yeux clos, il faut déjà voir pour voir cela, ce jaune vibrant qui est infiniment plus que rien. Je refais le test: clin d'œil, éclat, œuf au miroir aveuglant dans le ciel, argent sur ma soucoupe, rumeur du trafic en toile de fond dont je dirais qu'elle semble se matérialiser, devenir fine poussière printanière, laquelle devient audible, comme un bruit doré. Jouer à l'aveugle c'est bien beau mais c'est jouer, la cécité est encore une image quand on voit, le comble de l'impossible. Épicure dit que le sage aveugle touchera «la vie de la vie». Veut-il dire qu'il va jusqu'à accepter et même transformer la nécessité en supériorité, finies les projections, finies les fuites par le regard?

À l'arrière-plan, l'ancienne cour et le couvent des sœurs, sa coupole argentée sur fond d'azur (à voir rosir les soirs d'été). Au premier plan, les voitures qui n'arrêtent pas de tourner à cause du carrefour en T, d'un côté et de l'autre du terre-plein. Dans ce cirque, il y a les voitures qui poursuivent leur route en droite ligne sur Saint-Denis, tant pis, et il y a celles qui tournent en travellings rythmés, ce sont elles qui m'intéressent, non, ce ne sont pas les voitures, c'est la Femme au volant. En voici une qui s'en vient, ralentit dans l'angle pour quelques instants crève-cœur, puis disparaît à jamais. Et ça se répète, la voiture arrive et sa belle passagère glisse, grandit à l'écran, l'*ego* absent et le regard concentré — le tout dans un léger abandon — et, au plus court rayon de ce panoramique, la tête qui s'incline un peu sur l'épaule du côté intérieur, le Temps hésite, c'est comme la syncope d'un tango, facile, irréel, le corps passif sous le charme d'une caresse invisible, la tête dans le vent gardant la pose. Ce visage littéralement «automobile», embelli, magnifié par l'annulation du poids des choses, relève de la statuaire grecque, il n'est pas mobile par les traits, au contraire, ni même individuel, c'est un visage à la fois pacifié et comme emporté, frappé, qui nous quitte. Croiser une femme dans un escalier roulant donne cet effet, cet air indépendant, au tango près.

D'où vient la magie, est-ce la passivité, la reine de notre âme? Savons-nous regarder activement les statues (la fatigue inavouable des musées) — d'ailleurs, les vieux Grecs regardaient-ils longtemps eux-mêmes? Est-ce l'idée qu'elles fuient loin de nous? est-ce parce que la beauté vient nous chercher quand on s'y attend le moins? En tout cas, dans cette magie, c'est comme si on donnait pour reprendre, une belle «parade». Ça te fait penser à quelque chose?

Les premiers yuppies de quatre heures cinq arrivent, je m'ébroue et paie en vitesse. Rues transversales, élèves qui s'attardent, le bon vieux trafic gris de l'heure de pointe, double file des livraisons sur la rue Roy, odeurs de mer saumâtres de chez Waldman's. Sur Saint-Laurent, je m'arrête à la devanture de chez Artremo, l'antiquaire des *fifties*. Le beau bahut châtain blond en chêne, ses lignes basses, modernes, dépouillées, ses quatre tiroirs superposés à gauche, ses deux portes coulissantes en façade, ses œillets de cuivre encavés, un élégant rectangle aux lignes nettes, massif et pourtant gracieux. J'en avais demandé le prix, cher. Belle pièce, dont la couleur me poursuit un long moment.

Vendredi 17 avril

Il croise dans la rue, en plein midi, un homme dans la fin de la vingtaine, beau d'une façon frappante, en t-shirt blanc, les bras ballants et plutôt forts que musculeux, moitié artiste moitié ouvrier, comme beaucoup dans le quartier. Qui semble, d'une façon très légère mais perceptible, comme satisfait de cela, d'être cela. Sept ou huit secondes, il suit le fil de vie fantasmatique qu'il prête à ce garçon: que fait-il? où vit-il? quelles femmes? laquelle cette nuit? etc. Toutes questions purement projectives, relevant, il le sent bien, de *la* question: changerait-il à l'instant de peau avec lui? Une question qu'auparavant il ne se serait jamais posée, où que ce soit, devant qui que ce soit, du moins il n'en a pas le souvenir.

Samedi 18

Marchant sur Milton, dans cette espèce de Greenwich Village recréé autour de McGill, le même phénomène que l'autre jour, devant deux rues m'offrant leurs grands arbres ouverts, laquelle choisir? Après quelques pas vers l'ouest, je suis revenu sur Sainte-Famille comme d'habitude, que j'ai descendue lentement, à quoi bon puisque j'étais pris au piège de mon obsession. Le charme tenait à ce que je puisse revenir sur mes pas et me raviser. Le charme, c'est le possible (ce en quoi le mariage par exemple peut être tout sauf merveilleux, à moins de le rechoisir chaque jour). Le voyais-je pour la première fois en face, je choisis à tous les coins de rue de ma vie, souvent je répète les mêmes choix, j'oublie vite ce que je viens d'exclure, mais jamais ces habitudes ne font une obligation. L'habitude, loin d'être le contraire du possible, en est la résultante, du possible choisi et rechoisi comme possible. Suis-je un prisonnier qui s'ignore et joue à la liberté? Mais si la liberté est l'ignorance des causes, j'aime jouer à ce jeu.

Sauf qu'on ne sait pas ce qui peut vous précipiter en pleine crise du possible. Le vertige peut surgir au milieu d'une soirée, n'importe où, quand tout va bien. Il peut suffire par exemple, en présence de quelqu'un, de songer au «toujours», «si elle était *toujours* là...» Alors le cobra pernicieux se dresse. On ne sait plus quoi penser, sentir, quoi répondre. On souhaite rentrer seul, comme on voulait il y a cinq ans être deux, comme on voudra dans une heure être avec une autre, ou être avec tous. Je ne veux pas être seul, je ne veux pas qu'on empêche d'être seul. La solitude comme lieu de travail, dont une porte donne sur le court de tennis, une autre sur une terrasse, une autre sur un salon où l'on mange à deux, etc. Une solitude peuplée de possibles, ma définition du bonheur. Le problème, c'est que les femmes ne sont pas des rues qui nous attendent en promenade, les bras ouverts, pleins d'érables et de parterres sentant le muguet.

Dimanche 19 avril

Tard hier soir, un cadeau, *La peau douce.* C'était bien la cinquième fois. Un cadeau douloureux puisque c'est un film qu'on m'a volé, j'ai réalisé ce film dans une autre vie et on veut me faire croire que je m'appelle Truffaut.

Ayant opté pour la peau douce, le héros, intellectuel et marié, trompe et se trompe, car la peau douce ne veut finalement pas de lui. Sa femme, c'est le cœur, le cœur farouche et possessif, un cœur corse; le héros s'est leurré, pense-t-on, en quittant pareille femme de cœur. Lui aussi le pense à la fin quand il n'a plus le choix. Il la manque au téléphone de quelques secondes, elle ne le manquera pas quelques instants plus tard — hasard téléguidé, seule verrue de ce film parfait. La morale est sauve. Truffaut montre les deux ordres, les deux versants, la peau et le cœur. Pas de scènes de lit, même pas, rien qu'une nouvelle façon de porter des bas, de porter des yeux. Nuance fine qu'il fait: la femme légitime elle aussi serait encore, à nos yeux de spectateurs, séduisante par sa peau douce, mais cela il faut le penser, alors que le héros, lui, est excité par la nouveauté qu'il touche.

Certains sont à l'abri de la nouveauté, d'autres non. C'est la différence devant la différence. Certains sont prêts à payer le prix, d'autres non. Il ne s'agit pas ici de la peau tout court, ce n'est pas une fille pour vingt-quatre heures dans une chambre d'hôtel de Bangkok. Mais cette douceur est bien celle de la peau. J'aime que ce film ne mente pas. Ce qui me fatigue en cette matière, c'est le mensonge, le refoulement du mensonge, et la crispation du refoulement; ce qui me fatigue, c'est le pli dans le front que je vois à certains anges. Tel quel, je ne souffre pas de cette époque à cause de sa passion des surfaces, mais parce qu'elle n'explore pas assez les surfaces. Enlaidi, déformé, je ne souffre pas de la nouveauté éternelle de la beauté, je m'entête pour la beauté sous toutes ses formes à commencer par sa forme fleur, fruit, sa forme pli du bras ou de l'aisselle, sa forme genou, pas seulement sa forme tableau, poème, ou symphonie. J'aurais intérêt à être le Tartuffe de l'austérité, le champion des pieuses dénégations, jamais de la vie! Au contraire, j'aime de plus en plus des expressions comme «vois-tu ce que je vois?» Le lisse et la peau, et le corps et la beauté des femmes, pourquoi niaiser là-dessus?

Pas plus tard qu'hier à la fruiterie, un homme d'un certain âge, d'allure sévère, va d'une poire à l'autre avec la plus extrême circonspection, et même quelque chose de dédaigneux au bord des lèvres; entre alors tout excitée avec son chum une jeune punk, jolie fleur noire du printemps, qui laisse voir sous une jupette plissée en satin, un tutu sans plus, des bas percés de deux larges plages de peau rose duvetée de blond, deux poires douces. Le client respectable a refusé de regarder ces fruits. Comme si la beauté n'était pas de tout temps délectable depuis l'enfance la plus ancienne, depuis la bouche et le sein, n'était pas avant tout mangeable, comme si toute intervention en matière de beauté n'était pas le contact, des yeux, des papilles, de l'épiderme, ou des trois, comme on embrasse une femme en regardant ses yeux fermés.

Lundi 20

Ai-je vraiment le même chagrin qu'hier? Wittgenstein conteste, à propos de la douleur physique, qu'on puisse affirmer avec certitude: «Ah! la revoici, c'est bien la même.» Pour lui, mon corps étant juge et partie, le repère fiable fait défaut; où, comment déposer ma douleur et être sûr de la retrouver le lendemain, bel et bien la même? Même que quoi? est au fond sa question. Le chagrin aussi est physique jusqu'à un certain point. Est-ce que ça m'aiderait de me dire que ce qu'on appelle un grand chagrin n'est qu'une suite de petits chagrins, que j'en ai seulement un à tuer par jour?

Mardi 21 avril

Le rire de Constance en ce milieu de journée, qui élance dans les flancs. Je la vois de profil, le parfait arceau de sa lèvre supérieure sur les dents, droite, immobile, comme concentrée sur ce qui se passe, les coudes repliés, savourant à fond la bêtise, non, le comique, le comique pur, pas de place pour le sarcasme dans ce rire, les épaules sautillant légèrement, le nez plissé, le souffle saccadé et court. Un rire immanent qui se savourait à l'intérieur, tout en restant «avec». Un rire innocent venu de l'enfance. Était-ce le rire ou bien la fille qui était irrésistible? Déclenché par la drôlerie elle-même, jamais de ricanement, de rire mauvais, il y avait là une innocence. Une innocence profonde. Une philosophie.

J'imagine quelqu'un lisant cela et me lançant: «des photos, qu'on en finisse!» Si seulement j'en avais. Il faudrait essayer de décrire, mais décrire serait si long, la preuve... Grande, grecque, enfantine et comtesse, boudeuse et altière, ce serait le cliché de départ, rien de plus. Une photo? Mais peut-on photographier une fascination? Mais c'est tellement ce que je voudrais réussir. Mais une photo serait bien insuffisante et mille ne seraient jamais *la* photo. C'est cent mille photos en une qu'il faudrait, et ces atomes ne seraient pas C., parce que cette beauté riait et boudait l'observateur, parce qu'elle était si changeante, de reflets en reflets, et demeurant néanmoins Constance. Et c'est ce que je voulais dire encore en disant «Elle égale Beauté», au fond non pas une idée, une essence, mais le contraire, une myriade de faits pour mes sens aux aguets, que l'on pouvait tout aussi bien désigner par un que par mille noms, dans tous les cas, c'était à côté, peine perdue. «Et après?» — Et après, qu'il en soit ainsi de toute femme aimée, qu'est-ce que vous voulez que ça me fasse, je me fous de vos généralités.

Mercredi 22 avril

Réveil calme. Sitôt à la toilette, faisant mes ablutions, un rêve remonte:

Constance ne revient toujours pas. J'en ai l'âme comme varlopée, plaie cuisante à vif, tellement que je dis sans le dire, en rêve quoi, «c'est encore pire que dans la réalité». Voici qu'elle revient surgie on ne sait d'où, elle est là dans l'entrée à côté de ce parapluie, m'ouvre ses bras en silence, un de ces silences de théâtre dont elle a le secret, plein d'un souffle retenu. Ce silence, je comprends que c'est un «oui» pour la vie pendant qu'elle reste là à m'enlacer. Mais ce fantasme suprême me torture à l'instant même où il m'apporte le bonheur suprême. En une seconde me traverse l'idée qu'elle revient pour le pire. *Paralysé, collé contre elle, je pense: non il ne faut pas, il ne faut pas! Cependant, je continue à l'enlacer pendant que je respire son odeur retrouvée comme un parfum rare, mes poumons sont des ballons qui s'amincissent, je sais notre malheur futur, je le sens sans oser lui dire.*

16 h 30

Après déjeuner, profitant de l'heure creuse, je suis sorti. Remontant par Duluth vers le parc, la très urbaine rue Saint-Urbain sitôt traversée, l'impression de vacances dans les champs. Les champs au milieu de la ville que j'ai montés jusqu'à la hauteur de Marie-Anne, puis retour sur mes pas jusqu'à Rachel, j'avais envie de voir du monde. Me voici dans une lumière jaune, le printemps chinois doit ressembler à ça, sur une rue Saint-Laurent que je descends tranquillement, le cœur vide, les yeux avides. À cette hauteur, les bâtiments sont distribués comme des blocs erratiques, le 4060 à droite, le Cooper à gauche, toute la perspective est tronquée, comme faussée par la pente du mont Royal, les grandes masses ressortent et semblent plus près que les petites, il y a quelque chose qui ne va pas. Je me fais intérieurement des panoramas imaginaires, à Paris voici à quoi ressemblerait la «Main», il y aurait des arbres là et cet alignement de façades et cette perspective, à New York ce serait comme ceci, il y aurait telle odeur d'huile, de brûlé, etc., un voyage qui ne coûte pas cher. Mais je ne peux imaginer longtemps une autre rue Saint-Laurent. Elle a traversé les modes, n'a jamais été à la mode, elle est là, l'originale, multiple, inimitable. Quelques images de films, grises, les années vingt, l'immigration, la Crise économique, le *melting-pot* américain, c'est de là, dit-on, que vient la rue Saint-Laurent — au début du siècle quelque chose comme le Far-West de l'est. Je relève la tête, tiens!, une minute a passé, tout a changé, c'est une autre rue, la pente s'est calmée, les gros blocs ont disparu, maintenant ça va; des silhouettes grises vont et viennent, des sacs de victuailles à la hauteur des genoux, des silhouettes noires, branchées, des corbeaux sympathiques et de superbes corneilles parfois, j'ai quitté Pékin pour un mélange de Varsovie et de Berlin. La ville change en moi, et tout change avançant en elle. Tout est affaire de vitesse et de vision quand on fait l'itinérant, tu descends le fleuve mon vieux, rends-toi compte, tout change, tu es dans le processus, tu vis d'échanges, comme l'air et tes poumons. Tu tournes les talons et cette rue ne sera plus la même, tu avances, ton point de vue avance, tu recules, ton point de vue recule, rien n'est fixe, le dernier point de vue s'oublie, hier s'oublie, allez, va au-devant. Plus jamais la même face, quelque chose d'autre t'attend, un autre point de vue, plonger vers on ne sait quoi, comme en voyage, trouver son plaisir dans la ville, avançant en elle.

Jeudi 23 avril

Une autre promenade qui se termine nulle part. Ou plutôt, au même endroit, au coin du vague à l'âme, d'avoir vu trop de corps. Un être vague qui désire précis. En fait, la question est simple: «y a-t-il *ici* quelqu'un apte à désirer?» Ce n'est pas ma faute (je désire), ni celle des autres (ils désirent), c'est entre nous que ça ne va plus, une espèce de maladie dans l'interface.

Vendredi 24 avril

Assis au fond du Cherrier, quatre heures moins quart, lisant *La Presse*, les faits divers plus précisément, ne suis-je pas fait divers moi-même? Je lis qu'un tel commence une autre vie, de veuf, de prisonnier, de ruiné. Que voit-il, comment regarde-t-il le monde à cet instant? Eux savent maintenant, d'autres sauront demain. Jour après jour, des avions entiers décollent pour le cimetière, pour le palais de justice ou l'asile, avec leur clientèle hier encore bien affairée. Ce faisant, mine de rien sur ma chaise, je ruse et multiplie les simagrées pour essayer de paraître n'importe qui, c'est l'objectif de ce jour, rester le plus longtemps possible assis dans un café-terrasse qui sera noir de monde bientôt. J'ai bien vu depuis deux mois, ici et ailleurs, que personne ne me remarque, c'est pourquoi je m'enhardis. Un nez en carton glacé et l'air qui va avec ne préoccupent apparemment que celui qui le porte. Regarder couler un cinq à sept, je réalise mon utopie plus tôt que prévu.

Depuis une heure, quelques jolies femmes. Pas jolies, belles, comme les femmes amoureuses et aimées. Amoureuses de l'air tiède qui caresse leur tête, aimées du soleil qui est doux avec elles, et aussi, accessoirement, de quelque homme chanceux (tout homme dans cette salle est mauditement chanceux et ne connaît pas sa chance). Belles, rieuses, yeux brillants, complaisants, œillades fugaces, devant lesquelles je fuis. J'ai dégusté ces visages comme ma pilsener, à petites gorgées, avec une délectation morose contrôlée, que je mélange à ma bière, un schnaps comme un autre. La terrasse d'abord et la salle se sont remplies de bruits. Parallèlement s'est vidée ma tristesse. Tout ce monde, qui s'est rejoint couple par couple, groupe par groupe, se donne pour ce qu'il est: un peuple d'acteurs venus me distraire. Ils sont venus comme on dit pour voir et être vus. Être vus surtout. Leur passion est mon action. De mon siège, je paie et je vois. De ma position d'exclu, je vois se déployer la loi des deux jouissances, l'active contre la passive: «j'ai faim, donnez-moi des objets!», «je suis un objet, mangez-moi!» Le siècle, après avoir bandé pour la vedette, va venir me rejoindre du côté du spectateur, je le prédis. La demande va s'inverser, la vedette va redevenir un amuseur de service, privilégié mais utilitaire, comme aux siècles classiques. Elle gardera la pose pour des regardeurs, comme moi; le public sera philosophe, réfléchissant sur la condition aliénée de ceux qui le divertissent. Ce yuppie un peu voyant, par exemple, qui entre avec une jeune femme brune, élancée, très codée. Ils sont bien vêtus, connaissent le garçon et cet autre et cet autre, poignées de main et embrassades, effusions m'as-tu-vu à la cantonade, continuez, surtout continuez! je vous ai vus, amusez-moi, je suis le Roi, le vrai Sujet, vous, vous êtes mes sujets, mes chers objets.

Samedi 25 avril

L'homme-sujet voit d'assez loin s'avancer dans la rue une jeune femme qui le remue: grande, figure un peu empâtée mais très douce, semblant à peine sortie de l'enfance, brune, les yeux bruns, qui se hâte en ramenant nerveusement son écharpe sur le col d'un manteau droit beige grisâtre. Elle porte une jupe sombre, des bas de laine noirs, des bottes cosaques bien ajustées sur des mollets bien ronds, je me suis retourné, je l'ai regardée patiemment s'en aller, habillée comme en hiver, sur ses longues jambes légèrement cagneuses: une délicieuse apparition — l'odeur en moins. Dix minutes plus tard, même pas, deux amies et un garçon chahutent, rient et parlent très fort au parc Lafontaine, elles sont françaises et tout heureuses, semble-t-il, de faire entendre cette différence. L'une des deux, châtaine, pas très grande mais bien faite, joue avec son écharpe elle aussi (il vente assez fort) à faire la femme arabe, tantôt je vois ses yeux seuls, tantôt tout son visage, sous de beaux sourcils épais également châtains et pas très arabes. Ses mines et ses yeux enjôleurs sont quelque chose. Une belle fille.

Quelques minutes durant, à un quart d'heure d'intervalle, il n'y eut pas de place pour Constance. Qu'est-ce au fait qu'on cherche à placer à tout prix, qu'est-ce que cette banque qu'on appelle un amour? — À l'homme que j'étais, Constance aurait fait, faisait attention. Que se serait-il passé si elle avait été à leur place? Ou bien si l'homme que j'ai été avait souri à la jeune femme aux jambes pressées? Sourire à une femme, il faut dire, n'est désormais qu'une idée, jamais plus un réflexe.

Dimanche 26 avril

Je me lève, je désire. Je manque, j'atteins, je satisfais, je redésire, une promenade, un dessert, un film, une lecture, une notation, un fantasme. Je continue, il manque quelque chose, peu importe quoi, je désire maintenant ailleurs. Ça s'active de nouveau, parfois ça s'amuse, ça se calme un peu, passe impair et manque, je pense ou me souviens, bref redésire encore. Arrive le soir, au moment d'éteindre la dernière ampoule, je n'ai pas éteint le dernier désir, j'ai seulement vécu et ne suis pas satisfait. Une journée a passé, à demain. Arrive demain, je me lève dans la même relative, légère, indéfinissable tension. Et si jamais je me lève sans elle, cette active et principielle insatisfaction, c'est pire: la dépression, la folie. Au mieux donc, l'insatisfaction motrice; au pire, la réclusion. Parce que 99,99 % du temps je choisis la première mais sans l'aimer. La solution est simple, celle d'un désir qui se désirerait désir. Le désir est un horizon, et il y a des choses qu'on ne doit pas vouloir, comme toucher l'horizon, comme toucher son désir. Touche pas à ton désir, comme un papillon laisse-le voler.

Lundi 27 avril

L'excellent antiquaire Artremo va fermer, la «gentrification» et la bar-mode-isation du quartier ont gagné. J'ai vu hier qu'il y a un solde, le bahut blond est encore là. Je m'habille.

À pas comptés, je vais d'un objet à un autre, prenant soin de faire ici ou là des pauses bien calculées, soucieux de ne pas me dévoiler, les prix ne le sont pas. Soudain un pas de côté, preste et nonchalant à la fois, un pas d'hypocrite, m'amène devant l'objet convoité. Le propriétaire vient vers moi. Le prix a sensiblement baissé, deuxième bonne nouvelle, la première étant qu'il est toujours à vendre. Il faut que je fasse vite, on ferme après-demain. Je demande les dimensions et, comme il cherche son galon, je fais toutes sortes de calculs dans lesquels déboulent pêle-mêle des tas de chiffres compris entre le maximum que pourrait valoir sur le marché ce meuble de collection et le minimum que je le paierai, calculs qui me plongent dans le vertige de l'écart et de la chance, me font sauter les classes sociales de l'échelle de consommation et gonflent à bloc le désir d'un malade qui doit se justifier; cependant que je caresse le chêne blond du bout des doigts, actionne tiroirs et portes, imagine la merveille en belle position derrière ma table de travail, sous la fenêtre. Les mesures en poche, je m'entends alors refuser l'idée de laisser un dépôt. Pourquoi? Je préfère dormir là-dessus et revenir demain, ça aussi je me l'entends dire (ou penser, peu importe). En réalité, ma folie me dit que je dois souffrir, jouir encore de la souffrance de désirer cet objet, le mériter très chrétiennement, lui et le hasard providentiel qui le met à ma portée.

Je sors, il fait beau, encore un peu frais en cette fin d'avril capricieuse. Joyeux? Plutôt excité, en bon fétichiste, ni l'ouverture de la joie ni la légèreté de l'euphorie, juste le branle de l'excitation. Ça me prend alors un coin de rue pour me dire: pauvre cloche, n'importe qui peut passer maintenant et te chiper cette merveille de l'École du meuble. Je reviens aussitôt «sur un vrai temps» comme disait ma mère. Je rentre. Un client est là juste devant l'objet, qu'il touche de la main, il va lever la tête, le patron est à côté, il a commencé son boniment. Je m'entends crier fort, *comme un fou*: «O.K.! je le prends!» Les deux se retournent, ahuris. Le patron vient vers moi et c'est en cherchant ma salive, presque aphone, que je parle de réservation.

C'est déjà moins excitant. Au diable! il est à moi! Le fou, pas plus que l'enfant, n'a les moyens de renoncer à l'objet.

Mardi 28 avril

La façon dont j'ai réagi ce matin à l'achat du bahut blond. Je mourais de ne pas l'avoir, je regrette un peu de l'avoir. Le patron qui fait la livraison lui-même, et moi l'assistant, la différence entre mes précautions à chaque coin qu'on tourne, au détriment de mon dos, et sa nonchalance à lui. À l'autre bout du bahut, penché, il n'a pu retenir sa question, en pointant mon nez avec le sien: «Accident de sport?» Je n'ai su que répondre: «Exactement», tout en donnant un coup de rein. À l'heure qu'il est, j'ai sorti ma cire d'abeille et je reporte après les nouvelles du sport le moment d'attaquer...

23 h 30

Tel un vrai débile, je regarde le meuble avec sa première couche de cire. Gaga, je risque de devenir gaga. Comme les vieux à la retraite, de plus en plus déphasé à force d'être sur la touche, à l'écart des réalités, trop mou, de plus en plus benêt. Et les intersections que je traverse comme une espèce d'attardé? Ça peut commencer un soir de fin d'avril, c'est strictement une affaire d'emploi du temps. Les gens du troisième âge doivent savoir cela, et tous les ermites, les écorchés, les Tahitiens de Gauguin aussi — gagas! Chose certaine, mes réflexes d'agressivité s'émoussent. C'est d'un Tahitien que j'ai eu l'air pas plus tard qu'hier lorsque le brigadier à la sortie d'une école m'a fouetté d'un ton sec: «Allez, monsieur, allez!», ce ton que les petites contrariétés de la vie vous font jaillir du fond de la gorge. Non seulement je n'ai rien su répondre, j'ai dû baisser les yeux. Une petite semaine, j'aurais besoin rien que d'une petite semaine d'enseignement pour retrouver le ton et l'ironie qui va avec. Vaut mieux sortir, un peu d'air.

Retour à la maison, il est passé minuit. Me tire une chaise, un linge au fini mousseux dans la main, j'attaque en douceur, la fenêtre entrouverte pour que la cire glace bien. Le chêne heureux se laisse faire et répond en donnant plus de blondeur à chaque coup. Ma main glisse sur quelque chose de veiné, de ferme et de parfait. Ça sent bon et fort, comme les jouets de plastique que ma mère nous donnait lorsqu'elle découchait, c'est-à-dire — je ne l'ai compris que plus tard — lorsqu'elle allait à l'hôpital soigner une pneumonie ou accoucher.

Mercredi 29 avril

Au Cherrier, sur la terrasse au fond. Les gens sont en chemise, cravates dénouées, manches retroussées. Sur le terre-plein, un gazon dru et ses arbres aux branches picotées. Où serai-je, qui serai-je quand ces futures feuilles seront tombées? Dans cette lumière compacte, les ombres sont déjà noires, les courants d'air bienvenus. Je reconnais alors un type qui fait des pubs télévisées, il jette des petits regards autour, il me regarde même moi. Une de ces pubs (de bière, pendant le hockey) passe souvent, son portrait est l'un des plus exposés au pays, pour un mois. À le voir aller comme un mirador, on se répète que Saint-Exupéry n'avait pas le sens du siècle, l'essentiel est bien ce qui est visible pour les yeux! Saint-Exupéry le rattrape toutefois, car cette visibilité ne remplit pas son existence de satisfaction durable. Cet imbécile serait-il en train de me donner une leçon de choses? Je jure à l'instant même de ne jamais plus faire de publicité avec ma face. Puis j'éclate d'un rire nerveux et je dois courir aux toilettes.

Voici l'autre qui arrive avec sa Porsche rouge. Il fait le tour et passe pour la deuxième fois devant la terrasse. Une place libre en plein sur le coin. La tête qu'il va faire. Hélas! décevante, ordinaire, il ne veut pas jouer. Dommage, c'eût été plus drôle avec un autre, plus coopératif, qui aurait laissé entrevoir la tête qu'il avait essayé de ne pas faire, qu'il n'avait pu s'empêcher de faire, qu'il avait été contraint d'afficher à force de la refuser, cédant à la pression du Peuple-Roi. Il y a en matière de têtes deux catégories: les propriétaires fonciers et les nouveaux riches. Et une troisième: les expropriés.

Jeudi 30 avril

Sortie de la magnétothèque où j'ai mis du temps à retourner. Ma motivation est grande pourtant. Les bénévoles ne donnent-ils pas le goût d'être comme eux, des gens en santé, épanouis? Quand j'en sors, il fait toujours beau.

Au parc Lafontaine devant l'étang aux canards, on commence à croire à l'été, les choses vibrent. Soudain visité, auréolé dans cette lumière pétillante, par le sentiment idiot, paradoxal, inouï, de ma chance. Une attaque de Vie subite qui débouche sur: et si ce tronc d'arbre m'avait accroché un œil au passage? Ici, je vois l'œil littéralement accroché comme un œuf au miroir par un croûton de pain sec. Je le visualise nettement avec un malin plaisir. L'œil serait resté là. La vision normale en cas de perte d'un œil n'est, dit-on, réduite que de vingt à trente pour cent, et non de moitié comme on serait porté à le croire. J'essaie, la main sur l'œil, oui, une partie de l'allée seulement a basculé, branches noires et pousses tendres décapitées. Qu'aurais-je préféré, perdre ce que j'ai perdu ou bien un œil? Aussi loin que je remonte dans mes souvenirs, le pire serait de tomber aveugle; déjà, enfant, je restais silencieux longtemps rien que d'imaginer le noir de la cécité. D'autant que perdre l'œil, c'est perdre la vue, alors que j'ai perdu le nez sans perdre la capacité de sentir. Mais, entre perdre tout l'odorat et un tiers de mon champ de vision, aurais-je hésité? Entre perdre un tiers des canards sur l'étang d'un côté et de l'autre l'entier mélange de leur odeur sur cette eau dormante, celle de la terre bien humide et son premier gazon, celle du cigare de mon voisin, de mon col de blouson en daim, ce mélange dont chaque partie est discutable mais dont la synthèse est indiscutable, ce parfum à nul autre pareil, *Urbain n° 5*.

Le fond de l'air ondule, sur la pelouse autour de l'étang des corps sont étendus à moitié nus, ils vont frissonner je le sens, dès le premier nuage. Parmi eux, le monstre du loch Ness tout habillé et ses spéculations aux canards. Le Monstre de l'étang — ou de l'étant un coup parti, en fait les deux —, un complexe philosophique et commercial. Sur le plan existentiel, il existe à force d'être tellement en question. Sur le plan touristique, pourquoi ne pas le payer pour se promener dans la ville, et rappeler aux humains le privilège d'avoir une certitude toute simple comme un visage...

Vendredi 1er mai

Les éliminatoires du hockey à la télévision. Je regarde tous les matchs depuis un mois sans rien écrire, je ne filtrerai pas ce soir. En fait le match commence avant de commencer. Les après-midi qui s'étirent, les bourgeons, l'heure avancée de l'Est, tout ça va ensemble — on rentre à l'heure du souper avec l'impression d'une euphorie tranquille, une légèreté dans l'air, une adolescence, il y a du hockey ce soir. C'est notre mémoire, c'est notre calendrier. Quand la terre change de peau et que la ville est parcourue de mystères, une partie de la poésie s'appelle coupe Stanley.

L'ambiance est au coin de la rue, on vient chercher des chips, de la bière, du chauvinisme, et si on est seul, on n'est pas inquiet pour autant. À l'intérieur, nous voici dans le même igloo électronique, Esquimaux mutants d'un univers primitif, bruyant et recueilli. Dans le ventre de la Tradition, tous en train de communier, et ceux qui sont dans un autre espace que cet espace sont en dehors, mais où? La puissance d'exclusion est proportionnelle à la puissance d'inclusion, tu n'aimes pas le hockey? ne nous le dis pas, on ne veut pas le savoir, tu as droit à tes jouissances, nous sommes bien contents pour toi — mais pas devant l'appareil s'il te plaît. Ce soir nous voulons perdre notre vie dans la caverne primitive, et surtout, pas de philosophe pour nous sauver.

23 h 15

Belle victoire du Canadien 5-3; sitôt le match terminé, téléphone de Christophe — alias le père Gédéon. Nous célébrons, lui plus que moi, exilé qu'il est au pays des Nordiques. Pendant cinq bonnes minutes, c'est Gédéon et Théophile Plouffe qui parlent, et ce que nous racontons du match est tout ce qu'il y a d'épique. Une seule fois nous nous sommes posé la question de l'esprit partisan, ses rapports troubles avec les lourdeurs de la bière, etc., nous avons conclu que boire c'est boire jusqu'au bout, et nous n'en avons plus reparlé. Christophe m'annonce ensuite son départ pour l'Europe. Ce voyage d'affaires annuel ne me surprend pas, je le redoutais. La conversation se poursuit, mais je n'arrive plus à me concentrer, songeant à tout ce que je ne lui dis pas, que je ne lui dirais pas davantage s'il restait à Québec, mais que je pourrais possiblement lui confier, et dont je suis brutalement coupé pour les quinze ou vingt prochains jours.

J'ai un motif de consolation. Avant de partir, samedi soir, je le sais d'avance, il va rappeler de Mirabel. Soudain seul dans cette immense boîte à cigares vitrée, loin de ses enfants, ses parents, sa blonde, et de moi, comme au fin fond de la baie d'Ungava, Christophe perd ses moyens — il faut qu'il téléphone *in extremis*. Sans lui dire, je ne raterais pas cet appel pour tout l'or du monde. Ce coup de téléphone est pressé, heurté, insensé; il vient d'appeler à Québec ou s'apprête à le faire, écoute de l'autre oreille le haut-parleur, me décrit les hôtesses en détail, tripote visiblement les pochettes de ses différents sacs, ce que je déduis des variations de sa voix étouffée (j'imagine le voyage du combiné autour de son menton), tout en me confiant ses angoisses, bref, il n'a vraiment pas le temps de me parler, et pourtant il n'a jamais failli à ce rituel loufoque. Quitter le Québec en ce temps de l'année a-t-il du sens? Christophe a besoin d'entendre ma bénédiction. Ce n'est pas tout, tant qu'à faire je ne filtrerai pas non plus ceci, plus souvent qu'autrement, avant de raccrocher, il me demande enfin «ce que je veux comme cadeau». Sommes-nous des farceurs, des personnages de comédie télévisée, des frères, des confesseurs, des amis, des mémères, des moumounes? Nous savons bien que non, mais nous en sommes là.

Lui parti, restent le printemps et les ambiances de match. «Tu les regardes pour deux et tu m'en reparles!»

Samedi 2 mai

Samedi après-midi rue Saint-Denis, les jeunes femmes ont des œillades qui font le trottoir. Tous ces couples, de l'extérieur, me sont nouveaux, toutes leurs femmes nouvelles, mais eux sont des couples habitués, de vieux jeunes couples, et c'est ce que je vois en cette belle journée, des yeux qui glissent, reluquent, hop! s'offrent une seconde, mais on continue à se tenir la main.

Tapi au fond d'une terrasse bondée et heureuse, j'attends la position de solitude à partir de laquelle tout à coup les «flashs» déboulent. Les flashs viennent de la brûlure, la brûlure vient des autres, ou du bonheur que je leur prête. On dirait qu'ils me cherchent, et me trouvent, j'en ai la peau mouchetée comme par un feu de bois. Et j'ai envie de me venger en notant des choses qui ne font sens que pour moi, faire ce qu'ils ne peuvent pas faire, comme un missionnaire écrit au milieu des sauvages. Mais à la fin, calmé, je ferme le carnet, et je regarde le feu, fasciné pour de bon.

Dimanche 3 mai

Ce matin au parc, j'égare dans l'herbe l'attache étamée qui retient mon sac de noix du Brésil. Je la cherche d'abord tranquillement, et ne trouve bientôt à la place que l'entêtement à vouloir trouver, mais qu'est-ce que je fais là à quatre pattes? Je n'en ai même plus besoin, peu importe je m'obstine. La réalité est obsessionnelle. La réalité privée comme la réalité en général, une obsession commune, une gigantesque entreprise de grattage. Plus je cherche moins je trouve, me voici parlant tout seul, toutes ces brindilles qui m'étourdissent, elles auraient beau se transformer en papier vert, ça ne me donnerait pas celle que je cherche. Je ris aussi tout seul, pour garder contenance, car mon cas s'aggrave, ça ne lâche pas. Le sac était-il bien attaché, avais-je réellement une attache en main, l'ai-je vraiment laissée tomber par inadvertance? Douter que le passé ait vraiment existé, n'est-ce pas la dissociation, la psychose? Et si jamais je trouve, pour combien de temps, qui me dit que demain, dans un an?... Qu'est-ce qui m'empêche de laisser faire, d'où vient cette souffrance? Je ris de façon mécanique, je suis passé du côté mécanique. Ai-je vraiment connu Constance et rencontré la Beauté? Étourdi, à genoux, tâtonnant toujours, je vais de plus en plus énervé, fiévreux, comme un aveugle en plein cauchemar cherche les lunettes qu'il n'a jamais eues, les yeux embrouillés, jusqu'à ce que la voix se fasse entendre: *tu as beau faire, tu ne la retrouveras pas.*

Mardi 5 mai

Agrafons toujours cette photocopie de ma lettre à Christophe, qui fut ma journée d'hier, et ma sortie d'aujourd'hui.

Mon châer,

J'espère que tu ne m'en voudras pas trop d'éprouver ta boîte aux lettres parisienne! Trois semaines sans réponse, ce n'est pas un très bon voyage pour moi. Je n'aurais pas osé te demander une adresse, mais lorsque tu m'as suggéré que «recevoir du courrier à Paris, cher baron, ferait très vieille France» — *quelque chose s'est détendu dans le grand malade que vous soignez docteur Cottard, il vous l'avoue bien sincèrement! Je ne peux voir tes grimaces au téléphone, ce sera ma seule excuse.*

J'aurais beau essayer de te ménager, j'en suis bien incapable, tu le sais. Tu te souviens de ma rupture avec Marie, j'avais besoin de me confier à tort et à travers comme le dernier des ivrognes, je finissais par raconter ma vie en cinq minutes à n'importe qui, sur un ton monsieur! on aurait juré la voix d'un autre. Donc, je viens te parler d'Elle, qui est si loin et si près, de ses incohérences. Question de faire le point sur papier, et d'avoir ton avis si jamais elle revient.

J'ai parlé d'incohérences, tu es prêt? Par exemple, quinze jours avant son fameux voyage de l'an dernier, elle m'avait dit: «je sais que ça ne va pas très bien entre nous en ce moment, je n'y peux rien, tu peux voir d'autres femmes si tu veux.» Une semaine après, elle commettait une de ses rares indiscrétions en lisant sur mon bureau une lettre de Maryse (je t'ai déjà parlé de ses audaces écrites), une lettre aussi peu compromettante que possible, mais c'était une lettre d'une ancienne... Quelques semaines plus tard, Constance faisait de cette lettre une justification après-coup de son aventure.

Il y a aussi cette fois où elle m'a invité à une soirée chez elle (à cette époque où déjà nous essayions de nous voir moins souvent). Son invitation est alors un des billets les plus doux et les plus affectueux qu'elle m'ait écrits. Au beau milieu de cette soirée où elle règne, tout excitée et si belle à voir, j'ai un désir irrésistible, elle me demande si je ne peux pas lui chercher telle chose à la cuisine, à quoi je réponds ô combien intelligemment «oui, si tu m'embrasses». Et elle, devant quelques invités qui regardent du coin de l'œil, de me signifier en silence, d'un seul signe de tête, que ce n'est pas le moment. Lorsqu'il m'arrive de visualiser la «reprise», je me vois sortir de ma poche mon billet doux, lancer un Oyez! Oyez! à l'assistance, le lire d'une voix forte, et conclure: «c'était signé Constance». Sauf qu'il n'y a pas, tu le sais bien, de prochaine fois, ni de parade toute prête, la vie a beau se répéter, ce n'est jamais tout à fait dans les mêmes termes, il faudrait avoir l'humour, l'insouciance, la distance, et c'est justement ce qui est impossible, l'émotion n'a pas le sens de la repartie.

Si tu commences à voir clair, en voici une autre. Par une belle fin d'après-midi en mai dernier, on vient d'acheter nos billets pour passer une semaine à New York (son séjour en Europe était déjà arrangé). Dans l'ensemble, nos rapports étaient alors plus ou moins les mêmes, intermittents, parsemés de visites surprises et même joyeuses, de confidences complices et sans lendemain. Tout cela dans une atmosphère de grande fragilité, quand ça commence à devenir précaire avec une femme. Dans le vestibule, j'enfile une veste, nous allons sortir faire une promenade, voilà qu'elle s'arrête: «je t'aime» me lance-t-elle avec ses yeux des grands soirs. Comprendre: «j'aime passer quelques jours en voyage avec vous». Deux semaines auparavant, après un rapprochement sexuel décevant, j'avais suggéré sur un ton plus triste qu'agressif qu'on pourrait très bien cesser de faire l'amour, elle avait répondu «d'accord» du tac au tac Est-ce normal docteur? J'en passe, j'en oublie. Après son départ, au début de janvier, je devais passer chez son frère chercher un formulaire d'assurance-chômage à remplir, ce que je fis, la veille ou l'avant-veille de mon accident. M'attendait là un de ses ineffables petits mots, sur le temps et l'espace qui ne comptent pas, sont choses très relatives, avant longtemps elle serait déjà de retour, c'est l'essentiel après tout, etc.

Pendant que tu y penses, étendu dans ta chambre d'hôtel, je change apparemment de sujet sans changer vraiment, en tout cas c'est le même sujet qui parle! L'autre jour, je me suis pris à écrire de mon cas comme du MAL ABSOLU. Une expression qui sent le découragement, je l'ai vu tout de suite. Sauf que c'est le décalque négatif du summum bonum *dont je t'ai souvent rebattu les oreilles, je ne m'en suis aperçu qu'après, ça n'arrêtait pas de me revenir à l'esprit avec sa grandiloquence tragique, et cela m'a donné envie de t'en parler, comme si l'expression avait comme on dit dépassé ma pensée, avait pensé plus loin que moi.*

Je me sens dans le mal absolu au sens où, tu ne peux savoir à quel point, tout ce que je vois, tout ce qu'on me montre, tout ce qui se fait me rappelle à ce que je suis. C'est tout mon monde, notre monde, qui est soufflé, qui se volatilise en images. Le centre-ville n'a rien à y voir, ou si peu, ni les idées personnelles de Pierre Lebel. C'est tout un tas de rapports de forces, de rencontres, de pressions, de vendre et d'acheter, tout un état des choses qui font que j'ai ces images dans la tête et le ventre. Pourquoi devrais-je supporter d'être hideux, c'est la question que me pose chaque coin de rue, chaque regard. Derrière ces images, il y a des forces qui, elles, ne sont pas des images, mais qui font que les images sont des forces. Cela court de haut en bas, de bas en haut, ou plutôt il n'y a pas de bas ni de haut, elles sont le ciment qui fait tenir ensemble les blocs du Palace. «Pourquoi moi je serais le seul à...», je sais que la question sent le décadent, c'est la défense des pays vendeurs d'armes. Eh bien, alors, mon cher, je suis décadent. Les philosophes et moralistes des autres époques pouvaient conseiller de dépasser les apparences, l'illusion, l'opinion. Mais nous, le pouvons-nous? Parmi les êtres les plus intelligents que j'aie approchés dans ma vie, il n'y en a pas un qui dans ses yeux ne laisse paraître la maladie des images. Nous en avalons trop. Je les vois dans leurs yeux, avant même qu'ils parlent, et ce qu'ils disent le confirme.

Les amoureux sont les seuls à voir ce qu'ils voient; moi, pour guérir, il faudrait que je sois le seul à ne pas voir ce que je vois. Et si je garde les yeux ouverts, j'ai peur de devenir trop lourd pour l'époque, trop cabré, d'être déformé une deuxième fois. Comment veux-tu que je m'amuse comme elle, avec elle, l'époque, que je sourie à ses femmes, que je m'étire à une terrasse, je n'ai plus l'équipement... Tu te souviens d'un de nos thèmes favoris, qu'on devait mettre à l'agenda de nos lettres sur l'amour. Une fille de médecin d'Outremont ou de Sillery, belle comme un cœur, faite comme ça, brillante, «ça vaut tant». On peut se récrier. On peut faire semblant de ne pas avoir les yeux vis-à-vis des trous, ou être carrément aveugle, mais c'est comme ça que ça marche. Pas un fils d'ouvrier, à moins d'avoir du génie ici ou là, qui peut monter à cette hauteur, qui peut accoter cette enchère. Il y a des places, des valeurs sur le marché de l'échange, et ce qu'on appelle la liberté de choix est affaire bien encadrée monsieur, comme la liberté d'indifférence chez Descartes, si tu ne vois pas clair, Dieu voit clair à ta place, Dieu ou le Système. Valeur d'usage et valeur d'échange, il connaît. C'est Adam Smith révisé par Karl Marx révisé par Canal Video International. Quand une fille entourée de ces signes, tel quartier, telle tenue, telle voiture, etc., passe tranquillement, ça fait partie des choses qu'un type doit apprendre à se dire: «un trop gros poisson pour ma ligne». Eh bien, mon vieux, c'est bien beau d'éviter d'avoir les yeux plus grands que la panse — mais quand on n'a plus de panse? et même plus de canne à pêche?

Nous avons intérêt à nous surveiller, moi surtout mon cher, moi surtout.

Excusez-la, docteur,

Pierre

Mercredi 6 mai

23 h 45

Ce soir, incursion rapide au café le plus proche pour tâter le pouls du monde. C'est bien fait, sitôt assis, images d'une Constance bienheureuse qui se multiplient à ma table. Avec au milieu du jeu, une case vide: heureuse avec qui? La case de l'autre, celui dont la place est si facile, l'écœurant dans toute sa splendeur.

À portée de voix, et presque de bras, deux hommes et une femme, vingt-sept, vingt-huit ans, joyeux, traversent une heure de grâce. Un trio lyrique. Impossible à cause de ce je ne sais quoi d'imaginer la jalousie entre eux — Jules et Jim. Ils ont l'air de parler pour se comprendre; se dégage d'eux l'impression que ce qui va se dire, quoi qu'il se dise, sera entendu comme il faut, je t'expliquerai ce que je suis, ce que je sens, et tu m'accepteras. Ils font envie. Je les épie, pour les admirer ou les démentir. Ce sont eux qui sont vrais, qui baignent dans des valeurs nouvelles, ou c'est moi qui rêve et ils sont mon rêve?

Pourtant, ce n'est rien de nouveau. Comment veux-tu refuser le désir des autres? Ton désir valorise le mien, il faut que tu désires pour que j'existe. C'est lui qui détermine le prix de toute chose. Ils auraient dit non à l'inéluctable mesquinerie, à la tristesse commune, ils auraient compris avant moi, eux, plus jeunes que moi. Que ça n'a pas de sens de refuser le désir, c'est pas possible, *no way*, comme disent mes étudiants. Comment Constance pourrait-elle ne pas désirer X, Y, Z, puisqu'elle vit? C'est la seule loi, on vit donc on désire. Toi, qu'est-ce que tu faisais d'autre? Sinon, comment aurait-elle pu te rencontrer...

Ouais. J'ai beau savoir, si je désire, comment ne pas désirer posséder? En voiture, dans un embouteillage, on se dit: tu n'y peux rien, relaxe, regarde les gens, les petits oiseaux, rien à faire, on s'énerve quand même. *Idem* ici, dès que j'aime d'amour-passion une femme, je veux qu'on arrête le jeu, je dis à cette femme et aux autres joueurs: si tu arrêtes, j'arrête. Je réinvente la morale, je gèle les cartes après avoir gagné, je redécouvre même le mariage, parce que j'y ai intérêt. Incapable de cesser de désirer, j'essaie de réunir les conditions pour éviter que le désir me rende fou, me fasse cesser tout court.

1. Je ne peux refuser le jeu.
2. Le vrai jeu n'a pas de Maître.
3. Je veux être Maître de jeu, qui ne perd pas.

Je suis rentré dans la nuit humide et vaporeuse comme dans une grande salle faite pour moi, anormalement calme, dont les échos étaient calmes, théâtrale, nouvelle comme si on venait de lever le rideau, étirant et compliquant le chemin du retour, j'avais oublié mes jeunes amis du café, je me demandais à quoi ressemble la nuit là-bas, sur quelles façades de quel décor elle tombe, la regarde-t-elle, que voit-elle quand elle la regarde?

Jeudi 7 mai

Rêver clair, rêver lumineux comme cette nuit ne m'arrive que rarement:

Je rencontre en bas, au coin de la rue achalandée, Constance et un type plus âgé qu'elle (mais plus jeune que moi, quoique ne le paraissant guère!). Assez beau, bonne figure, les traits un peu figés. Elle me le présente, nerveuse: «Daniel». Je pense — un éclair, comme ça — sûrement un acteur, un homme applaudi. Je me sens grave, souffle court, mais une inspiration profonde et un peu de souplesse me viennent, ne pas le prendre de haut, attendre que ça passe. Constance a déjà enchaîné, me disant avec empressement du bien d'un écrit que j'ai publié, pourtant je ne me sens pas comme si j'avais publié quoi que ce soit. Douceur de ses yeux en moi, en même temps que je songe: elle ne donnerait pas la prochaine demi-heure de sa soirée avec lui pour mes œuvres complètes. Saut. À Paris, on vient d'annoncer les prix littéraires quelque part dans un vieil hôtel de la rive gauche. Je gagne. Flashs des photographes. J'imagine les yeux de Constance à Montréal et qu'elle ne peut les poser sur personne d'équivalent. Les mondanités finissent par finir, n'ont-elles pas été trop longues, même pour moi avide de compliments? Voici que le corridor de l'immeuble s'éclaire d'un dernier rayon de soleil, tout baigne somptueusement dans une lumière orangée. C'est la fin de l'après-midi, il n'y a plus personne dans le hall (immeuble désert devenu monumental maintenant, néoclassique, qui me fait penser au palais de justice dans la dernière scène de Douze hommes en colère *après la pluie), personne sauf une jeune femme splendide, sage, droite, qui visiblement attend, m'attend, et de fait m'aborde, timide, me demande une entrevue. Elle est reporter, grande, monumentale aussi, vient de Hollande mais avec l'air d'une Italienne du Nord. Avec l'air, mais oui, avec l'air de... Constance. Non! Je me secoue enfin dès qu'elle se met à marcher à mes côtés,* c'est *Constance. Ce n'est pas elle, puisqu'elle s'appelle Mlle Land, mais c'est bien elle, Constance, je veux dire c'est son corps, plus que son corps, sa présence. Elle a tout lu de moi et a les yeux brillants. Je me vois nettement descendre avec elle un à un les degrés et me retourner pour être sûr d'embrasser du regard la colonnade orangée du palais de justice.*

Vendredi 8 mai

Ce n'était pas vraiment là hier, et demain il sera trop tard, c'est aujourd'hui dans les arbres qu'est apparu ce tremblement, la vibration de cette verdeur naissante, encourageante. Être mort j'imagine, c'est ne plus pouvoir apprécier cette présence. Être vivant, c'est ne pas trop savoir quoi faire avec cette présence.

~

Hier soir, match époustouflant au Forum. Il a fait dans les vingt-cinq degrés Celcius, et à voir l'allure des joueurs, il ne fait pas beaucoup moins sur la glace. Le Canadien a marqué avec quarante secondes à jouer, forçant la prolongation. Comment font-ils? La fatigue comme une mort lente à l'écran, les joueurs semblent traverser un fluide anesthésiant, c'est leur vieillissement qui accélère à leur place, ils ne vont pas s'asseoir mais s'effondrer aux vingt secondes sur le banc. Première prolongation sur le bout des fesses, aucun but. On en vient à perdre toute agressivité contre l'adversaire, le spectateur est fatigué lui aussi de se projeter, il est dans le match (creuser cette idée, tout spectacle aurait deux limites, quitter la salle ou monter sur scène). Parfois on recule, juste le temps de se dire: «quelle partie!... même si nous perdons.»

À 18 minutes 57 secondes de la deuxième période supplémentaire, Richer sort du coin, arrive à l'embouchure du filet et lance, le gardien bloque, mais il y a retour, Walter pousse, le Forum se lève en voyant rouge comme un seul homme — moi aussi! Je pense à la «ligue du vieux poêle» que nous ferions à deux si le téléphone sonnait.

J'ai ensuite sorti ma bicyclette du placard, et après m'être battu avec ma vieille pompe, je suis descendu dans les alentours du Lux. Hésitations, finalement je n'entre pas. Chez Kilo à côté, je recommence avec le même résultat, en dépit d'une envie éprouvante de yogourt glacé. Les trottoirs sont parsemés de jeunes couples dans le vent, dans les deux sens du mot. Je fais quoi? Entre en vitesse au Lux en faisant celui qui cherche quelqu'un, je n'aime pas l'ambiance, je sors aussitôt. Reviens devant Kilo, non décidément, j'ai envie d'une glace mais pas au point de déprimer seul à ma table. Je renonce à la société pour ce soir, j'ai vécu ma fête à la télé. Sur mon vieux Coppi bleu acier, je décide de lambiner, arpentant et racolant la nuit qui me fait des sourires tant que je veux, tant que je lui en fais. Aussitôt quitté le boulevard Saint-Laurent, calme très doux, brise exquise dans la saignée des bras, dans les jarrets, dans la figure et les cheveux. Odeur crémeuse et sucrée autour des pâtisseries Stuart, la nuit sent la «croquette» dans tout le quartier de la rue Laurier. Dans ce concerto pour nuit tiède et crème sucrée au beurre en forme de lune, je coule et glisse les yeux mi-clos, la bouche entrouverte, labourant les rues du quartier en boustrophédon, les unes après les autres, ménageant mes coups de pédale. Rue de l'Esplanade, le long du parc, il est maintenant passé une heure, je n'entends que le ronronnement de mon dérailleur, je suis bien. Un engoulevent plonge, écarte le silence, une fois, deux fois, trois fois, j'aime les engoulevents. Je me dis que j'ai surmonté la souffrance, je veux dire l'épreuve de ces jeunes couples de tout à l'heure, de ces jeunes femmes indolentes, embellies et comme délicieusement enflées par la tiédeur précoce et venteuse, aux jambes déjà nues et dorées dans leurs escarpins, avec cette fente exquise et dodue entre les orteils qui se cachent sous l'empeigne de cuir noir, j'aime les jambes et les pieds nus dans des escarpins, très. Constance serait-elle à Montréal, elle dormirait sans doute, et je goûterais cette promenade de la même façon, c'est du moins ce que je me dis entre deux coups de pédale. Les derniers me ramènent vers Duluth par l'allée du parc comme frappée de stupeur, il n'y a pas âme qui vive, celle de la nuit suffit. Je vois des étoiles et une croix blanches au-dessus du mont Royal noir.

Samedi 9 mai

Pendant que le Canadien triomphe, décidément repris par la fièvre du hockey, je regarde en alternance, le soir qui suit, avec presque autant d'intérêt, l'autre demi-finale. Hier, les Oilers et Wayne Gretzky dit La Merveille. Aucun joueur ne domine son sport comme il le fait depuis sept, huit ans. Filiforme, alors que l'époque est aux colosses, il convertit en avantage tout ce qui est contre lui. Gretzky refuse le contact sur la glace par toutes sortes d'artifices, son style penché à angle droit, ses arrêts brusques et changements de direction imprévisibles, sa façon de venir mourir le long de la bande et de baisser les armes (plusieurs fois ce soir), de se transformer ainsi en arbitre improvisé et de rendre impossible, absurde qu'on le frappe, ce devenir jeune fille ou mouette suivant le cas, car on dirait toujours qu'il va tomber à gauche ou à droite, ou par en avant, que ses jambes ne suivront pas, qu'il est une malheureuse chauve-souris perdue dans l'amphithéâtre. Mais ce joueur qui est l'anti-macho sur patins, dont la carrière est immaculée ou presque dans un sport où il est si facile de perdre son calme, qui dégage quelque chose de féminin, sexe dont il a la finesse et l'élégance naturelle, la blondeur mythique aussi, ne tombe quasiment jamais, contrôle ce jeu si rapide, voit derrière lui, croise à toutes les vitesses, refait, repense le hockey à chacune de ses présences, se déplace avec le disque de dos, de côté (cela est de toute beauté), tout en balayant de gauche à droite, d'en avant en arrière, s'arrête là où les autres continuent, repart quand les autres modèrent, et force la caméra à le suivre même quand il n'a plus la rondelle. Cet athlète aux allures de grande jeune fille évaporée, au «casque ailé» par les mèches blondes qui dépassent et flottent au vent, est le meilleur stratège et penseur du hockey moderne, et ne cesse de nous apprendre à regarder le jeu autrement. En même temps qu'il en est hélas! le meilleur patineur, le plus grand exécutant, le sorcier en quelque sorte, et qu'à ce titre une partie de son art est intransmissible. Gretzky est tellement bon qu'il donne à la télévision l'impression que peuvent donner les meilleurs joueurs de tennis quand la caméra les prend sur le court en plongée, envoyant la balle à volonté *tout simplement* à l'endroit que l'on *souhaite.* Et en même temps qu'il fait ce qu'on voit bien devant son téléviseur être la solution la plus indiquée, le meilleur jeu possible à cette seconde précise, Gretzky joue mieux que si on le contrôlait électroniquement, il anticipe ce qu'on ne pouvait voir à l'écran, il est en avant du meilleur ordinateur comme le sont encore les meilleurs joueurs d'échecs.

En plus, ce qui n'est pas possible électroniquement, Gretzky donne une haute idée du plaisir de jouer. Je ne sais s'il donne cette impression autant que Guy Lafleur, autre joueur extraordinaire par l'intensité et la magie du geste. Mais Lafleur explosait là où Gretzky tourne en rond et prémédite, déroulant sur la page glacée la solution (*engrammée* quelque part, lui seul sait où). Un plaisir qui est devenu un désir. Car Gretzky, je l'observais encore hier soir, et on l'oublie, est le patineur par excellence, et après tout patiner qu'est-ce que c'est sinon glisser, sinon jouir. On se demande pourquoi on se lance soir après soir sur une patinoire, et on répond que c'est pour des millions, et on croit avoir tout dit. On n'a rien compris: on ne commence ni on ne finit de jouer pour cette raison. La vérité, elle est dans la volupté de glisser par ses propres moyens, à gauche, à droite, en avant, en arrière, à toutes les vitesses, avec une force d'inertie, des impressions de réaction et des inclinaisons excessives, anormales; s'élancer, monter sur patins jusqu'à sa vitesse maximale est déjà un labeur agréable, mais laisser aller, couper le moteur et filer sans effort est un rêve, le rêve de tromper son propre corps. La sensualité de patiner, on a toujours cinq ans, c'est toujours neuf, une magie, devenir un autre animal. Les oiseaux nous donnent l'impression que voler est un désir, ils aimeraient voir Wayne Gretzky descendre de son perchoir et patiner.

«Tu ne peux pas savoir comme j'aime ça jouer!» de répondre Guy Lafleur en pleurant dans un vestiaire désert après un match des séries. Plus «anglais», le n° 99 communique cette même passion dans un autre style. Car c'est un style au sens véritable du terme, un geste reconnaissable, à la fois modèle et inimitable, exemplaire et créateur, travail et aisance. Sur la glace comme d'autres sur la page ou sur la toile, Gretzky déploie une évidente écriture, avec toutes les ressources inhérentes à cette notion, loin de la prose ordinaire et du répertoire des formes convenues du hockey depuis qu'il y a des joueurs qui y jouent et des amateurs qui les lisent, sans compter une moralité certaine dans cet exercice et cette recherche, comme dans toute recherche formelle aux prises avec les signes antérieurs. Gretzky styliste, et grand styliste, artiste dominant l'époque des jeux, ses vrais lecteurs ne s'y trompent pas, ils le voient, le savent, le savourent, non sans émotion, comme on regarde en vacances un lieu ou un être qu'on aime en se demandant: pour combien de temps encore? Les vrais artistes du sport ne sont pas différents en ce qu'ils sont moins artistes, mais en ceci que leur œuvre s'interrompt et disparaît; à la différence de Rimbaud errant ou de Chaplin vieillissant, ils ne peuvent pas renier ou revoir leur œuvre, il n'y a plus d'œuvre — restent les millions pour oublier.

Ce soir, ce n'est pas son argent que j'envie à Wayne Gretzky, c'est son plaisir. J'ai bien peur que dans dix ans, il ne pense la même chose.

Amener Constance au Forum voir jouer la Merveille, un rêve souvent évoqué devant elle: «oui, j'aimerais ça.»

17 h 30

Trop beau pour être vrai, le morceau entendu à la brasserie cet après-midi. J'étais venu examiner la situation de près, respirer les aires et vérifier s'il y avait un grand écran pour, peut-être, revenir en soirée regarder un match dans l'ambiance, celle de la famille, l'oncle et les cousins autour des matchs importants. Ne sachant trop comment ressortir, je joue l'habitué et commande une bière.

À la table voisine, la conversation est de saison, c'est-à-dire exaltée. Un petit brun barbu, mélange de virilité et de douceur, parle haut: «Richer, son problème, y regarde en bas et voit derrière lui les gars qu'il a laissés dans la cour d'école quand il avait douze ans, puis chez les juniors, et ça lui suffit, il se pense bon et s'assoit dessus! Quand il a fait quelques sparages, ah! de beaux sparages mais qui finissent dans le coin de la patinoire, il est content...» Ici, mimique du gaga satisfait, les deux mains sur le ventre. «... Il va s'asseoir sur le banc en cherchant la petite lumière rouge du coin de l'œil, il pense à son fan-club. Il est bon, mais c'est encore un enfant. Il regarde vers le bas et il descend, c'est sûr, que veux-tu que je te dise?» Et sans un souffle, le doigt pointé: «Alors que Wayne, lui par exemple, regarde en haut pour voir qui est encore là, qui reste à dépasser, quel record s'en vient, quelle légende on rapporte dans le *Sporting News*, il n'est jamais certain, lui il sait que les gens oublient vite, qu'ils ont déjà un œil sur Mario Lemieux, il lui faut de nouveaux défis, c'est un gars qui vise la perfection, il veut enterrer tous les autres, il veut tous les records, être *le* joueur de toute l'histoire du hochey sacrament! Alors il regarde en haut et il monte tout le temps, il continue à monter...» Ici, geste de l'avion qui décolle et voix sifflante: «... que veux-tu que je te dise?»

J'ai perdu la réponse de l'autre, je voulais déjà noter, mais y a-t-il eu réponse? Platon n'avait-il écrit ce fameux mythe de la Caverne, que j'appelais en classe le mythe de la Taverne, d'où aucune lueur ne pouvait sortir, où l'incurie et l'agressivité régnaient confortablement dans l'ignorance d'elles-mêmes, l'avait-il écrit pour que j'assiste à ce juste et inespéré renversement: sous mes yeux, la Taverne devenait Caverne revisitée, lumineuse, Socrate à Glaucon donnant la réplique, au nom du Plus Haut toujours Plus Haut. Platon seul manquait, comme toujours parti pisser sans doute.

Attablés un peu à l'écart, deux jeunes intellos, des chargés de cours peut-être, cherchent à persuader un troisième; à un moment, l'un des deux lui touche le bras et lui dit: «C'est simple, est-ce que ton père aimait le hockey?»

Pendant ce temps, j'ai beau faire le mort, une impression ne me quitte pas. Celle un peu bizarre d'avoir juste la tête qui convient, la gueule cassée qui manquait dans l'ombre, l'impression qu'on m'attendait. Une taverne c'est-à-dire un cocon, la taverne primitive.

Je rentre, je ne sais pas si je suis serein ou triste, j'arrondis ma boucle par le parc Lafontaine. Là où se dressaient encore il y a deux mois les bandes de la patinoire, j'aperçois cassés par terre trois bâtons de hockey, comme fraîchement abandonnés par le même joueur malchanceux ou emporté. Avec l'absurde conscience de faire un geste solennel, je les mets moi-même à la poubelle. Cassés sec dans l'angle, le point vulnérable, le cœur du bâton. Vingt-cinq dollars à la poubelle trois fois. Une vieille canne de bois dur vieillit, se patine, traverse des générations, entre au musée de la famille, quand ce n'est pas au musée tout court. Un bâton de hockey avec les mêmes qualités, c'est tout le contraire, c'est fort quand c'est neuf, comme l'amour dans les mains du désir, puis un jour, on dirait que c'est fait pour casser net et traîner là, avant d'avoir pris le temps de vieillir, ne présentant plus d'intérêt pour personne. Même ces bâtons, dans ma folie, m'apparaissent tragiques, ni antiquité ni déchet, une jeunesse usée, une mort prématurée, un gaspillage.

Dimanche 10 mai

23 h 30

Par simple acquit de conscience, pour le principe: une de ces journées bizarres où rien ne dure plus d'une demi-heure. Beaucoup trop d'insignifiances pour l'envie qui me reste à l'heure qu'il est. — Parfois l'impression que j'écris pour comprendre. Alors que parfois c'est pour décrire, ou me souvenir (ce qui revient au même non?). Voici qui n'a pas duré une demi-heure non plus.

Lundi 11

Je regarde mon bahut, ses deux œillets de cuivre comme les yeux étranges d'une tête cubiste. J'ai eu besoin de cet objet comme d'un être. Maintenant, je peux me contenter de le goûter. Avec le temps, je vais oublier et cesser de le caresser. Si je le perdais, je chercherais le langage adéquat pour dire l'importance de cette perte, langage qu'un jour je trouverai excessif ou que je ne comprendrai plus. Où et quand est la vérité, quand on souffre ou après? Avoir besoin d'un objet ou d'un être, ce ne sont là que des modalités interchangeables, littéralement interchangeables. Pendant que je le cajole, je commence à «réaliser» la couleur de la peau de cet objet.

19 h 15

Après-midi au parc à lire Spinoza. Entre deux difficultés du texte, je lève les yeux, je vois embrouillées deux ou trois difficultés du texte de ma vie. Spinoza me rappelle de «ne jamais oublier que ce qu'on imagine n'est pas pour autant réel». La pseudo-existence d'un fait en tant qu'il est imaginé n'est en aucune façon une pensée vraie, même pas une sensation, seulement un produit de l'imagination, quelque chose d'absent, une idée «inadéquate». C'est une façon pour mon corps d'être affecté, dont ma raison n'est pas maître, comme une simple illusion d'optique. J'ai intérêt à penser avec Spinoza. Savoir si une femme par exemple me trompe *actuellement* est un savoir qui ne peut exister actuellement, c'est exactement comme rêver, une fiction et rien d'autre; je le saurai plus tard, dans un temps où je ne serai plus le même, et probablement jamais.

Le problème, c'est que là où ça vit, ça désire, et là où ça désire, ça fantasme et ça s'absente, et les trois quarts de ma vie se passent dans cette absence aujourd'hui. Avec la photographie et le cinéma, la passivité et le consentement aux images, Spinoza nous aurait considérés comme des malades. Croire savoir ce que jamais on ne sait, croire pouvoir ce que jamais on ne peut, croire pouvoir et savoir là où on ne fait qu'imaginer. Le langage du cinéma aujourd'hui est bien plus près de nous que celui de la «nature». Il n'y a même plus de contraires parce qu'on saute par-dessus les contraires, il n'y a plus de liberté, on a trop de choix. Une phrase peut en contredire une autre, une image ne peut annuler une autre image, elle n'est qu'une image encore. Un peu plus de rêve et d'absence qui m'éloignent encore un peu plus, vers demain, vers hier, toujours ailleurs. Nous sommes intoxiqués par l'absence plus forte que la présence. — Spinoza et un professeur, tous les deux en congé forcé, se désennuient au parc.

Mercredi 13 mai

Je fais le ménage avec soin, mais je sors sans changer la gaze de mon pansement. Je devrais prendre rendez-vous avec le médecin depuis une semaine, à la place je feuillette *La Presse* au café en cherchant les histoires d'amour qui finissent en faits divers. J'ai envie de rendre compte de tout, mais pas de ma blessure, que je soigne dans la pénombre sans regarder, je verrai ça demain! Inconséquences et cachotteries. À chaque jour suffit sa lucidité.

À quel point ma philosophie a toujours été approximative, mais d'une approximation viable. Il ne me faut peut-être pas souhaiter qu'elle ait été plus précise, ce qui n'aurait servi qu'à me faire tomber de plus haut plus vite. Que dire de celui qui revêtirait une armure pour se protéger des flammes et qui, empêtré de protection, sauterait dans le vide à côté du filet? La philosophie doit être souple et légère, comme un vêtement «seconde peauôô!» dirait Pierre Cardin.

22 h 15

Dans La Rochefoucauld, une note d'Alain qui n'aime pas le cynisme du bon duc: «Il faudra que notre humanité se tire de ces marécages des faux moralistes, d'après lesquels on goûterait et on prononcerait sur le bonheur, comme d'un fruit» (à propos de la maxime: «Il y a de bons mariages, mais il n'y en a point de délicieux»).

Mais si nous nous leurrons, c'est que nous parlons. Pouvons-nous parler sans faire des effets? Pourquoi La Bruyère, La Rochefoucauld ont-ils tendance à faire des sentences, à dire la vie fatale? Accordons-leur qu'ils savent bien ce qu'Alain fait remarquer, que dans la vie il faut agir, sortir de soi, se secouer, abattre paresse et mollesse, que rien n'est sûr d'avance, etc., comme lui comprend très bien ce qu'ils veulent dire. Pourtant, dès qu'ils se mettent à écrire, ils l'oublient et préfèrent accuser les traits de la vie, et pour cela prennent un stylet. Ils charrient. Ils ne peuvent se retenir. Pourquoi? C'est ainsi! Au café, en assemblée, en famille, au vestiaire, il faut surqualifier, conjurer, fataliser à tout prix si on veut être écouté, et le prix à payer c'est la déformation. Vernir, appliquer un fixatif, «taxidermiser», disposer du monde qui est si compliqué, et mettre à la place autre chose. Bref, parler, écrire, styliser, n'est-ce pas *épingler*? Évidemment, là où le papillon volait, insaisissable comme un sourire, le voici figé dans sa boîte ou sur la photo pour plus de commodité, car de ce point de vue, parler ou écrire est aussi une mise en boîte.

Nous passons ainsi notre vie à préférer le rictus au sourire. Le difficile (l'impossible?), c'est de décrire le processus comme il se passe, c'est-à-dire un peu hésitant, souvent échevelé, sans fixatif — *en accompagnant la chose.* Chaque âge, chaque époque veut témoigner, représenter, en prétendant s'éloigner du mensonge antérieur, dire la réalité, toute la réalité, rien que la réalité. Mais qu'est-ce que l'«ennui» que nous ressentons parfois devant ces époques, sinon le signe de leur échec? Nous pensons tout bas qu'ils ont menti, ont caché une partie du processus, du vrai, nous voulons que notre époque à nous invente un nouveau style qui partage autrement l'insignifiant et le signifiant, qui sache rendre le fugace, le presque rien, l'infra-humain, etc. Viser le surgissement, le fait divers de toute vie. Ne jamais refuser le moindre s'il est exact, toujours refuser le plus s'il est faux. Avouons-le, déjà les textes de 1940, 1950, des surréalistes, du *Refus global,* de toute cette époque, dont certains accents sont si beaux, nous paraissent souvent enflés par des effets rhétoriques qui appesantissent (ils croyaient être intelligents), qui agacent (ils croyaient être authentiques), qui fignolent (ils croyaient être subtils), bref des moins là où ils voyaient des plus. Le style fatigue, mais c'est celui des autres. Inconséquences et cachotteries d'une époque aux yeux d'une autre.

Jeudi 14 mai

Les pensées sphinctériennes, qui collent à ce qu'elles disent. La pensée pense utiliser les mots comme instruments de mise à distance, mais en réalité nous utilisons les mots pour baptiser, sanctifier, donc sauver. L'autre option, si c'en est une, serait le silence, ou la mort. Austin avait raison, il y a dans le langage un mode performatif, dire c'est bel et bien faire; Austin avait tort, il y a essentiellement et non accessoirement du performatif dans le langage, quatre-vingt-dix pour cent du temps, dire c'est faire ou être fait. Dire, c'est être derrière ce qu'on dit. Nous faisons semblant que ce que nous disons est à discuter, en réalité il n'en est rien. Que nous avons le choix, alors que nous ne faisons qu'obéir. Dire, c'est refuser d'avouer, c'est cacher au même instant qu'on ne peut pas ne pas dire ce qu'on dit. Entre le monde et moi il faut que ça colle. Le monde en lui-même ne colle pas, la réalité en elle-même n'affirme rien, c'est nous qui faisons coller (à certains instants, l'impression terrible de voir le manque de colle). Que mes mots ne collent pas au monde est déjà sérieux, mais que moi je ne colle pas à mes mots est fatal.

Dire, c'est recevoir une force et la transmettre. Dire, c'est être forcé et forcer à son tour. Sphincters.

21 h 30

Sans les mots, pas de monde ressemblant au nôtre (nous n'avons pas besoin du monde en soi, nous n'avons besoin que du monde ressemblant au nôtre). Sans l'adhésion, sans la colle, pas de certitude, donc ni pensée ni monde non plus. Je parle; y avait-il un besoin avant les mots de dire ces mots? Si, par exemple, je réinterprète mes agissements depuis six mois avec cette femme, je vais prendre des mots et me croire dans ces mots, c'est ce qui doit avoir été; alors qu'elle ne s'y reconnaîtra pas nécessairement. Dès que j'ai parlé, c'est devenu un fait, c'est bien ce qui s'est passé. Un peu comme une exposition où il suffit de lire l'inscription «vous pouvez vous asseoir» pour aussitôt sentir sa fatigue. Dans l'acte de parler s'effacent les traces; je crois parler sans cause, je cause je cause, et je me crois. Ce que je dis en parlant peut se démontrer, le désir de parler ne se démontre pas. Ce que j'ai dit a un contraire, le fait que je l'aie dit n'en a pas. Nous nous *soulageons* en parlant.

Vendredi 15 mai

Septième et dernière partie des demi-finales entre le Canadien et les Flyers à Philadelphie. Les matchs du Canadien à l'étranger sont d'une autre qualité. Mettez-en des réflecteurs, de l'hystérie, des bébelles et tout le bataclan, il va falloir plus qu'un concentré de chauvinisme pour nous arrêter, l'étendard flamboyant du tricolore vole plus haut.

Dès les premiers instants, les voix des commentateurs, poreuses d'émotion, reçoivent et transmettent les vibrations de tout l'édifice, même les pubs se plient au rythme d'entrée en scène des joueurs et des officiels. Officiels, officiers, ou officiants, car l'hymne national à Philadelphie est une chose inouïe, quelque part entre la Déclaration d'indépendance, l'Opéra, la messe, le *freak show* et la corrida.

Une entrée de match endiablée sur fond de crécelles ahurissantes. Ça s'enchaîne ensuite de long en large, à la même hauteur d'intensité, sans arrêt de jeu, à la même hauteur que les bâtons dans les coins. Ça cogne, je m'énerve, comme s'il s'agissait de mes enfants, nos joueurs sont toujours plus petits. Le Canadien a frappé sec, deux buts sur deux ouvertures dès le milieu de la première période. La deuxième commence à peine que déjà ils ferment le jeu, ce qui a le don de me mettre hors de moi. Cette stratégie pensée en haut lieu est aussi le sophisme exécrable de ce grand club: préférer *peut-être* gagner 2-1, probablement se faire remonter 2-2, et possiblement finir par perdre 3-2 plutôt que de tenter de gagner 6-4! Comme de fait, les Flyers égalisent en fin de période, deux buts en trois minutes. Ça promet pour la troisième, j'ai mérité une tasse de thé.

Les Flyers font 3 à 2 à la neuvième minute. C'est le match de non-retour pour les deux équipes, elles le savent, mes artères le savent. Le Canadien se remet à l'offensive, les joueurs viennent de se souvenir qu'ils doivent gagner cette partie. Moi, je me souviens que je connais de gros mots, que je leur crie comme un fou à mille kilomètres de distance, pendant que mon compère outre-atlantique doit dormir tranquillement. Des séquences endiablées de haut en bas de la patinoire! Après avoir maintenu la rondelle une grosse minute dans le territoire des Flyers, le Canadien fait l'égalité à l'étouffée, 3-3. Ma parole, ils se réveillent, ils veulent vraiment la Coupe!

Dix-huitième minute, tout le monde est sur les dents, les verres suspendus, les Flyers sont punis inespérément pour un coup de bâton que l'arbitre ne pouvait laisser passer. Douze secondes plus tard, punition au Canadien pour accrochage, c'était prévu, ce triste arbitrage ne donnera jamais la coupe Stanley pour un coup de bâton. Et c'est alors que ça s'est passé. À quatre contre quatre, Naslund prend la rondelle derrière son but, file au centre, la laisse à Carbonneau qui la lui remet magistralement, passe la ligne bleue, et là le ciel s'ouvre, il vient de faire, cela n'a pas duré une demi-seconde, il vient de faire l'écart et le transfert de poids crucial qui donnent le pied de glace nécessaire, il déborde sur son revers, couvert mais pas assez par un défenseur aussi surpris que nous, et, avec un angle faible, laisse partir une rondelle qui danse sur le côté... «et compte!» Oh! oh! oh! un poème à 17 minutes 51 secondes. Christophe peut dormir tranquille, le Canadien passe en finale de la coupe Stanley.

Le 16 mai

Je ne relis pas sans sourire mes dernières lignes d'hier soir, comparées à ce que j'écrivais la veille. Le Canadien est-il en arrière 3 à 2, déjà, durant les pubs ou les mises au jeu, face à la perspective amère de la défaite, le langage prend le relais.

Après avoir consacré toute la saison à une passion imaginaire, *les aventures du Canadien à travers l'Amérique,* devoir envisager la fin de l'ivresse, la fin de l'enfance. Il faut m'ajuster, ratifier, trouver les mots.

La saison de hockey est une histoire d'amour (dont le fanatique entend parler en une année plus que d'amour), et toute défaite finale est une rupture. Il n'y a qu'à voir la tête des gens au Forum. Il faut ratifier, toute rupture doit l'être. Car le spectateur s'identifie plus fortement dans l'imaginaire que le joueur qui se dépense sur la glace, le téléspectateur plus encore que le spectateur. Plus on est loin de son amour, plus il fascine; plus la rupture est difficile, plus les mots doivent essayer de guérir. Alors on se dit comme on nous a appris: «il faut savoir perdre», «il faut bien un gagnant», «on ne peut pas toutes les gagner», «on ne la méritait pas», «ce sont les meilleurs qui...», etc. Je me souviens de mon père se levant pesamment de son fauteuil, tournant déjà le dos au téléviseur, et laissant tomber une de ses sentences terribles pour *marquer* son renoncement, je l'attendais, cela me faisait mal, je lui en voulais. Je devais prendre le temps de digérer la défaite avant de me lever moi aussi, les mâchoires et le cœur serrés, comment faisait-il pour accepter si rapidement, comme s'il avait les mots tout prêts? Aujourd'hui, si j'avais des enfants, je devrais pareillement leur enseigner l'art d'être «bon perdant», sans lequel il n'y a pas de «vrai sportif». Finie alors la passion. On regarderait les matchs de la finale sans le Canadien, mais on en sauterait un ou deux, ce ne serait plus la même chose. On se dirait comme devant un ballet que c'est encore beau, mais moins, ce n'est plus de l'amour.

Puis vient le moment où la saison et sa fin, glorieuse ou non, doivent être confiées aux statistiques, aux trophées et souvenirs, bref à la mémoire, au langage. Question de reprendre goût à une vie que l'on déclarera maintenant plus sérieuse, pour la même raison qu'on la disait hier plus plate, de vanter des entreprises plus respectables, plus «socialement utiles»... Pour voir si une société est moins valable, moins intelligente dans ses sports que dans sa culture, ou ses activités économiques, sous prétexte que ses acteurs seraient moins «articulés». La vraie articulation de tout cela, c'est que tout se tient, la vraie articulation est celle qui relie les mots nécessaires à toute action. Comme si ces activités étaient moins justifiées que l'activité utile. Utile à quoi? sinon à procurer les moyens qui seuls permettront le retour des samedis soir glorieux et essentiels! Le sport n'est pas frivole, le travail n'est pas sérieux, ce sont les genres d'un art qui s'appelle la vie. Parfois nous parlons quotidien, parfois nous parlons fête, parfois amour, parfois résignation, parfois travail, en fait, nous fabulons tout le temps, voilà ce qui se passe vraiment.

Lundi 18 mai

Au lit ce matin, suite de fantasmes concernant Constance. Fantasmes sans douceur. S'ennuyer agressivement de quelqu'un! Je me tire du lit au moment où ils se précisent... Elle ne mérite pas que je fasse l'amour avec elle en son absence. Je me lève contre Constance et sors m'aérer un peu — il fait beau.

Plein d'une énergie fatigante, me voici dehors, hébété, avec de l'existence en trop, diable que le soleil est fort ce matin! Penser à mon rendez-vous, il faut que j'obtienne la permission de faire de l'exercice, me débarrasser de cet excès de santé.

Mardi 19 mai

Hier soir, tard, promenade dans un Outremont intime, brun et frais. Une de ces brises qui caresse l'encolure et le front, qui donne envie de soupirer à voix haute, de pousser une exclamation, une brise d'entre le tricot léger et le tricot épais qui vous vide les berceuses et les perrons, la même brise qu'en août on trouverait de mauvais augure — elle est parfaite. Ce ne sont plus les bourgeons, pas encore les pleines feuilles, ça oscille parmi les lampadaires falots. Une voiture vient de passer, presque remarquable; le parc arrive là-bas, je le rejoins, le longe lentement, quelques adolescents dans le noir au pied des arbres, beaux sans doute, et belles surtout, je passe en regardant de l'autre côté, cherchant d'urgence quelque façade agréable, n'importe quoi pour faire contrepoids.

Le jour, ce ne serait que des façades, le soir, les maisons sont des intérieurs, chacune son âme. La première ici a une belle lumière vieux rose, d'autres l'imitent plus ou moins; il y a celle en gris clair tamisé avec des boiseries blondes, une autre presque bourgogne et ses tableaux dorés, et là un piano noir sur fond de lumière blanche, et un grand vase de verre aux fleurs également blanches. Elles se montrent leur âme, mais si discrètement. L'impression souvent ressentie à Outremont de feuilleter non pas un guide de décoration, car c'est plus vivant, plus dégagé, moins scolaire, mais une anthologie déliée du goût bourgeois; toutes ces ressemblances si différentes, toutes ces différences si semblables. Un peu agaçant, et néanmoins désirable. Avant, j'étais aussi une différence semblable et désirable, moi itou j'exhibais. Les autres savent-ils que désormais, de mon point de vue, tous ils exhibent?

Là-bas, les projecteurs du tennis paf! qui s'éteignent, curieuse impression d'assister à la mort de quelque chose, je me dis bêtement qu'à chaque instant des lumières s'éteignent partout mais on ne les voit pas. Fais le tour du square, la seconde s'éternise, c'est l'éternité. Le monument aux morts, solennel et blafard, les arbres sombres et recueillis autour, au garde-à-vous; des instantanés de fin de guerre me montent à la gorge, des femmes me jettent des gerbes et des couronnes de fleurs, je fais ainsi quelques enjambées sur les Champs-Élysées. Une jeune fille sort d'un bosquet d'un pas énergique, en short et sandales, passe devant moi sans me regarder, sans me montrer rien d'intérieur, sans même de fleurs. Puis, vers l'avenue Bernard, où l'autre tennis est déjà éteint, deux personnes sur un banc me tournent le dos, serrées l'une contre l'autre au bord de l'étang. Je finis par descendre dans un petit café en sous-sol. Les murs couverts de photos de vedettes de films et de photogrammes rappellent le cinéma d'en face; j'aimais l'ambiance «académique» de ces soirées, on était à Harvard, à Berkeley, on sortait pour se disperser tranquillement, tout en jouant à discuter dans les allées ombragées avec en tête le terrible choix entre une bière, un café ou une glace pour finir la soirée, il y aurait toujours de la culture et de la saveur dans la vie. Il n'y a personne dans ce café, seulement des vedettes sur les murs, toutes mortes. Le *Voir* traîne sur un banc, je l'ouvre en espérant qu'entre quelqu'un, jette un coup d'œil aux pages théâtre et cinéma, on fait la rétrospective de la saison du nouveau théâtre à Montréal, dont la moisson fut spectaculaire, etc. — photo prenante d'une jeune actrice très belle en tragédienne la bouche ouverte, je la regarde intrigué par je ne sais quoi, j'ai une syncope, je recule, comme si je pouvais reculer assez loin, non c'est un rêve, c'est pas possible, ça ne peut pas être Elle, la reprise de Brecht en septembre dernier au Coventum...

Vite je me suis levé sans commander, étourdi, hagard. Un coin de rue, un autre, j'avais chaud, je ne sais plus si je courais ou si je marchais, en tout cas j'avançais vers l'est. La nuit peu à peu a repris le dessus et m'a forcé à faire attention à elle, à penser comme elle. Si polie, si anglo-saxonne, et en même temps un rien perverse, dans l'air il y avait comme le goût d'une femme, non, le besoin d'une femme, ou d'un air-femme je ne sais plus, d'une jeune femme de bonne famille, sinon d'une jeune fille, une nuit-Lolita dans la banlieue américaine. Belle d'être riche et oisive, comme une jeune bourgeoise sur un divan qui ne fait qu'être là, exister. Tout ça est vague et précis, la brise est traversée de bouffées, plus fraîches et puis plus tièdes, elle en met trop la nuit, comme certains visages, elle n'a pas besoin d'en faire autant. Moi, il faut que je fasse quelque chose, alors je m'entends pousser d'une voix forte, instantanément amplifiée par le vide, une vieille chanson des Platters: «*Deep in the dark your kiss will thrill me, it's twilight time...*» Avec ou sans les mots, de plus en plus fort, je m'entête, triomphalement, *excessivement.* Comme si ma voix était dirigée un peu trop gaiement contre quelque chose. Tout en continuant à fausser très haut, j'en saisis peu à peu la vraie portée: ma voix comme épouvantail, pour que l'oiseau de tristesse ne vienne pas se poser dans la nuit. — Rentré en marchant très vite par une avenue du Parc surprenante, toute jaune éclairée, fantôme de l'Opéra qui détale et transforme sa crampe en exercice de santé.

Mercredi 20 mai

Une expérience: promenade du côté de la montagne, il était sept heures moins vingt du matin. Rosée, fraîcheur, du vert vert, du bleu bleu, par masses, et du vert bleu aussi. Ne rien écrire me suis-je dit, même si tu as ton carnet. Transformer plutôt le charme en résolution de revenir plus souvent. Refuser d'en disposer, ne pas passer à autre chose. Rester là à désirer. Toute la journée s'annonçait comme nettoyée.

16 h 30

Près du vieux mur de pierre à l'ombre des grands érables, lisant Spinoza, je lève encore les yeux. Ou bien je me lève et retourne en moi-même. Qu'est-ce que tu cherches auprès de lui, que sais-tu de Spinoza? Nous, philosophes, lecteurs impressionnables, avons de la difficulté à lire un livre rien qu'un livre. Nous cherchons l'Incarnation derrière. Un texte et un homme sont deux choses pourtant, deux mondes n'entretenant à la limite qu'une certaine coïncidence. Nous nous disons sans doute: contre les héros débilitants, vive nos héros âpres et rigoureux! Soit. Nous cherchons derrière un texte l'Homme, mais cherchant l'Homme, qui trouvons-nous? Dieu? Soi-même? Le réflexe est si fort, même les plus athées d'entre nous, il faut en remettre, nous voulons la plus-que-vie. Peut-être que toute l'Histoire en dépend. — Mais ton histoire dans tout ça? Tu fais ici l'effort de te confronter aux faits, tu essaies de te rappeler à l'ordre quand tu te projettes dans l'imaginaire, tu cherches ce qui resserre autour de l'essentiel. Quels sont donc les faits de Spinoza amoureux? Il a, dit-on, aimé une jeune fille, pas belle mais attachante, il avait un rival, et ce dernier l'a emporté. Voilà, que l'on sache, les faits, bonsoir merci. Se tenir si loin, est-ce la vraie béatitude?

Jeudi 21 mai

Ce soir, huit heures et demie, conservatoire cinématographique de l'Université Concordia, pour voir *Rear Window* d'A. Hitchcock. Voir Grace Kelly surtout. Soirée qui m'apporte et la maladie et le remède.

La maladie. James Stewart passe son temps à regarder... quoi? lui seul le sait, l'insolite, le meurtre, etc. Tous les autres, le monde entier, A. H. le premier, regardent G. Kelly. Humour d'Hitchcock et de toute la métaphore du film, tous nous regardons cela seul que James Stewart ne regarde pas, la belle Grace, l'immaculée, à ses côtés! Beauté irisée, irréelle, splendeur de nacre sur l'écran de la rayonnante féminité de G. K. Nous sommes étonnés par chaque apparition, par le moindre de ses gestes, chacune de ses attitudes, et pendant que le film court après un faux prétexte, le «mcguffin» cher à A. H., la chose que tout le monde cherche, le diamant noir du Bengale, le secret d'État, le cadavre dans l'armoire, etc., nous, nous soupirons, tout le film s'ébranle et cherche mais nous, nous avons trouvé, nous regardons Grace Kelly.

Dans les quelques répits laissés par cette beauté, je suis visité par le sentiment aigu que je ne pourrai plus jamais tomber amoureux puisque je ne pourrais jamais tomber amoureux que d'une femme belle, que la vie autrement serait une erreur, et n'est-ce pas ce que le film d'Hitchcock montre, en opposant à la beauté une recherche insensée, une perte de temps par la fenêtre d'en arrière alors que la fenêtre d'en avant est là, grande ouverte sur G. K. — une femme belle et qui le saurait, n'ignorant rien des conséquences de sa situation tragique, qui saurait d'avance dans sa sagesse lucide le passage du temps, l'amour plus difficile parce que belle, les tentations plus faciles, les mirages fréquents, mais qui garderait la tête et le cœur intacts, une femme douée d'une sagesse antérieure à notre époque. Qui serait droite et non raide, rieuse sans être excitée, légère et non évaporée, boudeuse sans être entêtée, fantaisiste et changeante sans être capricieuse, bref fruitée et humaine sans être pourrie, ce qu'on arrive encore à pardonner aux êtres beaux. Les luttes et malaises surmontés dans l'âme de cette femme me seraient un spectacle aussi beau que son profil dans la lumière de tous les trottoirs d'après-midi de toutes les villes de notre vie. Le spectacle changeant, unique, dangereux de la Beauté offerte qui jette de l'ombre sur la figure de certains hommes accompagnant de très jolies femmes. Un spectacle dont j'aurais certes moi aussi à me demander s'il me serait tolérable, si un autre homme ne pourrait pas... Pas de Beauté sans risque.

Ce n'est plus Grace Kelly ici qui me parle, c'est Constance évidemment. Je ne comprends pas, cette journée a été une bonne journée, à faire le ménage de ma bibliothèque, je croyais m'en être bien tiré. Constance niée, cachée, repliée le jour, qui sort la nuit comme entre les pages d'un livre de chevet, dont Grace Kelly elle-même n'est que la doublure. Un film doit en cacher un autre, une femme une autre; quelle femme cache Constance, quel film cache notre film?

Dans l'atmosphère humide et cotonneuse de la rue, j'ai été surpris par la vision de la pluie, pas la pluie qui tombe mais la pluie fraîchement tombée. Restée seulement comme un vernis fantastique, qui brille et ne sèche pas. Le cinéma continue. Toute lumière hésite deux fois, toute voiture repasse dans un bruit de friture qui pétille sur lui-même. Je rentre et sors de ce *Rear Window* plusieurs fois en glissant de coin de rue en coin de rue, c'est Grace qui serait splendide rue Sherbrooke après l'orage tiède, Constance maintenant sur ce trottoir mouillé serait...

Je me suis retrouvé bientôt devant McGill. Son porche à cette heure, et ce climat quasiment mythologique, archétypique. J'entre comme j'entrerais dans le XIXe siècle, la ville à trente mètres en arrière déjà n'existe plus, il y a Leacock là-bas qui écrit un jeu de mots, Lewis Carroll qui rêve à une fillette de sa connaissance, Wittgenstein à sa fenêtre buvant du thé froid et fixant les pierres mouillées, Sherlock Holmes inspectant le *fog* et Watson endormi dans son fauteuil, il y a McGill la londonienne disponible et accueillante. À quinze cents mètres de chez moi à vol d'oiseau, je voyage; me voici sortant d'un café à Paris, à Londres, à New York, un soir de mai essentiel après la pluie. La nuit respire jusqu'au ciel où des fumées s'étirent, chaque lampadaire l'un après l'autre devient le centre du monde et verse son intimité bleue bien à lui, et chaque pas m'éloigne un peu plus de la fatigue des autres soirs à la même heure. Je traverse le campus comme j'imagine un oiseau traverse un nuage. Une euphorie qui est aussi une constatation: *cela est, reste et sera, cela est la vraie résidence.* Personne ne pourra te l'arracher, cela est Poésie et demeure, les yeux fermés, sans risquer de se tromper quand on les rouvre. Tout près, ou bien très loin d'ici, il y a un présent de la vie, pourvu que tu sois prêt.

La brume légère persistait, le nylon qui luisait sur l'asphalte montrait des mailles de plus en plus grandes, la brise poursuivait ses caresses. J'avais parfois la velléité de lâcher, de m'engluer dans le passé, ces autres soirées de cinéma il n'y a pas si longtemps, mais quelque chose me poussait en avant. Ce n'était pas une nuit comme les autres, ce n'était pas une nuit adulte, c'était encore une adolescente de soirée qui refusait de grandir, insouciante, pleine de loisirs le lendemain, nuit adolescente aux bas écorchés. Je me suis coulé par la rue Milton jusqu'au Santropol, étrangement bondé pour un soir de semaine. Sans doute étaient-ils tous sortis en même temps, saisis par la même impression, la plus belle fin de soirée depuis un an. Il y a un an? Je risque quelques pas sur la terrasse du jardin, dépité de voir que tout est pris et que je dois renoncer à l'étang tropical et ses poissons, et à la croix du mont Royal, mon épinglette préférée. Que faisais-tu il y a un an comme ce soir? Constance était avec une amie en camping, et toi ici même au Santropol avec une ancienne étudiante rencontrée par hasard la veille. À l'intérieur en revanche, j'ai droit à la lueur des chandelles, très gitane sur ces murs bariolés de bronze, avec en prime de jeunes visages chatoyants. Et il y a quinze ans, à cette époque de l'année, une soirée après la pluie? Étudiant, amoureux de celle qui allait devenir ta femme, lisant Artaud ou Miller dans l'autobus vide de minuit et demi, tu rentrais seul et traversais la ville de bord en bord après avoir eu la chance de caresser ses cuisses, peut-être plus..., te croisant et décroisant les jambes sur le siège d'en arrière. Tant qu'à délirer, il y a trente-cinq ans maintenant, que faisais-tu? Arrive à cet instant, comme l'Ange du bizarre en personne, ma serveuse préférée, anglaise, accent français savoureux, robe *peace and love* démodée qu'elle porte à ravir. Il y a, cela est frappant ce soir, qu'elle ressemble fort à ma mère à son âge, en plus pulpeuse. Me fait des yeux doux et gris, mais, il faut dire, qui semblent doux et gris pour les autres aussi, alors que ma mère les réservait pour moi seul. Il y a trente-cinq ans un soir comme ce soir? La Beauté sans doute a eu d'abord le sens de Protection. Peut-être la Protection fut-elle à l'origine sentie Beauté, comme la Confiance fut sentie Vérité, comme l'Amour fut senti Survie. Par quels détours arrivons-nous longtemps plus tard à les permuter, les dissocier? *Beauté protège. Beauté fascine. Beauté angoisse.* Les trois devises de la Sainte-Trinité: la Mère, la Fille et la Sainte Nostalgie.

Tant qu'à délirer. Après avoir siroté mon thé à la menthe et au miel, épié un visage-mystère et un autre, rentrant dans un dernier détour par l'Esplanade, je vois s'interposer entre le parc et moi la pochette d'un ancien disque. C'était chez le voisin dont je gardais les enfants à dix-sept ans; sur la couverture du disque, le *Midsummer Night's Dream* de Mendelssohn, on voyait la clairière d'une forêt merveilleuse, architouffue, plongée dans l'ombre d'une nuit magique, comme ce soir. Je ne le faisais jouer que pour entendre les mille bruits de ce décor de rêve illustré sur la pochette. Tout en longeant le parc, alors que j'entre dans le même paysage, j'essaie d'en ressusciter la mélodie, sans succès. Tant pis. Me reste l'essentiel, l'impression dans cette *midsummer night,* au moment précis où je finis par y renoncer — l'impression que, seul, sans femme, sans Elle, je viens de passer une des soirées les plus doucement féminines de ma vie.

Vendredi 22 mai

«Mardi, c'est ce que je peux faire de mieux.» La secrétaire de mon chirurgien est une fille un peu drue splendidement tournée, et je lui réponds dans ma tête: «oh non, vous pourriez faire bien mieux!» De plus en plus irrité par ces après-midi pleins de joggers et leurs couleurs; si au moins je les passais au lit avec elle. Ces maudits vaisseaux sont-ils convenablement cautérisés, que sais-je? ressoudés, que diable!

Heure de pointe sous la chaleur devant le Saint-Denis. Une jeune fille plus «frappante» que belle aurait dit mon père, blonde et quelle blondeur! passe sur le trottoir d'en face. Les hommes et moi, nous la regardons. Il y a dans son air qu'elle voudrait offrir cette grâce à la ronde, comme du muguet. Nous la regardons sans amabilité. Je me dis: ce n'est pas rien que la fatigue, la poussière, la chaleur. Elle veut donner à tout le monde, sans être à personne. Le regard carabiné qui lui est rendu dit au contraire: merde, puisque je ne t'aurai pas. La beauté comme mauvaise humeur entre les sexes.

Samedi 23

Je le savais pourtant, à huit heures moins quart, ce ne pouvait être qu'elle. Sa voix lointaine, qui tâte le terrain, rehaussée de petits points de joie. «Comment ça va?» Oppression, trac. J'avais toujours déjà prévu cette question, et la réponse — mais c'était il y a des semaines. Je m'accroche par en haut à une barre fixe, et sur cette barre il est écrit que je vais bien. Engagées sur ce mensonge, les quelques phrases qui suivent ne peuvent qu'être plus fausses. Je n'allais pas si mal hier, c'est dit à elle et maintenant que le mot «bien» m'apparaît archifaux. Je ne récupérerai pas, ne reprendrai pas mon souffle tant qu'elle n'aura pas raccroché. Elle est maintenant dans le Sud-Ouest. Un centre de croissance et de thérapie, où a déjà séjourné son frère, il y a des ateliers et je crois comprendre qu'elle y suit une formation tout en donnant des cours de chant, de théâtre et d'aquarelle aux plus jeunes. Le ton peu à peu s'est calmé, Constance n'est plus si joyeuse ni si inquiète, un peu nerveuse seulement, comme on le paraît sans doute à cinq mille kilomètres et quatre mois de distance — soudain entre deux phrases: «Je viens à Montréal dans trois semaines... je pense à toi, et toi, penses-tu à moi?» .... «Euh... oui, oui.» Le martyre est interrompu aussi soudainement, elle «téléphone dans de mauvaises conditions», m'embrasse, la voix un peu emportée semble-t-il, et clic!

Sa voix tremblait-elle vraiment? Devant qui, de quoi? Quelles sont ces mauvaises conditions? Pourquoi revient-elle, rien que pour moi, pour son budget? Je me sens comme un intoxiqué qui attend l'effet du contrepoison.

Au moment de raccrocher, pourquoi semble-t-elle toujours gaie, pourquoi suis-je toujours triste?

21 h

«Je ne pourrais pas, comprends-tu, supporter de voir une femme autrement que très amoureuse.» Voilà ce que j'avais préparé en lettres capitales quand je pensais à cette situation. Avoue: tu avais même au fond de l'oreille anticipé le silence qui aurait suivi; et même le clic de l'appareil, le douloureux de ce clic t'emplissant d'une méchante satisfaction. Ces bonnes résolutions, en sept, huit minutes, ou plutôt dès les sept, huit premières secondes de sa voix légère, touristique, nouvellement méditerranéenne, sont tombées à l'eau. Oui, c'est ça, le naufrage eut lieu à l'eau de sa nouvelle voix. Ce que je m'en fous de la Méditerranée! Mais c'était *sa* voix.

Quel est le pire, son retour ou son non-retour? J'ai perdu l'image, j'ai perdu le contrôle, je suis en train de perdre même le sentiment de ma particularité, c'est-à-dire tout ce qui me reste. En échange, j'ai une nouvelle. Cette nouvelle m'affaiblit et me fait plaisir, et cela n'est pas bon. Une fausse joie, je n'en ai pas les moyens. Une image de femme qu'on doit soustraire et resoustraire à toutes les images d'une journée ne peut pas être bonne.

Le Canadien ce soir à Calgary pour le quatrième match de la coupe Stanley, la seule bonne nouvelle de la journée, la bonne petite nouvelle qui dans l'instant peut annuler la grande mauvaise nouvelle.

Dimanche 24 mai

Trois jours humides et inconfortables que vient laver au réveil un vent frais, nuages en boule, un temps de lessive; il est neuf heures trente et Montréal a l'air d'un grand bureau vide où l'on passerait l'aspirateur. Je sors mon vélo, que le diable emporte le vent, le nez et tout le reste.

Le temps de me réveiller au bonheur de pédaler, c'est Ahuntsic déjà, le long de la rivière, puis Nouveau-Bordeaux, puis Cartierville. Tout autour, des aquarelles de Marc-Aurèle Fortin, à rire et à pleurer, presque sur commande. Même Dieu les copie maintenant et nous les revend moins cher. Au fil de la rivière se trouve la suite des parcs, la suite que je suis venu revoir, Stanley, Nicolas-Viel, puis Raimbault, Beauséjour. Je m'arrête un quart d'heure, une demi-heure dans chacun. J'étais presque seul à Stanley, mais il y a du monde au parc Raimbault où j'entre, le soleil me piquant le dessus de l'avant-bras alors que le dessous reste frais comme un ventre de barbotte. C'est ici que je déballe mes sandwichs, je ne veux pas manger seul. Frisbees, napperons, serviettes, bébés, tout est barouetté par le vent, je mange dans un tourbillon qui me fait penser à la séquence éolienne du *Déjeuner sur l'herbe* de Jean Renoir, ça vole et revole dans une euphorie riante, décapante, révolutionnaire, on se sent éternel, comme le goût de la moutarde en plein air.

Je reviens par Ahuntsic, le long du boulevard Gouin, succombant à chaque petit détour, suivant d'une enclave à l'autre les couloirs de verdure qui me rapprochent de la rivière, le plus admirable est celui de la rue Somerville qui aboutit sous le pont Viau. Il vente encore plus, je passe plus lentement, un bruissement doux autour des oreilles, alors que des deux côtés la palette de Fortin règne toujours, il y a beaucoup de crème et de l'argenté, du crème moucheté dans les bleus, de l'argenté dans les verts. Solitude et silence resserrés par le vent. Chateaubriand debout dépeigné sur sa falaise, Pierre Lebel muselé sur son vélo sont éminents et seuls, c'est bien connu. Et Fortin devant son chevalet.

Rentrant au beau milieu de l'après-midi par l'axe du boulevard Saint-Laurent, il faut traverser le *no man's land* du quartier des manufactures, immeubles qui dépriment la semaine et angoissent la fin de semaine. Puis la ville redevient humaine, quoique toujours inhabitée. J'arrive ainsi tranquillement à la hauteur de Saint-Zotique, lorsque le tonnerre se déchaîne au-dessus de ma tête. J'hésite, comme on hésite au surgissement du moindre signe dans la quotidienneté la plus bête, sans savoir reconnaître l'émotion, si furtive soit-elle, comme si on avait quelque projet plus urgent, comme si on se doutait que quelque chose va commencer dont notre tranquillité pourrait très bien se passer. (Le CSMS, le complexe du surgissement du moindre signe.) Je vire à gauche, n'écoutant que mon courage, et viens me placer en face de l'église, au beau milieu du square Saint-Jean-de-la-Croix. Ça continue à se déchaîner de partout, ça pleut fort le cuivre, en ondes fracassantes, cascades renouvelées sur le quartier noyé dans la reconnaissance des cloches. Immobile, au garde-à-vous, situé à l'épicentre d'ultime résonance, c'est aussi autre chose qui me résonne à travers tout le corps. D'autres dimanches semblables, il y a longtemps, dans le quartier voisin d'ici. C'est le dimanche matin que mon père se rase debout dans la cuisine à côté de l'évier, devant son miroir de poche chromé accroché au chambranle de la porte, comme s'il allait sortir, nous accompagner, mais nous savons qu'il est seul à ne pas venir à la messe, qu'il va simplement s'asseoir «en propre» sur le balcon où se trouvent déjà son fauteuil, ses cigarettes, son journal. Moi, j'y suis déjà, attendant mon frère et ma mère — toujours en retard et «à l'épouvante» comme il dit. Tous les balcons sont ainsi peuplés, dès onze heures moins quart, de voisins habillés en clair sur des chaises tubulaires d'aluminium. À côté, l'église protestante a commencé à recevoir ses Anglais hebdomadaires, distingués, blonds, rousselés, et leurs femmes en robe rose ou bleue qui chantent sous leur voilette une musique différente, nasillarde, avec une mimique différente. Une rumeur qui suscite les commentaires de ma tante Alice à côté, dont la voix porte d'un balcon à l'autre avec d'autant plus de hauteur qu'elle est convaincue qu'«y comprennent pas». Il est l'heure de partir depuis au moins cinq minutes, je niaise en espérant voir une voisine ou une de mes cousines qui habitent «en haut», la barrette dans les cheveux, parfumée, dans une robe à bretelles et des bas blancs, et qui pourra me faire des compliments sur mon nouveau pantalon pied-de-poule. Le quart d'heure vient de sonner successivement à Sainte-Cécile d'abord sur la droite, puis à Notre-Dame-de-la-Défense dont la croix se perd dans le grand peuplier qui dépasse de la maison d'en face et à Saint-Édouard, notre clocher paroissial à gauche qui embarque dans la ronde, et entre les deux, à Saint-Jean-de-la-Croix justement. Peut-être aussi, plus loin sur l'arrière, mais je ne sais pas les reconnaître comme mon père, Saint-Arsène, Saint-Étienne, et même Saint-Ambroise. Tout le quartier est structuré aux quatre points cardinaux de clochers et de cloches étonnantes, toute la ville est ainsi catholique, apostolique et romaine, et ne le sait pas. Il m'arrive en ces dimanches de regarder le ciel et d'y voir la Ville éternelle, non la Rome bien réelle où je ne suis jamais allé, mais la Rome essentielle des photographies que j'ai vues sur les murs de la classe, avec son panorama spiritualisé, ville de vieux marbres ajourés avec ses coupoles orangées gracieuses derrière des falaises de peupliers de Lombardie, dont on ne voit que des croix, des dômes et le ciel, jamais les ruelles ni les voitures ni même les pèlerins. Nous baignons sur nos balcons de la rue Saint-Vallier dans l'évidence de ces ondes apostoliques et romaines irradiant en cercles concentriques depuis la coupole de Saint-Pierre elle-même, comme dans l'évidence euphorique du dîner au jambon à l'ananas après la messe, et des pâtisseries françaises au dessert.

Il fait beau, il fait toujours beau dans ma mémoire les dimanches d'été, il ne pleut jamais, il est dix heures et demie du matin comme si je n'avais pas vécu le reste de la journée. Ces matinées essentielles semblent délivrées par chaque balancement de la grande cloche et se mettent à courir aux quatre points cardinaux pour m'apporter un plaisir qu'elles ne me donnaient pas alors. Resté très droit, presque raidi, paralysé à côté de mon vélo sur lequel j'appuie la main droite comme si je jurais de dire la vérité, toute la vérité, j'ai les yeux pleins d'eau, la musique des cloches m'a toujours rendu patraque. Les lèvres pas très sûres, la bouche ouverte, je n'ai pas aperçu un petit garçon, italien ou grec, à mes côtés, lui-même absorbé par les hauteurs du clocher. J'avale au fond de la gorge en cascades répétées les vagues sonores et joyeuses lâchées *ex cathedra*, les belles propositions relançantes du bronze, qui semblent s'enfler, se fâcher, hausser le ton, s'emporter, tout ce tra-da-da-dam assourdissant et vertigineux, le poil des poignets hérissé, rempli d'enfance et de bruit — je ne manque de rien.

Quelqu'un sort de l'église avec un appareil photo en bandoulière, l'office va se terminer, il est trois heures moins cinq, je ne me sens plus de force pour ce probable baptême, je ne veux pas de cérémonie. Je tourne les talons, le petit Romain me regarde enfin, sourit, et me raccompagne jusqu'à la sortie du square ombragé. Il a compris que je veux partir avant la fin. Est-il déjà piqué lui aussi par la nostalgie des cloches, comme moi depuis vingt-cinq ans avec une telle, oui, une telle constance?

~

Le Canadien a gagné tard dans la nuit pour égaler la série. Christo était-il rentré? Il aurait téléphoné.

Mardi 26 mai

Six heures du matin. Sensations extrêmes et cuisantes, rêve que je dois noter tout de suite.

Constance se promène accompagnée d'un homme en pleine ville (New York? Paris? ou la rue Saint-Laurent?). Je les suis, bizarrement dédoublé, je suis à la fois «dans» un spectateur qui est là, et en même temps sur leurs traces. Je les tiens, le type les tient, eux se tiennent et me tiennent fasciné, tout se tient par-dessous comme dans une machine pour enfants dont les joueurs ont l'air libres en surface. Eux avancent, moi-lui nous avançons. Et ça continue ainsi dans la confusion des identités, je les vois s'arrêter (ils ne s'arrêtent pas mais je les vois *s'arrêter, si je ne les voyais pas, ils ne s'arrêteraient pas, tout se tient), comme au ralenti, devant la vitrine d'un fleuriste; de profil, Constance tient l'homme par le bras, l'index pointé au ralenti, vers quel bouquet? Alors, sensation cruelle et* présente, *il n'y a plus de moi-lui, il n'y a que moi-je qui entends ce qu'elle chuchote, ce qu'elle chuchote attendrie d'une voix orgasmique, à plus de vingt mètres de distance! Un effet de magie particulièrement noire. Je n'entends pas à vrai dire les mots qu'elle prononce mais bien pire encore, la musique pâmée de ses intonations, l'émotion musicale directe de son âme devant le bouquet rouge irrésistible — je suis de trop! Un bouillonnement incontrôlable monte en moi-lui (redédoublement), comme une bête il se sent foncer. On voit alors seulement un fou, dans une Ford Taurus noire, rutilante, se ruer à pleine vitesse sur l'amant intrus, la diva et l'étalage printanier écarlate et coupable. J'entends d'avance le fracas et l'explosion de verre brisé, je me prépare à la douleur du choc, le voici! — je me réveille en nage, de sueurs froides couvert.*

Soulagé. — De quoi?

18 h

Cet après-midi, rendez-vous chez le médecin. Seul, pas de gueules cassées pour tenir compagnie. Air conditionné et aseptisé de la clinique élégante; un Hitchcock des années cinquante avec, derrière les vénitiens, la beauté innocente du jour qui appelle le drame.

Imposition des mains par-dessus le pansement: «c'est douloureux?» Puis on l'enlève. Aussi incroyable que cela puisse paraître, je ne sais pas à quoi «la plaie» ressemble. Je fais ce changement toujours de la même façon, dans la pénombre, je sens sous le tampon et l'huile la conformation du «stigmate» sans le distinguer nettement. Pour la douche, j'ai un cornet de nylon dur étanche et j'évite autant que possible le jet de plein fouet, moyennant certaines contorsions. Le docteur m'offre d'examiner posément les progrès du corps étranger. Je refuse sec. Très calme, il se dit content du cours de la guérison: tissus intercalaires assez solides, permission de courir accordée, «en y allant tranquillement». Je dois prendre rendez-vous dans six semaines, «nous pourrons alors parler d'opération, tous les deux». Je sors soulagé. De quoi?

Je ne rentre pas. La clinique est adjacente à l'Hôtel-Dieu, me voici en deux minutes à l'ombre d'un des grands érables qui bordent l'allée longeant le mur centenaire de l'hôpital.

Libéré, on m'a libéré de mon corps. *La Presse* et Spinoza sous le bras, je me demande par quoi commencer. Ma mère, quand nous sortions de chez le dentiste, la bouche épaisse et sanguinolente, nous offrait en cadeau des *Tintin.*

Après une heure et demie, je ne suis toujours pas rentré. J'ai pris le chemin de chez Frenco pour acheter des noix, un sandwich végé, une eau minérale, un dessert non identifié pour enfants et j'ai regagné mon érable. Le terrain en cuvette donne l'impression que l'on pique-nique dans le giron de la montagne elle-même. Entre deux bouchées, Constance et le bon vieux temps. Sur ma gauche, trois joueurs de Frisbee, à droite deux couples d'amoureux, l'un dont la jeune femme, couchée sur le ventre, balance sa chaussure du bout des orteils, la jambe parfaite marquant les secondes. Dures. Repense à C., à ses jambes, et reste là à faire le mort, drogué par leur galbé unique et par le fameux dessert naturel au sucre artificiel.

Vingt heures approchaient, il a bien fallu se lever. J'ai traversé le parc en remontant vers le nord-ouest, non, il suffit de quelques pas pour entendre le râle du centre-ville, où l'avenue s'enfonce comme un poignard; j'ai opté pour la droite, si on peut parler de choix, un peu hypnotisé par les spots du terrain de soccer, étranges dans le ciel clair. Paix d'un soir d'été débutant — si différente d'un soir d'été finissant. On ne saurait dire quoi, c'est une doublure purement mentale: ce soir est gros des cent soirs de douceur qui s'en viennent. C'est incroyable comme on voit demain dans aujourd'hui.

J'avançais pesamment, l'avenue de l'Esplanade recevait et semblait contenir à elle seule tous les rayons d'un soleil horizontal, chaque balcon de fer forgé lançait des éclairs roux. J'avais beau me répéter «rentre chez toi pauvre cloche», les odeurs des parterres fleuris me provoquaient cette maudite narine arrachée, aveugle, irascible. Les plages de muguet surtout, de parterre en parterre comme les stations d'un chemin de croix, odeur mortelle qui coupe les jambes, qui élance jusqu'à l'âme. Le corps en trop, comme un adolescent boutonneux et sensuel qui s'empêche d'y penser, il ne restait qu'à rentrer.

Jeudi 28 mai

Mes quatre, cinq heures de promenade par jour, plus importantes encore que d'écrire ici, voilà la vérité. Le corps qui sait mieux que l'esprit, lequel ne voit bien qu'à distance. Je vis rond, j'écris pointu; je vis simple, j'écris compliqué; je vis présent, j'écris avenir. Devenir Y, c'est perdre de vue X qu'on était hier et en cela mentir. Peut-être ce mensonge est-il nécessaire pour avancer. Le corps pousse, l'esprit s'adapte, déprécie le corps d'hier et le corrige, ou l'expulse pour faire place au corps neuf. Ouverture, fermeture. Sphincters. Bouger sans mentir, est-ce possible? — En fait, après ces longues promenades, je suis rentré tout juste bon à faire du ménage, le souper, regarder la télé et même à m'ennuyer, mais sans désespérer, ayant dilapidé l'excédent d'énergie nécessaire au désespoir. Voilà ce qu'il faut que je note ici, l'importance d'une hygiène. Qui n'a pas senti cela au moins une fois dans sa vie? j'ai envie de stocker, de me sentir fort, puissant, «érigé». Je ne veux pas perdre sur toute la ligne, mieux, je ne veux rien perdre du tout. «Nous ne savons renoncer à rien; nous ne savons qu'échanger une chose contre une autre» (Freud) — il y a quelques années, j'exigeais cette citation dans le dossier final de mes élèves. La voici dans le mien.

Hier soir dans le parc, je me suis mis à rire tout seul. Le plaisir de courir pour courir. À dix ans, j'avais eu un genou enflé, qui refusait de plier. Cet enfant, je pensais à lui hier soir, surtout en dévalant les pentes que je remontais au ralenti, je le revois assis contre le grillage de la cour asphaltée, regardant les autres jouer à «délivre la *bunch*» sous le soleil de mai comme un sou neuf, de plus en plus excités à mesure qu'approchait la fin de la récréation. Lorsque je me suis remis à marcher d'un lampadaire à l'autre, essoufflé, les mains sur les hanches, les semelles glissant sur la bordure de gazon lustré, dans la nuit lustrée, j'ai revu ce garçonnet un beau matin, l'enflure était disparue, et quand on lui a demandé «joues-tu?», il s'est lancé en avant et s'est envolé dans la fournaise de la cour comme en enfer. Mon semblable mon frère.

21 h 30

Au fond de la salle de La Petite Ardoise qui est vide, alors que la terrasse arrière est bondée. Les yeux des femmes qui arrivent, de celles qui partent. Il n'y a pas de différence objective de leurs yeux d'avant, qui me faisaient conclure à mon charme, à leurs yeux étonnés d'aujourd'hui, qui me font conclure à ma laideur. Je niaise, je ne conclus pas, je le vois, s'il y a quelque chose que je sais, c'est le sens d'un regard. Je ne me trompais pas, et maintenant je ne me trompe pas non plus, deux messages contraires pour un même texte, et pourtant chaque fois, tout est clair. Oh! je voudrais bien que le monde des regards soit simple, que ceux que je ne vois pas cessent d'exister, que les autres soient transparents. Mais la réalité est plus compliquée, les regards m'échappent mais pas leur sens, le monde me signifie bien ce qu'il me signifie, et les regards que je ne vois pas existent encore.

Pourtant que voient-ils, les autres, sinon un plâtrier à l'air timide et pressé? Le plâtrier sait que le masque ne protège rien et masque un trou, ce qui le rend plutôt grave, mais *ils* n'en savent rien. Essayer de mettre au point une technique, les agresser de ma tronche pour leur dire que j'existe, puis disparaître dans ma tasse, puis on recommence, la guérilla quoi. Se dépêcher, obtenir le plus vite possible la fin de l'examen. On conseille au tennis, quand ça va mal, d'imaginer son adversaire tout petit, comme un nain de l'autre côté du filet. Essayer à l'envers, faire de l'air pour disparaître. Mais attention d'y arriver...

Tout voir sans être vu ou être vu sans voir, être Dieu ou vedette, quel est vraiment le plus terrible? Être surexposé, on en meurt comme Marilyn, d'un autre côté Dieu aussi est mort. Entre les deux ne restent que l'homme ordinaire et l'Homme invisible. Je ne suis plus ordinaire. Et l'Homme invisible a la vie difficile, il porte des bandelettes et ne supporte pas l'invisibilité très très longtemps. Toujours quelque chose résiste à disparaître totalement. «Ne me croyez pas, essayez!» comme je disais aux élèves. Essayez d'accomplir un geste, le plus secret, écrire une lettre, la plus anonyme, sans imaginer aussitôt... Imaginer, c'est tomber dans l'autre.

Avec un nez greffé, collé, cousu, rapporté, épouvantablement faux dans le meilleur des cas, est-ce que je vais pouvoir revenir? *That's the question.* J'ai un public moi monsieur! j'avais du succès, j'étais en vedette. Pour ce qui s'appelle enseigner, il faut avoir un air et le soutenir. On pouvait tout dire sauf que j'avais l'air empaillé. Pourrai-je éviter l'air prostré, pourrai-je éviter pire, la dignité? Sans le dynamisme, la dynamite de la séduction minimale, que reste-t-il de l'enseignement de la philosophie?... S'il n'y a plus de possibles, de disponibilité, de vertiges quand vous regardez une classe, s'il n'y a plus de sourires inquiets? Le gentil, le papa gâteau, le responsable, le désenchanté, le compétent déconnecté, j'imagine ne rien pouvoir émettre, rien, sur ces longueurs d'onde. Tout mais pas la *définition* une fois pour toutes. Les élèves sentent et aiment la tension. La seule catégorie qui pourrait me rester, c'est le troublant. «Agis en troublant», devise d'un pédagogue transformé en objet non identifié.

Ô tautologie de toutes les tautologies: je n'aime pas avoir l'air que je n'aime pas avoir. L'universel mes frères, l'universel entre tous s'il en est.

Vendredi 29 mai

Le plus désopilant, hier, dans tout ça, parmi les regards des clientes de La Petite Ardoise, j'ai eu le réflexe, à plusieurs reprises, j'allais dire le toupet, de corriger ma mèche de cheveu. Un documentaire à TVFQ ce soir me le rappelle. Nathalie Sarraute, vieille dame distinguée, parle droit dans la caméra, l'intelligence et la sensibilité très fines, du moi, son unité qu'elle conteste, sa prétention, sa fausseté, etc., en même temps qu'elle enlève plusieurs fois ses lunettes et replace soigneusement la mèche blanche qui lui pend sur l'oreille. Elle a quatre-vingt-dix ans. Combien de fois j'ai vu cette coquetterie capillaire, et chez les plus éthérés, Krishnamurti par exemple. Tout en écoutant, regardez bien le coco du sage.

~

18 h 30. Je m'attarde au parc pour me préparer mentalement. Il fait dans le genre nature morte, on sent que la vraie vie est ailleurs. Mon dépanneur, pakistanais et amateur de sports un peu maboule, le sent: «à soir, c'est pour vrai», dit-il à un client avec un accent qui prouve son enracinement. La mimique rêveuse et hilare, il remet la monnaie sans quitter des yeux son petit téléviseur comme s'il allait faire apparaître les joueurs une heure d'avance. Toute une saison vient aboutir et se résumer au Forum dans quelques instants. Il y a une pile atomique au coin des rues Atwater et Sainte-Catherine, l'énergie irradie jusqu'à Vancouver et Los Angeles, New York et Terre-Neuve, ça sent la fumée des grands sacrifices autour d'un rond de glace.

On n'y comprend rien si on oublie qu'il s'agit de sacrifier. Comme toute la vie, dépenser, se dépenser. L'énergie est ce qui doit être brûlé, et un athlète qui parle de pression se désigne comme piston dans une grande machine. Ainsi la bretelle qui glisse après une longue continence, il faut que ça sorte, assez d'images, on veut du réel. La nature qui a emmagasiné cherche la dépense la plus rapide, la plus directe, et le jeu en est une. Quand j'hésitais entre jouer au hockey ou me consacrer à un travail de tête, je choisissais le premier, les mots le disent, jouer plutôt que travailler. Sachant très bien d'avance que, choisissant l'un, l'autre s'en trouverait affecté. «Après un peu d'exercice, je vais travailler mieux», est à peu près ce que je me disais. Une fois sur dix je croyais y arriver, juste assez pour me permettre de continuer d'y croire. L'opération recommençait le lendemain et la réponse était la même. On préfère brûler à grésiller tranquillement, pour autant qu'on le peut. On ne peut pas sentir qu'on ne sent plus cette énergie. Aussi bien se consoler de ne pas faire l'amour en imaginant qu'on vient de le faire! Ne pas savoir dire non, la raison est simple, c'est que le oui l'emporte. La tante névrosée ne pouvait pas ne pas frotter, cirer, épousseter, et l'oncle, son mari, ne pouvait pas ne pas boire et crisser son camp. Ce joueur de hockey survolté n'a plus le choix lui non plus. Il va exploser comme un volcan, il m'énergise comme les millions de regards l'énergisent.

Je décidais d'aller jouer, choisissant le physique avant le métaphysique, mais était-ce un choix si c'était une vertu? Le carré de jeu au lieu de «l'œuvre», pouvais-je hésiter? Au nom du Futur, de la Gloire, de mon nom? C'était ma manière quotidienne d'être athée. Je me sens près de ce garçon qui hier encore rentrait pesant comme un sac, les patins sur le dos, le corps heureux. Athée et joueur, c'est la même chose, il n'y avait jamais de regrets. C'est seulement après qu'il pouvait s'asseoir à sa table et jouer à penser. Avant de laisser des traces, la vérité est un vacuum, un appel, un instinct, ou un oncle qui a pris le bord en laissant une seule envie, faire comme lui ce qu'on a à faire. Au lieu de renoncer au jeu, renoncer au reste.

1. La dépense précède la pensée, qui en est une succursale.

2. Choisir officiellement comme épitaphe: j'ai choisi de jouer.

3. Le Canadien a joué et gagné, la coupe Stanley est à Montréal. Le concert des klaxons monte dans la ville et m'appelle. Si seulement Christophe peut téléphoner.

Le 30 mai

Couru à jeun ce matin trois séquences de cinq minutes, ce qui me libère pour la journée.

L'été est commencé, avec son mou de promesses vagues. Ce paquet de temps comme des provisions sur la table que les autres vont apporter en vacances, et les feuilles de l'emballage qui remuent dans le courant d'air. C'est bien beau subir une course au matin comme une saignée, mais cela me condamne au temps.

Courir ne suffira pas, il faut que je recommence à jouer. Vouloir que le temps passe me donne le sentiment d'une erreur grave, contre nature, comme vouloir être plus près de ma mort. Cela me fait penser à certains au tennis, le front plissé sur le court, ils ne jouent pas, ils gagnent. Jouer, cela ne les intéresse pas vraiment, ils ne cessent de sacrifier le grand coup au coup moche, le coup libérateur au coup crispé; ils jouent à vaincre, mais c'est pour vaincre le jeu finalement. Le temps et le jeu au fond c'est pareil, je n'ai jamais voulu lâcher ni l'un ni l'autre, un défaut de bébé, ma plus belle qualité. Depuis trente ans au coin de la rue, l'horloge et ses aiguilles me crucifient noires sur blanc, je me presse, arrive en sueur et en retard tout de même, depuis que je dois travailler avec le temps des autres. En fait, je n'ai jamais accepté de céder mon temps, excepté pour aller jouer. Jouer comme jouir est affaire de vitesse, ou de lenteur, plonger chaque matin ses mains dans l'eau et les soulever, que l'eau coule entre les doigts comme une caresse, une caresse bientôt finie mais une caresse. *Je ne gagne pas, je joue* — autre belle devise dont je devrais me souvenir.

Le fil doré de l'été. Cet oiseau, cette corniche qu'on repeint, ce cri à l'instant, c'est avec cela, rien que cela, que je dois faire mon été, sinon c'est le fil de la faux, le fil du scalpel. Si je ne joue plus, si je ne jouis plus du temps qui passe, je suis foutu.

Mardi 2 juin

Vague de chaleur, dans mon creux de parc sous les grands érables. En contre-plongée, pas très loin, des corps de femmes en short et petite camisole de coton, leurs longues cuisses.

Constance au soleil. Constance dans la nuit. Soleil tiède de son corps qui se réchauffe doucement au fil des heures. Je suis étendu, éveillé, trop éveillé contre sa peau. Et puis peu à peu le gel, l'ankylose inévitable, le contact fût-il le plus délicieux, on s'endort. Ajouter à la liste des petits motifs de consolation.

Je ne vais pas reluquer des jambes tout l'après-midi derrière mon attirail comme un rideau de maison de retraite. Je me croyais éteint après mon effort matinal, il faut croire que la longueur des jupes m'allume plus que cette lecture savante et ses annotations en bas de page. Le temps se fait minutes et secondes, c'est ça la vérité. La vérité, c'est que tu ne vas pas bien. À peine en vue, l'été te donne déjà le vertige: c'est ça aller mieux?

Mercredi 3 juin

Ce matin, osant pour la première fois traverser l'avenue du Parc avec mes Brooks, j'ai abordé la montagne, lentement, d'un pas régulier, les pieds dans la poussière du sentier, la tête dans la verdure vague, le souffle court, jetant de temps à autre un œil sur ma droite à la ville étrangement penchée, affalée sous le poudroiement de la chaleur. Un gros quart d'heure plus tard, j'avais trouvé le moyen de négocier les deux boucles suivantes et je me retrouvais sur le long ruban qui mène de l'autre côté jusqu'au lac des Castors. Comme j'atteignais les escaliers qui piquent sur la falaise vers l'observatoire, la fatigue et la bonne conscience m'ont conseillé de revenir sur mes pas, je ne pouvais que redescendre, ce serait plus facile. J'étais sur un plat et d'abord ça n'a pas paru, puis un peu, puis... quelle aisance! quelle vitesse! J'ai beau refuser l'invitation facile, me voici en train d'accélérer sur mon élan avec un corps lâché, abandonné, dansant de façon légèrement heurtée. Parce qu'il fait toujours frais dans l'ombre du mont Royal, je portais un vieux survêtement, sans support athlétique. Sentant se balancer librement mon sexe, je courais donc, détendu comme lui, ce qui ne se faisait pas sans un certain bien-être. Je descendais toujours, plutôt sautillant comme un pantin que courant vraiment, mon corps sentant qu'il devait se faire mou, les mains complètement relâchées au bout des bras comme une jeune fille maniérée, la bouche ouverte, le cou relax, et peu à peu ça s'est précisé, j'ai senti un courant électrique me parcourir de bas en haut et de haut en bas, et que je devais dire oui à cette décharge nerveuse qui faisait la vague de ma nuque à mon pubis jusqu'au bout de mes doigts, de mes cheveux. Je courais, et pendant que tous mes nerfs faisaient du surf, que mon corps mimait le plaisir, ma fatigue disparaissait, mon souffle s'est approfondi, mon cœur apparemment s'est tu, j'avançais comme dans un rêve, c'était plus que facile — excitant. À la périphérie de ce corps que je redécouvrais, il n'y avait que des picotements de jouissance, j'expérimentais une espèce de jogging épileptique qui me libérait le système d'une énergie que je puisais en la dépensant. D'autres coureurs éprouvaient-ils le même phénomène? était-ce donc la cause du masque extatique qu'on voit parfois aux marathoniens après vingt kilomètres, que les encouragements semblent presque déranger? Mon corps n'était plus un oignon formé de couches douloureuses enroulées les unes sur les autres, une énergie nouvelle faisait éclater son sac de peau, je me sentais puissant, invulnérable, il n'y avait plus de «moi» à qui il aurait pu arriver «quelque chose». Comme Moïse, j'ai dû descendre de la montagne auréolé, l'épiderme fourmillant de mille démangeaisons agréables, l'air un peu fou certainement, les cheveux littéralement dressés sur la tête, électrisés.

Jeudi 4 juin

Je la vois. Je la vois partout aujourd'hui! Elle porte une jupe moutarde, son béret comme un biscuit doré dans un soleil poudreux de fin d'après-midi, elle vient à ma rencontre, elle arrive, les bras ballants, se colle contre moi sans façon et sans ostentation non plus, ses mains sur mes coudes, les siens bien collés contre son corps, le bassin en avant qui m'effleure, discrète et intime, mutine et lady, souriant sans dire un mot, laissant s'étirer le temps dans ce sourire. Ou bien elle est à côté de moi marchant dans une robe d'été, ses larges épaules au soleil, son profil de marbre grec insolent de ferme beauté provoquant les dieux. Ou bien elle se lève de sa serviette en maillot, descend lentement la plage d'un bord de lac les mains le long des cuisses, pleine, majestueuse, suffocante de ferme beauté et consciente de la menace qui pèse sur elle, le petit doigt coquet écarté comme une nageoire sublime, elle va tremper l'orteil je le sais, et se retourner boudeuse en mimant un frisson — et moi à l'intérieur je vais vraiment frissonner. Ou bien elle rit comme une folle dans l'ascenseur, pliée en deux, de quelque chose qui vient de se passer, une bagatelle, et je me moque, et elle rit encore plus fort. Ou bien elle crie que je la chatouille, elle a les yeux écarquillés d'impuissance, la bouche ouverte pour essayer de dire qu'elle suffoque, qu'elle va mourir, «non! non!» Ou bien elle marche en s'éloignant du carrefour où nous venons de nous quitter, elle ne s'est pas retournée et ne se retournera pas, est-ce cela que j'attends inutilement — ses jambes les plus belles de toute la ville à chaque pas semblent tenir le temps en otage, j'aimerais être le temps, ses jambes pour souper aux chandelles, ses jambes comme les flammes de chandelles. Elle s'éloigne et s'en va, nous nous quittons comme nous l'avons fait au coin d'une rue des dizaines et des dizaines de fois, et je me retournais toujours, et elle ne se retournait jamais. Ou bien je la vois...

J'oubliais: C. me dit un jour exactement le contraire, que c'est elle qui se retournait et moi jamais. Nous étions ainsi tournés l'un vers l'autre à contretemps; nous avions ainsi chacun nos certitudes.

Vendredi 5 juin

En soirée

Terrasse du Cherrier. Les promeneuses aux épaules nues, fines bretelles noires, parfois blanches. Je préfère les noires, à la mode. Le pli de l'aisselle chez une femme, si elles savaient, métaphore dodue, mangeable, de tout le corps féminin. Endroit privilégié de ma concupiscence, aussi loin que je remonte dans mes souvenirs. D'où vient le goût d'un pli? Arrière, démon!

Samedi 6 juin

Parc Lafontaine, 20 h 30. Promenade autour du Théâtre de verdure, l'étang et sa belle fontaine; jouer l'homme invisible parmi toutes ces choses visibles. Soirée proprement magnifique, brise enjôleuse avec, en prime, moment béni de cette soirée tiède, le soleil qui s'apprête à sombrer, voilà, regardez-le! bande de visibles aveugles, il meurt sous vos yeux, lumière funéraire sur le parc, immense torchère rose dédoublée dans l'étang, ça fait comme un sablier opalin géant, le tout très art nouveau mais sans le côté triste, il va faire beau demain.

Le parc et sa Belle Époque, il y a eu des bourgeois et des ombrelles, il n'y en a plus, ils vont revenir un jour les mains dans le dos parmi les poussettes, tout revient. Sur le fond de ce décor, dans l'aura de cette viennoise fin de siècle, l'impression d'avoir vécu d'autres soirées semblables, d'être celui que j'ai déjà été, ces fins de semaine sans Constance, ou d'avant Constance, quelques samedis qui me semblent légion. Un petit vieux qui songe au bon vieux temps où il n'était ni bon ni petit ni vieux.

Soirée où le «je» se sent *on*. Une soirée de *bum* finalement, de *bum* cultivé, qui passe son temps à décliner sa prétention à l'existence. On sort, on marche, on se regarde et on regarde les autres, comme si on pensait à autre chose, on passe, on se mire dans les mêmes vitrines, on s'arrête, on repart. On s'assoit, on terrasse, on observe, on sourit, le temps passe, on paie et on se lève pour repartir, tout en espérant que quelqu'un ou quelque chose... On se répète la réponse que l'on tient prête, et parfois plusieurs répliques.

Toujours quelque chose se passe, ne serait-ce que tel visage ou tels genoux, mais ne les avait-on pas vus eux aussi? On éprouve à un certain moment que le fil de la soirée s'étire et casse. On se sent alors un peu fatigué, ce qu'on accueille avec un rien de satisfaction. On hésite encore, on essaie de donner un dernier but dans la vie à cette journée, suivant un détour ou deux, question de fermer la porte avec bonne conscience.

On monte l'escalier en arrivant chez soi, on fait sonner bruyamment ses clefs, moitié déprimé, moitié rassuré de retrouver des choses qui nous reconnaissent. On se sent comme quitté pendant une demi-heure, après tant d'efforts pour se sentir quitte. On se prépare une petite collation en ouvrant la télé, qu'on referme presque aussitôt. On va au lit renoncer définitivement.

Toute soirée perdue accomplit un cycle amoureux. Elle a d'abord été jeune, il y a eu ces moments où elle s'est élancée, c'est l'âge de la Poésie; elle s'est un peu lassée et s'est demandé quoi faire, si elle ne gagnerait pas à se transporter ailleurs; elle ne s'y trouve pas mieux et ne peut revenir en arrière, elle se raisonne, sans cesser de chercher autre chose avec la même naïveté. Et de fait nous oublierons, pour mieux recommencer. — C'était délicieux ou insupportable? Ce n'est pas la question: si tu n'es plus capable, tu changes de vie; ou bien ça brûle et tu aimes ça, on verra plus tard.

Lundi 8 juin

Téléphoner à Québec ce soir pour l'anniversaire de Christophe. Que ferais-tu sans lui et ses téléphones? Depuis six mois, j'ai vu Guy une fois, mon frère deux fois, je leur ai retourné un ou deux appels, ils ont compris que je sois sauvage l'étant eux-mêmes. Christophe me fait du bien. J'écris ici et cela fait du bien. Mais je n'ai pas envie aujourd'hui d'écrire à Christophe. J'additionne ces deux biens mais n'ai pas envie de les mélanger. C'est un sauvage qui écrit ici — tout ce qui écrit se sauve, un sauvage qui file centripète.

Vendredi 12 juin

Au parc avec Spinoza et les stoïciens. Pour lever les yeux régulièrement, à croire que c'est le but de l'opération. C'est devenu une saison accomplie, une vraie belle fille. Il y a quelques semaines c'était encore de la mousse humide, il restait des odeurs et de la bruniture du printemps. On a fait un peu de cuisine, on a ajouté un œuf et beaucoup de menthe, mixé le tout, et ça prend, c'est prêt, c'est même servi, l'immense gâteau du mont Royal est monté en crème et la nappe descend jusqu'à mon livre.

Constance s'en vient, en chair et en os, pour me voir en os et en pansement, et je ne sais pas quoi faire. Il y a des trous de plus en plus nombreux dans mes journées, mes journées sont des trous dans mes semaines, je ne sais quoi faire, Spinoza non plus ni les stoïciens j'ai bien peur.

Aurais-je déjà répondu oui à ce rendez-vous? Tout ce que je sais, je regarde les femmes différemment le jour, j'y pense moins le soir. Je les mesure, ou plutôt Constance est déjà arrivée parmi elles, elle circule et les mesure injustement, comme un modèle parmi ses copies. Ce n'est pas qu'elles ne soient plus des fleurs désirables, elles ont seulement, toutes sans exception, un peu pâli, une absente les affecte fatalement, l'«absente de tout bouquet» et du mien.

Je discute et fais des objections méchantes à Sp. Par exemple, si c'est parce que je désire les femmes qu'elles sont belles et non le contraire (*dixit* Sp.), pourquoi y a-t-il bien plus de différence entre mon désir d'Elle et mon désir des autres qu'entre par exemple sa morale pratique à lui et la portée d'une autre morale? Si c'est l'embarras du choix qui crée paradoxalement l'exclusivité, et l'intensité, du désir, et si le ruissellement des images est le FAIT de l'époque, alors une question s'impose: combien de femmes ai-je vues dans ma vie, à combien de jambes, de seins ai-je été exposé bon gré mal gré, à comparer avec Spinoza? Là est le bobo docteur. Nous ne pouvons en cette affaire négliger la question des quantités, lesquelles donnent chaque jour davantage le tournis et la démangeaison localisée.

Lundi 15 juin

Une journée par secousses où tout se dédouble. Ce que je vois, le voit-elle aussi? Que voit-elle à l'instant, un océan de laine, un damier gris-vert qui glisse étrangement, un officier de bord séduisant, ou bien ce même ciel et cet air gris? Mais non, tout cela c'est encore ce que toi tu vois qu'elle voit. Je spatialise à outrance, je suis monté à la tour de contrôle, changeant de radar au fur et à mesure de sa progression, pour voir le rayon lumineux rétrécir à l'écran de seconde en seconde vers le zéro, moi-même en personne. Elle est là sur ma terre, depuis hier, ou depuis demain. Demain n'est pas vraiment plus tard, c'est seulement plus mystérieux qu'hier, qui est plus mystérieux qu'aujourd'hui. Qu'importe puisqu'elle ne descend pas chez toi? Justement, où descend-elle? Elle descend lentement dans l'été et le silence, quelque part là-bas, comme dans le ciel de nos cinq dernières années.

J'ai peur du théâtre et de la pièce qui s'en vient, on va me demander de remplacer alors que je ne connais ni le texte, ni le personnage, ni rien.

Le 16 juin

Une voix essaie de me calmer, à la fois ancienne et actuelle. Elle me dit: ta force est ta faiblesse, ta faiblesse est une force. Cette force et cette faiblesse mélangées, ton caractère; quelque chose de mieux que tout ce que tu pourrais mettre à la place. Ce n'est ni vrai ni faux, *c'est* tout court.

Mercredi 17 juin

Appel de Constance, voilà, c'est fait. Cinq minutes de pure ventriloquerie.

Je suis bien content pour lui le gars qui a répondu à ma place, puisqu'il va si bien, du moins à l'entendre, et s'inquiète de la météo et autres fadaises. La Voix, elle, est légère et un peu moqueuse, chantante et crémeuse à la fois, cette voix à l'humeur changeante avec son sens des bonnes nouvelles non partagées. La Voix s'est tue, le ventriloque doit de nouveau parler.

Comment va-t-elle? Elle va «un peu fatiguée». Rappelée à son corps, Constance vibre aussitôt, hypersensible au plus léger désordre. Mon corps, rien que d'entendre cette affectation, cette façon dont Constance prend son propre corps au sérieux, fait la même chose instantanément, un désordre monte dans son pantalon. La Voix moqueuse il y a dix secondes hésite, commence à choisir ses mots et devient plus grave, pendant que je commence à coïncider peu à peu avec le type qui parlait du temps qu'il fait. Nous sommes déjà en avance ou en retard l'un sur l'autre. Pendant que la Voix parle et qu'une moitié de moi répond, l'autre moitié cherche à se raccrocher, les objets familiers autour, ces fenêtres, cette ville, ces voitures là-bas quasi immobiles, tout ça qui existe, qui persiste, qui me garantit d'exister tant bien que mal, regarde! la vie continue.

On ne peut se rencontrer qu'après-demain. N'ai-je donc jamais douté qu'elle me donne signe de vie? Je voulais la voir, donc elle voulait me voir.

Jeudi 18 juin

À L'Express où je viens commencer une lettre à Christophe. Troublant la sérénité affairée du lieu avec l'audace du temps que j'étais beau, je m'en fous, enfin j'ai d'autres préoccupations!

J'avais oublié, s'asseoir à L'Express pose un problème, le miroir du bar, avec la moitié des yeux qui vous regardent en face, l'autre moitié par-derrière. Demander une table par contre, il faut s'expliquer. Il y a une solution, vis-à-vis de la machine à café, la seule place qui reste. Pouvoir me retourner vers ceux et celles qui ne demandent pas mieux sans avoir à le payer d'un retour à *ça*, que j'ai assez vu.

Pouvoir regarder, parlons-en. Si je courais à L'Express tout nu, les gens me regarderaient dans les yeux. Habillé comme je le suis, en frais d'élégance, on pourrait faire l'inverse, oublier ma face et regarder le reste. Mais non, on m'ignore complètement. La blessure est sans compensation. Eux aussi, ils imaginent le pire.

Une superbe jeune femme à ma droite, vingt-huit, trente ans, pivote sur son tabouret avec le réflexe classique de croiser le genou, quel genou!, finement dessiné, le mollet sensuellement offert, bien en chair, à en manger, revêtu de noir, elle est d'ailleurs tout en noir, une petite bague blanc et or, le coude sur le comptoir, la cigarette aux doigts, sa bouche rouge très «glamour» rivalise dans le miroir avec la frise des bouteilles de vermouth, on croirait entendre la musique du film d'où elle descend, un instant ses beaux yeux... les voici, noirs, quel noir! — les voici les voilà, pftt! disparus, perdus dans le vague parmi les glaces, fin du film. Dans un système qui garde une trace de pitié chrétienne malgré son fétichisme généralisé, me fait-elle l'aumône de ne pas m'avoir vu? Ou veut-elle éviter d'être en dette d'un regard avec cette affaire que je suis? Qui ou quoi protège-t-elle en évitant de me regarder dans le miroir de l'âme? — Sans doute ils pensent, qu'ici, sans visage, je ne suis plus moi. Et ils s'épargnent et m'épargnent pudiquement d'acquitter la dette du regard prêté-rendu. Moitié chrétiens, moitié affreux.

Le 19 juin

Hier, par un restant de superstition? j'avais inscrit d'avance la date d'aujourd'hui, certain d'avoir quelque chose à noter. Mais je me sens ce soir fatigué inhabituellement, après ma lettre à Christophe, que je pourrais bien garder pour moi.

... C'est à ce trac que je voulais en venir, le trac de ce téléphone après cinq minutes! Elle a dit d'abord qu'elle trouvait que je parlais du nez!... Il y avait un vide entre elle et moi. Entre les questions et les réponses, je me sentais devenir une masse, comme lorsqu'on parlait en classe de physique d'une masse en haut d'une pente, tu te souviens? Je sentais toute cette énergie sur la pente de la fatalité, les mois subis, les matinées, les veillées solitaires, je me sentais comme une citerne qui veut parler. J'ai connu avec Constance tant de moments paniques, de non-communication, partout, sur la rue, au café, avant ou après le dessert, devant une addition que je n'avais pas besoin de lire pour sentir tout ce que je venais d'avaler! Cette fois, même à jeun, je me sentais étouffé, d'être là et d'être de trop. Je voyais à travers mes fenêtres comme la somme astronomique de toutes les indifférences du cosmos qui m'envoyaient la main, «bye bye à toi et à ta misère pauvre cloche». Et peu à peu, devant le détachement et la jeunesse de Constance attaquant toute cette vieillesse que je contenais, je me suis détaché aussi peu à peu, ce malaise a peu à peu reflué, comme ma crise de tétanie il y a quinze ans à Paris, le cœur qui va péter et puis ça reflue, la vie continue. Au fil des questions ou réponses à mes réponses ou questions, j'ai commencé à respirer. Pire, à bâiller, je m'en souviendrai toujours. Est-ce normal docteur?

Et aujourd'hui je l'ai vue.

En me voyant, ses yeux s'écarquillent comme ceux d'une tragédienne grecque, de la tragédienne qu'elle est. Sa voix très haute, sifflée, sa main sur la bouche. Toute sa beauté de chanteuse, de grande actrice, je la voyais, j'aurais pu craquer, il aurait suffi d'ouvrir les bras, j'y ai pensé, ça n'a été qu'une pensée. Elle se met à pleurer, avec sur ses traits un millième de seconde l'ombre d'un pressentiment, comme si elle savait, devinait l'ampleur des dégâts, Constance m'a tellement habitué à toujours déjà savoir. Je réponds en entendant ma voix comme à travers une espèce de mégaphone de contrôleur de foule. Et alors elle sait. *Mélodrame en moi de pensées ridicules contre lesquelles toute ma philosophie est zéro. Elle, elle est touchée, elle pleure, colle sa joue contre la mienne, ses larmes contre ma joue, je ne te jurerai pas que mes épaules à cet instant n'ont pas sauté, mais je me ressaisis si vite que je ne sais plus moi-même, et... cela s'arrête. Je veux dire qu'elle s'arrête. Comprends-tu? Ce que je voudrais bêtement, c'est que cela continue, tout le temps! Qu'elle soit blessée aussi cruellement, aussi longtemps, que pendant les six prochains mois elle reste là à pleurer chaque seconde sur moi, avec moi, contre moi. Pourquoi cette blesssure doit-elle s'arrêter ici en P. L.? Mais Constance continue à parler, soupirer, s'attendrir, puis parler encore, puis s'arrêter parfois, et puis à coups de formules d'optimisme, comment te dire, nous finissons par échanger presque normalement, par presque «converser». Cette impression serait, je l'ai sentie une seconde, devenue insupportable, je serais devenu fou, mais une autre est venue la remplacer. Au moment où toutes mes énergies s'employaient à épier Constance, à guetter les lignes et les signes, à vouloir saisir la moindre expression flottante d'amour, le temps, encore lui, a recommencé. Un amortisseur inexorable. Il est devenu un temps fatigué à force de descendre des hauteurs où je voulais le voir rester, et peu à peu, tu ne me croiras pas, après vingt, trente minutes au plus, je me suis senti comme quelqu'un qui s'ennuie. Est-ce que je rêve cher maître, est-ce possible? Après une demi-heure avec Constance!? Il faut que je me secoue, ça va revenir, la magie va revenir, je suis simplement fatigué, ses yeux, sa beauté vont recommencer à opérer, la transfusion va avoir lieu. C'est Elle! C'est bien Elle? Oui, ce n'est qu'elle. Elle était l'horizon, où est l'horizon? Est-ce sa faute, est-ce la mienne, est-ce celle de l'horizon? Que dois-je comprendre dans toute cette christ de folie? Que toute réalité, quelle qu'elle soit, ne peut jamais être à la hauteur? Que mon malheur est sans repos, que les images sont le plus commun malheur des hommes? Les minutes passent, je me secoue, essaie de me raisonner, la magie va sûrement reprendre: me serais-je trompé tout ce temps? Ai-je besoin de toute cette structure masochiste pour vivre, dois-je souffrir pour aller bien?*

En venir à te demander si un rêve n'est pas la meilleure part de ton rapport à quelqu'un, si sa réalisation ne serait pas la pire erreur? Pourtant, je rêvais réaliste, je n'imaginais pas Constance dans mes bras, dans mon lit, disponible, légère, intacte. Tout m'interdisait de telles pensées, tout. Sans parler du choc pour elle de m'apercevoir dans cet état. Je l'avais imaginée stupéfaite, mais je la voulais en même temps tellement présente. Mais ce que je craignais encore plus, c'est le nouveau, le nouveau de sa vie.

... Elle était bien telle que je craignais, elle était pire. Avec un côté spirituel qui s'accuse (mystique et érotique, les deux faces de la même hostie, on en a parlé), avec surtout ce corps qui a fait son lit en moi, cet air dont tu sais ce que je pense, qui est pour moi littéralement comme l'air pour le plongeur qui remonte, cet air qu'elle a et dont je manque. Sauf que c'est moi le pire, ne doit-elle pas être attendrie, encore plus que ça, n'ai-je pas ce maudit pansement, ne peut-il pour une fois servir à quelque chose? Déjà je tourne et détourne la tête, les dents sur les lèvres, cherchant à quoi me retenir, un verre, d'autres yeux, le passage de quelqu'un...

Je voulais simplement te dire cette espèce de dérobade, ce temps volé, qui se dérobe sous mes pieds, avec mes certitudes et tout le bordel dans l'intervalle record d'une demi-heure. Peut-être que six mois, ce n'est pas assez. Vois-tu, je me disais il n'y a pas si longtemps, devant les matchs des finales de la Coupe, que je donnerais volontiers tous ces petits plaisirs pour le grand plaisir d'être une demi-heure avec elle. Après une demi-heure avec elle, je pense aux moments d'excitation des grandes finales, est-ce normal docteur?

Elle va passer la fin de semaine avec son frère et sa belle-sœur. Nous nous revoyons mardi. Cher médecin des âmes, prends ceci noir sur blanc, un peu plus noir que mon moral téléphonique j'ai bien peur, mais surtout j'aimerais que tu prennes des moyens identiques pour me livrer ton diagnostic et ta médication. Il me semble qu'un réconfort écrit me paraîtrait plus durable.

Je t'embrasse,

PIERRE

Le 20

Aujourd'hui, sitôt levé, j'ai recommencé à aimer Constance.

Le 21 juin

Sur la pente rien ne dure rien n'est vrai, une suite de faits acides vient me narguer en travers. Il règne dehors un sale temps, j'ouvre le téléviseur, il est une heure et demie de l'après-midi, m'hypnotiser ainsi en plein jour n'est pas mon fort. Vieille comédie de Frank Capra, le seul film qui puisse me distraire à cette heure. Je commence à sourire. La télé bang! se détraque, panne d'orage à Câblevision. Abruti sur le divan, je pense à l'ennui probable de Constance devant ce film, nous ne sommes pas faits pour nous entendre, etc., dès lors à quoi bon? Mais une scène du film continue en moi, une fille avait promis un rendez-vous, elle se décommande avec tous les airs de la coquette. Mon train de pensées fait marche arrière, tout de même ce n'est pas Constance qui aurait agi ainsi, elle a cette dignité qui l'éloigne de pareilles ruses, etc. Je me lève, m'approche des fenêtres pour regarder la flotte, délaissé même de Capra, dépité, tout est gris-noir désolant, tout sauf... Une jeune femme en bas sous son parapluie lutte contre le vent, sa robe volant et revolant, sans cesse retroussée par un génie voyeur, sans cesse rabaissée par un geste gracieux de la main. Même à cette distance, la jambe dévoilée paraît splendide, et la démarche, et son élégance sombre, ondulante et ample, bref une majesté surprenante sous la pluie. J'hésite quelques secondes, vais-je sauter sur mon imper, descendre en vitesse pour le seul plaisir d'aller voir de plus près? À ce moment, rebang! Câblevision revient en ondes et ma vieille comédie. Toujours debout: «mais non, à quoi bon? calmetoi et ris un peu, et puis l'eau qui te coulerait dans le cou, elle aura le visage ingrat ou bien l'air désagréable des belles filles sous la pluie.» Je me rassois.

Qui, que, quoi suis-je? Un malade dépressif? un faux cinéphile? un vrai obsédé sexuel? un fou? Je suis tout ce que je viens de faire dans l'ordre et pourtant, il me semble, rien de ce que je viens de dire. Me semble surtout que rien ne rendra vraiment compte de ce qui se passe, surtout pas ce que j'en transcris ici.

1. La vie est une huile légère.
2. Vienne l'orage qui me nettoie tout ça.
3. La vie est une huile si légère, imperméable même aux déluges.

Pense à la place à la promenade que tu feras ce soir vers neuf heures dans Outremont, ce sera exactement comme tu imagines, ce sera mieux encore, les couleurs du crépuscule seront fraîches mais différentes, le voyage sera une aventure mais sans surprise, le Rien ponctué de merveilleux petits impondérables impondérables.

Lundi 22 juin

Après-midi au parc avec Montaigne, lui dans son château, elle au bord du lac, et moi ici, tous les trois au vert. Mais c'est plutôt vert-de-gris dans mon cas, je tourne d'un bord et de l'autre, comme cette nuit dans mon lit. À un moment, fantasme euphorique, les opérations de mon nez sont tellement réussies que, non content de récupérer, j'embellis de cet accident, ce que j'accueille comme un juste retour des choses. Le nouvel organe me rend les regards de femmes perdus, intérêts et capital. Espérer le moment où Constance le verra me procure une intense joie actuelle, qui va jusqu'aux larmes. Soudain je m'ébroue, le museau piqué dans le gazon, mon attelle exerçant à sa racine une pression désagréable.

Sous la couverture nuageuse chauffée par le soleil, l'air lourd est gris lumineux, ramollit le cosmos, les feuilles, l'herbe, le cafard. Spectateur engourdi des alentours, je regarde et ne vois rien. Qu'est-ce que tu fais Lebel? — Tu *espères.*

1. J'espère que ma blessure me la ramène.
2. Je me méprise d'espérer cela.
3. Entre deux mordillements des lèvres et un mal d'estomac, j'espère quand même.

20 h 30

Je m'ennuie d'elle, ce soir plus purement que d'habitude. Un jour, l'été dernier, je fus traversé par l'idée, sans y croire, que je regardais se baigner Constance pour la dernière fois. Sait-on jamais quand on se baigne avec une femme pour la dernière fois? Ce soir, je n'arrête pas de la voir et la revoir s'éloigner, entrer dans le lac, le mouvement de ses hanches animant son maillot noir, Vénus en deuil d'avance, les fuseaux dorés de ses cuisses attiques sculptées dans un marbre chaud, déesse lentement immergée jusqu'à la taille, coupée en deux par le lac gris, par la lame miroitante du Temps comme par un mercure vorace, tellement contradictoire, classique et sexy, au beau milieu d'un dimanche d'été laurentien, pour l'éternité — elle ne se retourne pas. Comme je m'ennuie d'elle ce soir, c'est écœurant. Je sais bien, même en sa présence l'autre jour, je me suis ennuyé de celle qu'elle fut à l'époque de notre fusion. De notre fusée. Tout doit se payer maintenant, temps double. Son absence comme sa présence me seront insupportables, comme ces grippes aiguës, alors qu'on ne peut se tourner ni à gauche, à cause de l'estomac, ni à droite, on a mal au cœur. Tourné de force vers une femme dans une image qui ne se retourne pas. Si seulement elle le faisait, que je voie ses yeux de ce temps-là. — Quand la première femme est partie pour la première fois, on a dû avoir mal au ventre. Colique de prématuré.

2 h

Nier le présent, le seul vrai péché. Tu as changé de tête par la force des choses, et le cœur suit, enfin... il essaie. L'avenir ne te ramènera pas ce que tu as perdu. Il est normal d'espérer mieux pour cette face, mais ce ne sera pas le passé, comprends-tu, ni le futur que tu peux rêver, qui est le futur de tes anciens présents. Que Constance aussi change, avançant en elle et en toi, c'est beaucoup d'information à traiter en même temps, il faut pourtant que tu commences à le regarder en face. C'est *ton* accident, pas le sien. ...... Aurais-tu préféré que ce soit le sien? NON. *Tu aurais encore moins voulu que ce soit le sien.*

Mercredi 24

Nous nous sommes vus hier. Elle doit repartir le 29. Me laisse son adresse, elle va remonter bientôt dans la banlieue de Paris, un centre d'échanges et de thérapie, avec un théâtre tout près, elle y a rencontré des gens qui ont étudié avec Grotowski, qui ont plein d'idées, elle a dit cela en passant rapidement — c'est tout ce que je voulais oublier, c'est cela seul dont je me souviens. Je n'ai pas voulu l'entendre, je ne veux pas l'écrire. Il le faut pourtant, on me paie mon salaire pour être ici et travailler, moi, monsieur! J'ai noté son adresse, alors que je ne le voulais pas non plus, et il ne faudrait surtout pas que quelqu'un me la vole maintenant. Toute cette rencontre a semblé glisser, évoluer suivant une pente qui m'échappe. Comme les couples de porcelaine qui dansent le menuet, le mécanisme de notre rencontre jusqu'au dernier cran avait été remonté, il n'y avait plus qu'à tout lâcher et débouler.

Après, je suis allé courir une heure, accumuler, accumuler du temps. Mon corps trottine à mes côtés, comme un banquier, à me parler avenir et dividendes.

Vendredi 26

N'ai le cœur qu'à courir, et à guetter aux informations et dans le journal les seules vraies nouvelles de l'été: les catastrophes qui arrivent aux fourmis humaines. Me sens fourmi, et que les autres le soient.

Samedi 27 juin

Ne sais pas où la joindre. De toute façon!

Lundi 29

Elle s'envolait ce soir. Ma colombe.

1er juillet

Quatorze heures. Au parc Jeanne-Mance, elle qui accueillait les grands malades et les infortunés, quelque chose comme l'ennui absolu. Le dire comme ça vient, ça fesse. Quelle différence avec avant? je ne sais pas, demander ça à Spinoza. Est-ce imaginaire ou réel, je m'en fous, ça fait mal. — Songe à une lettre à Constance, qui me vient par bribes, ou plutôt par «mottons».

Vendredi 3

Médecin. «Tout va bien». Permission d'aller à l'eau si je le désire.

Nous nous reverrons en septembre, avec la perspective d'une première opération. «Bonnes vacances!» dit-il en me quittant, d'une façon appuyée, droit dans les yeux.

Samedi 4 juillet

Téléphone de Christophe, l'autre médecin. «Il faut qu'on se voie» ne puis-je m'empêcher de laisser tomber. Dès ses prochaines vacances, car il vient de passer une semaine au lac. Mon aveu qui est une demande (ou le contraire), il l'entend comme il faut, avec le sérieux qui me rassure. Sait-il, devine-t-il le cher homme à quel point m'aurait démoli une réaction distraite? Il devait s'attendre, lui, à ce qu'il ne sorte rien de bon de ma belle visite d'Europe.

Mardi 7 juillet

Tombe sur le frère de Constance au coin de Saint-Denis et Duluth. Échangeons quelques politesses, seule chose que nous puissions échanger. Il parle vite et beaucoup, regardant par-dessus ma tête avec un ton de familiarité bonhomme et bien entendue: «Tu sais, Constance est dans une recherche, tout présentement tourne autour d'elle, et ça tourne vite...» Je vois Constance active, pleine de projets, elle cherche, elle trouve. Elle avait peut-être déjà trouvé lorsqu'on s'est vus — cette idée aussitôt présentée s'installe et ne veut plus se pousser, je lui fais place avec un ricanement mauvais. Il part et me laisse un petit après-midi de juillet visqueux, qui suinte l'orage. Mal de tête et mal de ventre à errer sur des trottoirs incolores comme des couloirs d'hôpital.

Plus tard, avant la fermeture des commerces, je suis ressorti me promener dans le quartier, inhabituellement dépeuplé, sous le même ciel aqueux, fadasse. Les façades de brique rouge délavées, délaissées. Tout le long, par ce temps à faire l'amour à l'intérieur, je ne cesse de me répéter: ceci est un décor, mais un décor approprié, habité par la vérité. La vérité, c'est ça. Et tu dois trouver le bonheur dans cette communion, commençant par décrire, juste décrire ce décor autour. La vérité ne peut en cet instant résider nulle part ailleurs. C'est un minimum, c'est un maximum; rien d'autre n'est à la seconde présente aussi massif, aussi réel que *ceci*.

Cependant, j'ai une douleur, un point qui se déplace un peu partout dans la cage thoracique. Des points qui voyagent mais viennent reformer cette cage, qui m'empêchent de respirer. Points équidistants, oppressants, faits sur mesure, qui on dirait veulent m'arrimer comme un bateau à quai, m'empêcher de partir. Zonages du corps névrosé. Où prend l'attachement sexuel? — le câble est ici et tiraille comme cela. L'attachement amoureux? — l'anneau est ici et fait souffrir comme ceci, etc.

Mercredi 8

J'ai lu pour ainsi dire toute la journée, à la maison, au parc, puis deux heures ce soir rue Laurier, en recherche aiguë d'une citation. J'ai feuilleté sept, huit livres, je revenais, comparais, marmonnant, tantôt excité, souvent irrité. Durant ce voyage, à un moment de la soirée, un léger retrait s'est opéré: «Tu es triste», me suis-je entendu dire à voix basse. Je revoyais d'autres moments obsessifs semblables. Il me faut observer, c'est-à-dire surprendre ce qui est si près qu'on ne le voit pas. Quand je suis obsédé, je vais mal. Quand je vais mal, je fuis comme je peux. Ne pas t'engager dans le labyrinthe qui t'amène ailleurs, regarder ce qui est ici.

Vendredi 10 juillet

Transcrire ma lettre.

Constance,

Je voudrais faire court, je ne suis pas sûr d'y arriver.

J'avais cru apprivoiser d'avance les conséquences de ta venue, puisque je ne savais pas si ce serait une visite ou un retour. Je dois convenir maintenant que je n'en voulais rien savoir. C'est lorsque tu as été devant moi que j'ai compris à quel point je désirais que tu me regardes et me vois et m'aimes de ce fait, tel quel. *Et devant les réactions de tes mains, de tes yeux, je ne pouvais que m'entendre crier: où es-tu? que fais-tu? dis-moi que tu m'aimes avec tes yeux! L'as-tu entendu?*

Je me suis promis de ne pas t'écrire dans le genre «imagines-tu quelles heures j'ai pu passer... etc.» Ça ne nous avancerait à rien. Il faut remonter plus loin, toujours plus loin encore, pour comprendre quoi que ce soit à quoi que ce soit.

Je me souviens t'avoir déjà entendu dire que ce n'était pas vraiment l'intellectuel fils d'ouvrier que tu avais aimé en moi, c'était un autre que tu voyais en lui dont tu as été amoureuse, le garçon sensible plus ou moins poète, fils de famille modeste et gentil comme tous les fils de familles modestes, l'amant tendre et empressé aussi je suppose. En un sens, tu as été sage et avisée, tu m'aimais sans doute pour ce que «je suis». Mais je me demande et viens te demander: as-tu aimé aussi autre chose, as-tu aimé Constance l'image que je me faisais de ma vie? N'as-tu aimé que celui qui s'était sous tes yeux laissé gentiment amadoué, comme s'il ne pouvait être agité, déchiré, fût-ce par des mirages, fussent-ils jugés par toi égoïstes? As-tu essayé d'aimer, Constance, ce que je voulais devenir, comment te dire, celui qui refusait des tas de choses, rien que celui-là?

J'ai l'impression que je suis devenu à tes yeux un berger avec des livres, quelques tableaux, un loft confortable. Un père, dont je n'avais jamais au grand jamais prétendu tenir le rôle! Je voulais devenir un autre, mais pas cet autre, oseras-tu suggérer que j'aie jamais suggéré le contraire? Mais l'ironie du sort s'est déguisée en motoneige et tout ce que je peux ajouter risque d'avoir déjà fondu. Maintenant c'est maintenant, qu'espères-tu m'entendre dire? Te répéter que je voulais devenir un autre mais pas celui-là, pas plus cet esquinté que ce père de famille!

Je sais que tout n'a pas été drôle pour toi, sans compter la mort de ta mère l'an passé. Je devine que la mort d'une mère, il faudrait que ce soit notre mère qui nous en console, et que c'est particulièrement vrai pour Aline et toi. Tu as voulu tout lui redonner, tu as été admirable jusqu'au bout. Tu demandes qu'on fasse attention à toi depuis ce temps. Tu sens que tu en as le droit et plus que le droit. Mais l'amour n'est pas affaire de droit et on ne peut le mettre en banque une fois pour toutes, il en manquera toujours, même du vivant de ceux qui nous aiment. Il me semble n'avoir jamais fait attention à quelqu'un autant qu'à toi, mais il me semble aussi que personne ne saurait faire assez attention à toi depuis un an, même pas toi-même. À quelqu'un qui se sent en dette depuis trop longtemps, on ne peut pas tout donner, pas moi en tout cas. Le plus important pour toi, est-ce que ce ne serait pas d'apprendre à recevoir d'un cœur généreux? En laissant aux autres le plaisir de donner, sans leur reprocher de n'être pas des pélicans. En leur accordant que donner est déjà beau, même si tu vois que ça force, surtout si tu les vois forcer.

J'ai voulu agir sur toi, je l'avoue. Quand tu as chanté, dansé, joué, je n'ai pas épargné mes conseils. Cela dit, si on me demandait ce que tu veux dans la vie, quel rêve tu fais, je dirais que je ne le sais pas, je me demande si près de toi quelqu'un le sait, toi, le sais-tu? Tu aimes la Nature, dans ta nourriture, dans tes mots, mais... Je ne suis pas arrivé à tenir sa place, voilà tout ce que je sais. Tu es accablée un jour, et si légère le lendemain, tu es imprévisible. C'était ta plus belle qualité, mais cette qualité me tue. Et voici que tu parles de spiritualité. C'est tout ce que tu as trouvé pour ne pas voir ce que j'ai au milieu de la figure? En relisant ceci tout à l'heure, j'aurai l'impression que certaines choses m'ont échappé, tant pis, tu dois l'entendre. Je te dirai qu'au début je te voyais sous un jour spirituel, faire l'amour avec toi m'était une expérience aussi spirituelle que charnelle. Mais mainte-

nant, t'entendre parler de spiritualité comme si plus personne ne pouvait te suivre aussi loin me fait une sainte horreur justement, je dois me retenir de grimacer. Tu es douée pour tout ce qui est élevé, c'est vrai, tournée naturellement de ce côté, mais ton nouveau sérieux ne peut que t'éloigner du vrai spirituel, justement parce qu'il est déjà là, il rayonne de toi inconsciemment. De toute façon, le carcan spirituel ne pourra te protéger de ta sensualité — je n'espère même pas qu'il y arrive, le prix serait trop élevé. Tu cherches au-dehors dans des rencontres ce qui est en toi. C'est ton affaire, mais ne me demande pas de te voir comme une Vierge Marie qui monte au ciel!

J'ai senti ton malaise devant ma blessure, oui, mais être derrière, c'est une autre affaire crois-moi, c'est une telle autre intensité. Qui va jusqu'à abrutir. Qui te fait passer pour un furieux sous médication, un malade, dans le meilleur des cas un insignifiant. Sais-tu que même ma démarche a changé, je le sais que j'ai l'air bizarre. Insignifiant, c'est ce que je risque de devenir si je continue. Je vois de moins en moins clair, je ne précise plus rien de ce que je voulais te préciser. Il y a des choses qui doivent s'écrire le cœur humide et les yeux secs, je ne voulais pas ajourner, je suis assez ajourné comme c'est là. Tu pourras croire que je cherche à t'atteindre, t'imprégner comme tu dis, te désoler, défoncer tes résistances. Je veux surtout te faire part de mon immense déception. Une déesse qui déçoit, voilà ce que tu es. J'aurais voulu que tu croies à ta vie, à la nôtre, non que la vie te fasse croire ce qu'elle veut à chaque nouveau détour. J'aimerais tellement me tromper.

Je t'embrasse,

P.

Dimanche 12 juillet

13 h 30

Je rentre de courir, presque une heure. Courir pour courir, sans jouissance ni panache. Pourquoi courir, ne le demande pas, tu connais la réponse, tu cours pour décharger le surplus, pour t'économiser, et tu t'économises parce que tu t'aimes encore. Dis-le, tu espères pouvoir respirer par le nez dix ans de plus, jouir dix ans de plus, prendre des douches après l'exercice et boire du vin dix ans de plus. Vivre la vie au futur va à l'encontre de toute ta philosophie; il faut croire que la philosophie n'empêche pas de courir.

21 h 45

Ni envie de télé, ni envie de sortir, ni envie de lire.

Non, je sais bien au fond que je cours «philosophiquement». Je cours avec Spinoza, je n'en demande pas trop à ma volonté, je joue mon corps contre mon corps, une fatigue contre une envie. Une morsure à transformer en luttant sur son terrain. Soustraire des atomes d'énergie douloureuse, réduire l'embarras du choix, pour savoir ce qu'on veut. Quand on n'a plus de force pour rien d'autre, on décide de lire librement! Mes muscles lourds, ma respiration lente me font un sentiment d'être au moins ce corps, d'habiter chez moi, pleinement, un peu comme un vieil habitant vend du terrain dont il n'a plus besoin pour pouvoir mieux agrandir sa maison. Agrandir ma liberté en ne faisant plus que ce que *je peux.*

À moins que je ne coure avec Nietzsche pour la puissance, pour compenser toutes les pertes, risquer la seule chose qui me reste à risquer. Ou quoi encore? S'*abrutir* est une expérience humaine, inventée par les hommes, et très commune. On parlera bonheur plus tard.

Mardi 14 juillet

C'est jour de fête là-bas. Jour de balade, de pique-nique j'imagine.

Aujourd'hui, ce matin, j'ai bien mangé. Je veux dire: posément, dans un certain ordre, en y pensant juste assez, pas trop — comme si j'enseignais le manger, comme une espèce de Robinson enseignant à Vendredi de quelle façon on déjeune à Londres — gardant entre chaque bouchée et à la fin du repas un reste de salive dans la bouche. M'arrêtant juste en deçà de la satiété. Comme une ascèse. Sortant de table, rinçant la vaisselle, je sens monter la fierté. Je me suis souvent empiffré ce printemps, terminant mes repas étendu, drogué par le sucre, me faisant accroire que j'avais quelque excuse, et cette excuse faisant que je le croyais. La quarantaine à l'horizon pour en arriver à cela, à sauver un déjeuner, au nom de l'ascèse philosophique. Et encore, une fois de temps en temps. J'ai eu tendance à croire, comme bien d'autres, la lecture de Freud sans doute, qu'on ne peut rien maîtriser. Ce n'est pas parce que l'inconscient existe qu'il n'y a rien à maîtriser. Y arriver une fois par semaine d'ici un mois, et presque tous les jours d'ici mes soixante ans. À quel sage ressemblerai-je alors? la belle maigreur d'Henry Miller, de Fred Astaire, de l'oncle Henri?

Quand on mange peu cependant, on rumine jusque dans l'ascenseur: la manger, la dévorer, n'est-ce pas ce que j'ai fait avec Constance, dont j'ai avalé la beauté comme un goinfre qui en veut toujours plus, les yeux plus grands que la panse? Maintenant je sais ce que c'est, avoir vraiment faim de quelqu'un.

Jeudi 16 juillet

Minuit trente. Tué un bon moment à la terrasse du Cherrier à regarder des bras nus, des jambes nues, des pieds bronzés dans leurs sandales. Après deux bières et deux heures, je me lève en heurtant ma chaise qui racle le ciment, réveillant du coup quelques assis branchés, dont les regards me rappellent à ma condition. Tu appuies sur le bouton et voici que se lève le monstre à plusieurs têtes. Je déguerpis le feu aux joues.

Vers le nord, je remonte l'immeuble des sœurs grises, ça fait du bien après ce que je viens de voir, je respire profondément, je me suis calmé. L'immeuble à la coupole m'en impose comme à un ancien paroissien, il suffit de quelques enjambées pour que se lève au ralenti l'âme de cette époque, ses odeurs de renfermé, ses parquets cirés avec de la vraie cire, je trouve tout cela ce soir délicieux. La façade de pierre grise centenaire et le parterre gazonné, comme des concentrés d'architecture religieuse québécoise, rajeunissent, rafraîchissent, en pleine ville je sens une soirée de campagne avec ses parfums et ses ombres, j'entre dans un de ces films des années cinquante, qui montraient immanquablement, derrière une haie agitée par le vent, un presbytère ou un couvent sous une adorable lumière blanche et noire. Une espèce de joie ecclésiastique, voilà ce qui me frôle un instant, je deviens fou ma parole. Est-ce ma faute si le seul trait marquant de cette soirée creuse de canicule est une petite brise, qui semble naître ici sous les grands liards bordant le parterre, c'est d'un suave dans la saignée du bras et dans l'encolure, à donner l'envie d'une autre main, à donner l'envie du passé, de toute façon il y a du vent dans mes souvenirs. Poussant vers Duluth, la vitrine de Tango m'arrête, puis l'autre antiquaire plus au nord, pourquoi diable? je les connais par cœur. Qu'on me prenne pour tout, pour un touriste s'il le faut, mais qu'on me prenne pour quelqu'un! Rendu au coin, le touriste tourne à droite vers l'est pour étirer un brin. Le parc Lafontaine là-bas comme un terminus pour la nuit, pour toutes les nuits du monde. Comme un rideau de théâtre velouté et sombre où l'on met en scène La Nuit. Sur ce fond de scène shakespearien, un décor de cinéma s'avance des deux côtés, bâtiments bas, éclairés d'une lueur fade, pavés qui font plain-pied, on dirait un décor western abandonné. Les lampadaires victoriens embourgeoisent un peu ce Far-West, mais rien ne choque ce soir, il n'y a que des impressions, des premiers coups d'œil, ce qui est d'un autre temps et ce qui est d'un autre lieu, tout est confondu, j'avance dans une atmosphère hantée familière, une rengaine dans la gorge

j'attendrai
le jour et la nuit
j'attendrai toujours
ton retour

Je tourne les talons pour apercevoir mes fenêtres là-bas, argentées et rosâtres, les seules lueurs de l'immeuble. Échoué entre ciel et terre dans la masse sombre du mont Royal, par une nuit de demi-lune hagarde, ce cher vaisseau semble veiller son capitaine descendu à terre dans la plus pirate des nuits caraïbes. Le capitaine rentre, accompagné du seul bruit de ses pas sur le pavé, comme le marmonnement d'un chapelet indifférent.

Le 20 juillet

Eli Eli lemma sabbactani! La parole d'une immense fatigue. Comme formule humaine prononcée par un homme, elle est triste. Lancée, lâchée, par un homme qui se croit Dieu, elle devient sublime et... presque divine. Si vous lui accordez le divin, si vous l'imaginez divine, elle l'est. Cette si mince pellicule *est* la croyance. Même chose pour toi, si tu te crois tragique, tu l'es.

Cela dit, fût-elle relativisée en parole d'homme, elle parle à tous ceux qui sont sur le bord. Au bord de l'extrême, elle n'en peut plus par-delà toute la science et la sagesse du monde, par-delà toute maturité. J'y pense sans trop savoir pourquoi en cette fin de journée étouffante, la figure collante, respirant avec peine. Comme les lointaines Images ne sont jamais loin. Et puis cette formule est de la grande musique.

21 juillet

Dans un coup de cœur, le gars-qui-ne-sait-plus-où-il-en-est retourne à la magnétothèque. L'événement de la journée est le sourire, je ne pourrais dire autrement, «profond» de l'employée qui m'a répondu. Comme si elle avait tout compris. Sourire qui semble porter l'aujourd'hui, *le vierge, le vivace,* jusqu'à demain. J'ai eu à lire une anthologie de poèmes de la littérature française, dont Mallarmé. Je suis satisfait, ne plus savoir où vous en êtes peut faire de vous un lecteur de poèmes acceptable, encore meilleur probablement si c'est à l'intention de ceux qui n'ont littéralement jamais su où ils étaient, qui n'ont jamais vu «le bel aujourd'hui». Quand il est exprimé par un tel enchanteur, le voient-ils du moins à leur manière?

22 h 15

Avant, il était créé par les autres, il restait jeune, regardé par des jeunes à qui il rendait leurs regards. Comme tout un chacun, il a transporté depuis la prime enfance ce besoin d'être regardé pour vivre, sous peine de désintégration; parcourant le chemin à rebours, est-il étonnant qu'il se sente désintégré? Il essaie bien de remplacer ce nez par des petits traits noirs sur une page, il se dit que sans accident il allait ne pas se raconter cet autre accident qu'est le fait de vivre. Les autres, eux, que font-ils? Des affaires, des enfants qui les libèrent d'eux-mêmes. Certains se laissent faire, j'étais de ceux-là, finir par ne pas faire, tout nous y pousse. Celui qui ne sait plus où il en est se sent si près des autres, et tellement séparé. Les autres ont leurs blessures cachées, qui les somment de comparaître de loin en loin, enfants ou non, affaires ou non, ils se lèvent alors la nuit et parfois écrivent quelques mots, bientôt ils oublient ces coups frappés à la porte, ils n'en font rien, pourquoi laisser des traces, il faudra vivre demain. Et la vie, comme ils disent, fait qu'ils se contentent de vivre, ce qui est une sagesse appréciable. L'homme qui ne sait plus où il en est n'a qu'un accident d'avance sur eux, mais cet accident est son cancer, son sida, sa paraplégie, sa différence, toutes proportions gardées, qui diable garde les proportions? Les autres cependant le fatiguent, leur insouciance, leur bonheur tranquille. En fait, il les sent comme des retardés qui jouent autour de sa robe de pureté, s'il est dans le vrai, ils ont tort, et s'ils sont dans le vrai, il ne peut le supporter. Bronzage de mai qu'on ne peut sacrifier sans la plus grande contrariété, short et sandales sur une terrasse bondée, chemise fleurie, toute cette légèreté — c'est la vie! Se sentir adolescent, tropical et fafoin, c'est ça la vie?...

Une journée de juillet c'est une journée de guerre, c'est long en sacrament. Par une aussi belle journée, sur le quai d'une gare comme en 14 ou en 39, je partirais le cœur joyeux il me semble, au moins ce serait un enfer partagé. Chacun ses photos sur la poitrine! Mais en ce soir de paix, quand je croise une belle puis une autre en sandales sur les trottoirs tièdes, marchant d'un pas scandé, mais traînant et langoureux, très peu militaire, la main sur le cœur d'un autre comme s'il était soldat, les gaz me montent à la face et m'étouffent.

Le 22 juillet

On est assis, une personne passe. On était bien, tranquille. On n'avait pas besoin de cet étonnement, de ce sentiment de privation, de cette soudaine pauvreté.

L'œil est libre? Avant seize ans, peut-être. Mais après qu'on a connu le plaisir, j'en doute.

Jeudi 23 juillet

À bicyclette jusqu'au Jardin botanique, soleil impeccable, temps sec, rôti, l'Arizona. Dans la grande serre, c'est le contraire, l'Amazonie. Une merveille d'orchidée couleur chair me dévisage, striée d'incarnat, comme si je la surprenais en train de mettre du rouge à lèvres. La Beauté dans la Nature n'est-elle pas d'importance vitale? Cette orchidée me regarde et il me semble que je deviens bourdon. Les fleurs ont intérêt à être belles, elles sont nues dans leur sexe, exhibées, toujours prêtes. Être et apparaître pour elles, c'est la même chose, leurs couleurs sont pour l'amour, leur beauté est leur vie. Alors, toutes les femmes sont belles à ce compte-là, et c'est la Nature qui nous piège et commande. Alors, je ne fais que souffrir du symptôme de l'illimitation dont parle Épicure, je me complais dans les variations infinies des petites différences, je m'excite pour rien, enfin, pour ce qui excite tout le monde. Alors, si C. me fascinait par le pistil, qu'ai-je besoin de tant parler et d'appeler ça «Beauté»?

Justement. Dans la grande serre m'attendait un souvenir. Un jour, ici même, devant un arrangement, je commence à disserter. Elle se tourne vers moi du haut du corps seulement, et me fait «chut!» avec le doigt. Ressentir longuement, dire brièvement: une spécialité de Constance. Parfois, à côté d'elle, j'aurais dû être modeste, certains faits indéniables plaident en sa faveur. Je l'étais à l'occasion, sans toutefois prendre le pli. Plus souvent le contraire avait lieu, la différence d'âge, la culture livresque me conféraient un aval implicite. On devrait changer et on ne change pas, on ne s'en étonnera jamais assez. On arrive difficilement à se faire une juste idée d'une autre sensibilité, même dans l'amour. On essaie d'en tenir compte, on ne la sent pas au point qu'il faudrait, sinon exceptionnellement. On n'a donc pas d'autre choix que de se préférer à la longue.

Samedi 25 juillet

Réveil dans la nuit, il est trois heures. Puis insomnie. Érection dans le noir. Serpent qui cherche une Ève utopique. Chaleur irradiante du corps de C. dans *ce* lit. Cette peau, la sienne, l'unique. Allez, il faut dormir. Pourquoi le faut-il, tu veux parler de cette peau, allume et parlons-en.

Essaie non de songer pour une fois, mais de penser, essaie de la hisser au rang d'objet de science, ne le mérite-t-elle pas? Ose être lucide avec tes aveuglements. Toi, grand lyrique de la peau, combien de variétés d'épiderme croirais-tu pouvoir différencier? Vingt, trente, deux cent cinquante? Peu importe, l'idée d'une limite est vite atteinte. Le contact de Constance appartient que tu le veuilles ou non à cet ensemble virtuel. Peut-être pas en soi, mais en tant du moins que tu peux en juger, et c'est tout ce qui compte ici. Ton «unique» est en fait le désir qu'il n'y ait pas deux Constance, s'il faut souffrir, autant que ce soit exclusif. Pas deux Constance, certes non. Mais nous parlions de sa peau n'est-ce pas? de la Constance touchable qui en cet instant te tourmente? Passé dix, vingt, cent textures, tu ne verrais pas, tu ne toucherais plus la différence. Hélas, voilà la vérité dans le noir. Retrouver l'équivalent te serait possible par défaut; ta nature est limitée, ton chagrin devrait l'être. Un être est unique en soi, pas en toi. Débarrasse-toi de cette nostalgie de pleine lune. — Tu veux maintenant parler de la Constance-merveille-de-tes-yeux? Là, tu sais bien pouvoir la différencier entre deux cent cinquante millions de femmes. Oui, mais que serait une Constance à laquelle tu ne pourrais jamais toucher dans la nuit, après deux cent cinquante jours, deux cent cinquante pleines lunes? C'est ton corps qui s'ennuie, et le corps s'ennuie grossièrement. Sainte philosophie. Allez, éteins.

Dimanche 26 juillet

Rechute. Je ne suis pas guéri bien longtemps par mes propres arguments rationnels. Le mince glaçage de ma philosophie orientale, par-dessus le millefeuille de ma philosophie occidentale, est bien séduisant: «allons au-delà du moi, bien d'autres choses nous attendent, aimer la vie, vivre dans le silence, sans image, etc.», mais il y a des jours où j'avale cette pâtisserie tout rond: «voyons donc! le moi, tout y conduit, toutes les passions!» Le chagrin, la maladie, la mort s'annoncent-ils, un moi en nous les attend: «me voici à ma place», dit-il tout bas. Il y a un type en nous qui est prêt à souffrir pourvu que ce soit à la première personne. À l'heure où le Christ lui-même est vu comme une star, le saint-sans-moi est-il possible? *Si je ne peux rien ramener à moi, à quoi bon?* dit le système, et il le prouve chaque jour. Même dans l'idée de salut, il est présent. Si on ne trouve pas ça dans les œuvres publiées, on peut être sûr de le trouver dans la correspondance posthume. Le «emmenez-en-nourrissez-moi-encore-plus» est notre seul vrai *cogito*. Si quelqu'un est d'accord c'est bien Descartes, il suffit de voir sa tête. Et dire ou lire aujourd'hui, dans ce système, que la passion n'est que de l'imaginaire, des mots et des images, un enchaînement d'idées mutilées et confuses, que cet être adoré n'est qu'une représentation, que c'est le désir qui le rend désirable, c'est comme entendre des voix, une langue que personne ne parle plus. — Et voilà comment les rationalisations qui me guérissent la nuit m'emmerdent le jour.

Lundi 27 juillet

22 h 30. Rue Saint-Denis, petite terrasse en sous-sol d'où je vois les promeneuses en légère contre-plongée, qui glissent et ondulent avec le déhanchement des temps chauds, leur

teint d'été triomphant, la peau excédant le coton et mes nerfs. Doré moelleux. Pain doré, riche et indigeste.

Beauté des femmes, on se sent toujours en manque. Tu es trop belle, voilà ce que nous pensons souvent. Christophe au restaurant un jour: «je ne sais pas si elles savent que ça fait mal parfois de les regarder.» Un trop qu'elles sont dans le monde, qui creuse en nous une dette, que l'on a envie d'annuler. Ce qui se voit dans les simulacres d'agression autour du rapport sexuel et ses étreintes, parades, strangulations simulées, et la jouissance elle-même comme une vengeance douloureuse, arrachant une plainte.

Aux fleurs, la beauté est utile, à nous la beauté est l'inutile nécessaire. Une femme belle est de trop, d'abord au sens où son arrivée dans un village du Far-West fait des morts entre les prétendants, mais aussi une femme belle est trop belle, pour rien. Dans un pays de cow-boys, la Beauté est un luxe de généalogie, une accumulation de forces poursuivie sur des générations qui nous est lâchée en pleine figure dans un seul regard, ce que le western sait bien montrer. Ce luxe comme tous les luxes est rare. Mais, à supposer même que nous puissions tous approcher et nous approprier cette Beauté, un résidu subsisterait, il y a vice de fond. Nous nous détournons d'une femme après l'amour par manque de force, mais quand renaissent nos forces, nous recommençons à avoir mal: «Tu me fatigues avec ça, tu comprends?» Comme s'il y avait dans le monde un trop essentiel qui s'offre et nous tue. Et le trou par où cela se montre est ce que nous appelons Beauté.

La Beauté n'est-elle qu'un objet? demande-t-on souvent. Moi je demande: pourquoi la beauté serait-elle la seule chose à n'être pas un objet? La beauté a à être un objet et elle a à n'être jamais atteinte, seulement un peu, juste assez. Pour que la vie marche, enfin, comme elle marche. On m'a appris la Beauté comme denrée de première nécessité, comme si toute une lignée de travailleurs ancestraux venait désirer à travers moi et réclamer son dû en mon nom. Je consommerai en bien plus grand nombre que mon père des images, mais pas plus que lui je n'aurai la Chose dans ma poche, et il est nécessaire probablement que nous consommions des images en les prenant pour la Chose. Et c'est là que nous revenons à la question de Christophe et des femmes: ce que nous voulons, est-ce cela qu'elles veulent vraiment offrir? Et ce qu'elles offrent vraiment, en voulons-nous?

1. Je savais cela, le trop-plein, l'impossible, etc.
2. Pourquoi regretter la totalité perdue?
3. Je regrette quand même.

Mardi 28 juillet

Mange .... Rêve .... Cours .... Dors.
Et sors le soir, pour la sainte brise des nuits de canicule.
L'été dure.

Mercredi 29

Rue Saint-Denis, je feuillette des cartables d'affiches sortis sur le trottoir. Différents genres et styles, pour la table du déjeuner, pour la chambre de bébé, etc. Tiens, celle-ci qui rappelle la manière d'Antoine Dumas, palette adoucie et sensualité discrète. Elle sort du rang et me fait signe: amputée par le cadre à la taille, en haut à la hauteur du nez, une jeune femme est allongée nue sur le dos, le torse légèrement cambré, une serviette de plage sous les reins, mais sans blague je vois double, je vois cette image se dédoubler et dédoubler l'Unique, ce corps dans sa stylisation est exactement celui de Constance.

En haut, un nom, Tully Crook. En bas, un titre, *A Wife*. C'est donc sur un drap rayé et non sur une serviette de plage que cette jeune épouse est étendue. Constance au lit, la chair empâtée et enfantine du matin, ce Crook l'a donc connue? Le carton commence à se froisser, les images se bousculent, Constance a fait une incursion en Angleterre, a rencontré un peintre, sur la rue il lui sourit, elle est seule, le revoit par politesse, monte voir ses œuvres... Je cherche partout une date d'impression annulant le farfelu de cette hypothèse. Voyons, calmons-nous, soyons réaliste, une autre femme quelque part sur le continent européen, un modèle, a tout simplement ce corps, si singulier qu'il soit. Si classique et si différent, seins, poitrine, épaules si joliment écartés de la norme, peau si légèrement orangée... Un corps, ce corps, pour quelqu'un d'autre que moi, ce Crook si bien nommé, est disponible pour la pose, ce corps qui est deux femmes, cette femme qui est deux corps marche en cet instant à pas pressés dans les rues de Londres, en route vers quelqu'un, ou à pas lents, cherchant peut-être un regard, croise quelqu'un qui a un chagrin d'amour... Ce corps est à moi! je le veux! — Le marchand sort, m'adresse quelques mots, ne voit pas que je suis zombi. Dois-je acheter ce fétiche, le sorcier va-t-il venir y planter ses aiguilles? Je ne vois déjà plus ce double de la même manière. Cette jeune femme, je voudrais la connaître, elle, son père, sa mère, son portrait de famille, regarder la couleur de sa peau de plus près, rêver en écoutant ses réponses à la théorie des chromosomes, à la puissance des images et des habitudes, à l'incroyable brassage des nombres qui expliquerait que cet après-midi j'aie vu l'Unique se dédoubler sous mes yeux, est-ce possible? Elle n'est pas la seule?

Je paie et marche en me demandant à quoi ressemble ce modèle pour le reste, ses jambes entre autres, qu'on ne peut pas voir. Si un seul fragment peut dicter à un paléontologue la forme entière d'un corps, je suis paléontologue, je connais la réponse. Le paléontologue cinglé rentre en serrant son affiche à deux mains, comme s'il détenait là un secret contre Constance: une soirée de perplexité, ça peut se rapprocher d'une soirée sereine.

Jeudi 30 juillet

En mes temps très amoureux, je regardais le profil de Constance, je fermais les yeux, puis les rouvrais: c'était encore plus beau. Maintenant, les yeux ouverts ou fermés, c'est à l'image que je suis réduit, l'image d'une présence qui-était-plus-que-son-image. Si l'image de celle qui est plus belle que son image n'est pas une vraie présence, n'est-ce donc qu'une vision comme les autres? Tout ça, me dira-t-on, rien que pour une image. Mais que diable! les yeux d'une femme dans l'amour, qu'est-ce de plus qu'une image? Oui, rien qu'une image, et après? Si on sépare l'image de l'imaginaire, bien sûr c'est pauvre une image, mais si on sépare l'homme de l'humain, le réel de la réalité, le temps de sa fluidité, n'est-ce pas la même maudite affaire?

Et si l'image est un effet, quelle force agit derrière elle? Il y a aussi une force derrière l'oubli, parions que c'est la même, une force vitale. Je pourrai oublier, en attendant je me souviens. Quand j'oublie finalement, la force s'est renversée, s'est dissociée de l'image. Est-ce que je peux capter cette force, la séparer de l'image qu'elle anime? C'est une bonne question, tel jour oui, j'aime y croire. Tel jour au contraire, je préfère l'image forte et son chagrin plutôt que le faible objet de certains, plutôt mes images que votre réel. On me traitera d'artiste, de romantique, de passionné. Mais quand suis-je le plus passionné, quand suis-je le plus philosophe? Car Socrate le père des philosophes arrive et dresse devant moi l'Idée d'une vraie vie, une vie impossible à imiter sans une image intérieure. — Que faire d'une image qui demeure quand on ferme les yeux?

16 h

Au jeu de la supposition bête, je n'aurais jamais rencontré C., j'en aurais rencontré une autre. — Ce n'est pas sûr, pas de la même vision. J'en vois, j'en ai vu beaucoup d'autres, et des belles. Chaque femme sans doute a sa façon d'attiser le manque que l'on a d'elle. De Constance, je reçois le mal des yeux, de la voir et de ne pas la voir (plus que de ne pas l'avoir, bien qu'en un sens il s'agisse de la même chose), et de ne pas la voir me voir, et ainsi *ad infinitum.* Parfois, tout en marchant, je parlais de n'importe quoi, ne regardant toujours qu'elle du coin de l'œil, espérant voir «encore plus d'elle». En un sens épicurien, la regarder était un plaisir: à la limite de la douleur.

Ce qu'on a vu dans l'enfance et qu'on ne pouvait obtenir, le train électrique dix fois trop cher, on l'oublie, et puis on s'en souvient beaucoup plus tard. Dans quelle chambre tourne donc le train électrique de mes douze ans, que je n'ai pas eu, qui tournait et tournait autour d'un village ouaté dans la vitrine pleine de neige artificielle de la quincaillerie Champagne, pendant que de l'autre côté, sur ma tuque, une neige impassible tombait? Prendre ce train avec C., et tourner dans un village multicolore pour l'éternité.

22 h

Encore une nuit torride qui s'en vient, même pas envie de sortir. Je vais devoir brancher mon ventilateur. Parfois il faisait lever les draps, au moment d'éteindre, une dernière fois je voyais sa hanche, son genou, comme si le démon du hasard décidait... En quoi la sexualité résout-elle donc le problème de l'image, elle qui n'est pas une image — parce qu'elle fait dormir? Oui, mais l'avoir comme un aveugle, l'avoir dans le noir total te satisferait-il? Eh non. Serait-ce alors que l'image ultime est dans la sexualité? Non, pas vraiment, ce ne sont pas ces images qui te torturent plus que les autres. Mais la sexualité donne une autre image, une image-plus. Tu l'avoues donc, tu es donc collectionneur, tu veux toutes les images de la série.

Vendredi 31 juillet

Ayant traversé l'avenue du Parc (d'où viennent-ils, où vont-ils tous?), j'aperçois un guitariste en train de sérénader le monument G.-É. Cartier, refus éloquent de tout ce qui motorise. Un jour avec Constance, devant l'imposant édifice de pierre et de bronze que pour la première fois j'observe et détaille avec attention, je lui fais remarquer, parmi les quatre Grâces entourant Cartier, combien lui ressemble celle de l'extrême gauche. Ce faisant, pour mieux saisir son profil néoclassique, je recule et... déboule cul par-dessus tête les marches de granit qui ceinturent l'ensemble. Elle, elle riait! mais riait! comme j'aimais tant la voir rire, saisie d'immobilité tremblante, seule sa main gauche cachant en vain sa figure, devenue de granit elle-même, et pourtant tout infiltrée, vouée, donnée dans ce fou rire qui ferait aimer la folie et les folles. Moi, je la regardais et ne riais pas, et je ne ris pas davantage aujourd'hui en y pensant, comme saisi à mon tour par une évidence. Être ébloui, aveuglé par la Beauté jusqu'à perdre pied, l'équilibre et la raison, n'est-ce pas, à l'intérieur de mon complexe, la figure la plus archaïque du pathos? Ne pas être capable *de se tenir debout* devant la Beauté. Ne pas être capable de mettre à distance, de dételer.

Lisant Platon, Aristophane, je ne riais pas non plus avec la servante de Thrace lorsque Socrate, captivé par le spectacle des étoiles au firmament, tombe dans le puits. Je ne ris pas non plus en racontant la mort bête de mon cousin Bob sous les yeux de sa femme à Outremont, en pleine contemplation, en un sens la plus belle mort qu'il eût pu souhaiter. Je ne m'esclaffe pas davantage lorsque c'est Chaplin ou Keaton ou Truffaut qui montent une scène dans le genre. Au thème bien connu: être belle et payer pour, je réponds: jouir de la Beauté et payer pour. Les êtres beaux et ceux qu'ils fascinent se rejoignent dans un même sacrifice, une même expiation.

Devant ce fruit de l'arbre du bien et du mal qu'est une femme très belle, quelque chose comme un blocage subit, un hameçon qui déchire les côtes. Je manque de prudence et même d'humour, je mords comme un poisson. On m'attrapera toujours.

Samedi 1er août

Départ demain pour quinze jours de campagne. En bouclant un bagage sommaire de t-shirts, shorts, survêtements, je pense à mon élégance estivale d'antan. Celle d'aujourd'hui tourne autour d'une trousse pharmaceutique. Mais comme avant, j'apporte trop de livres, un peu de Spinoza, Wittgenstein, Suzuki, Bataille, et beaucoup de bonnes intentions: de les lire — je renforce ainsi l'idée de travailler —; de ne pas les lire — je renforce ainsi l'idée des vacances. Un jeu de cache-cache que je joue à tous les étages de ma vie; du seul fait d'en fournir la trace, d'en provoquer la réflexion, ce journal ferait donc son travail...

Dimanche 2 août

Christophe, ou plutôt Christo, car aujourd'hui il est tout à fait Christo, chaleureux, cordial, comme dans *cœur*. Il sait comme nul autre s'ajuster, il l'a toujours su même adolescent, il était déjà fort en séduction. Est-ce une conquête, est-ce un besoin? C'est si facile, il suffit de vouloir être aimé. C'est si difficile, il suffit d'aimer. Christo ne fait sentir ni cette facilité ni cette difficulté, ne reste que l'écoute et la disponibilité. Et on parle avec lui, sans effort ni sentiment d'indiscrétion, d'un type qu'on cache aux autres, et qu'on aurait bien juré garder pour soi. Et parfois même, d'un type nouveau, qui se révèle quand on ouvre la bouche. Nous nous trouvons tout de suite de plain-pied. Les téléphones nous maintiennent il est vrai.

Je me dis, assis devant le lac gris, sur le balcon, avant la baignade, après la baignade, pendant la bière, faisant la vinaigrette: dommage qu'il parte demain. Et en même temps c'est mieux, je ne peux partager très longtemps, l'habitude s'en est perdue, je m'en aperçois d'autant plus que son accueil est impeccable. Il doit le deviner; j'ai encore besoin d'être seul, je suis trop souvent seul derrière ce masque, il me faut un «programme de réinsertion progressive».

Le 3 août

Temps superbe. Ai couru ce matin, rêvassé cet après-midi, pour finir par une baignade vers cinq, six heures. Tout ce vert qui retient l'humidité de la terre, puis ce soleil qui la module, la fait monter dans l'air, la ressert en courants d'air à saveur d'épinette comme un baume sur la peau, les cheveux soyeux, le corps tonifié et accordé, je ne regrette pas d'être venu. Même si je ne pourrai trouver une rue Saint-Denis où me produire à la nuit tombée. Pas de télé non plus. Être seul seul, et être seul en retrait parmi les autres, c'est différent. Je le savais, il faut le mastiquer maintenant.

Je pense à ma première amie. Elle avait les yeux couleur de geai bleu. Non d'un geai bleu ordinaire, d'un éclair de geai bleu effrayé jailli du taillis, aussitôt rentré dans le taillis, vous vous demandez si vous l'avez vraiment aperçu, il ne reste qu'un éclair devant vos yeux, un éclair bleu de geai bleu disparu, un bleu qui a l'intensité d'une fraction de seconde! J'ai vu un geai bleu aujourd'hui. La nostalgie est-elle un simple contenu ou bien un contenant, un pli de l'âme, une assiette antérieure pouvant recevoir le contenu Constance un jour, tel autre jour un autre contenu, suivant qu'un geai bleu ou brun... Comme l'impression qu'elle attendait l'oiseau.

Mardi 4 août

Des céréales, des œufs, du pain entier, salade et petits poissons. Fruits. Traîner et faire des vagues autour des trois repas me prend déjà pas mal de temps, il faut du temps pour être anachorète en vacances. Faire cela lentement est essentiel. Recréer quinze fois par jour la propreté du comptoir avec les mêmes gestes automatiques autour de l'évier, l'ascétisme doit se voir dans l'espace aussi. Mon côté hollandais. Tout cela plus le soleil, la forêt, le lac noir après souper, plus le ciel cobalt, l'air comme un breuvage et mille petits bruits sur lesquels le silence arrive à se refermer.

Fréquenter, humer, goûter, avaler des choses pures.

Être dans le bien, de telle sorte qu'il n'y ait rien de mieux.

Mercredi 5 août

L'absence de télé me parle. Dans les médias, une voix bien timbrée vient chaque soir annoncer le plus récent spectacle spectaculaire. Il faut que ton chagrin devienne meurtre ou explosion, que ça fasse tache de sang, que ça puisse passer en couleurs. Sinon, tu peux toujours faire ton Jean-Jacques Rousseau dans ton coin, tu es démodé. C'est sans doute un juste retour des choses, quand on est abruti de souffrance, on ne peut rien exprimer, alors un micro du moins vous est donné. Les démodés, eux, doivent se fendre en deux, une moitié pour sentir l'autre moitié qui brûle. C'est le rapport tragique, être à demi suffoqué, seulement à demi, pour pouvoir encore le dire.

Bref, tu n'es pas assez anormal pour être médiatique, juste assez pour être ridicule, mais remarque, rien n'est définitif, même pas la brûlure. Tu t'en rends compte maintenant que tu es éloigné de la norme des autres. Ce sont eux qui te divisent en deux et maintiennent la cassure ouverte. À la campagne, ta blessure finirait par se résorber dans le mou d'un espace sans témoin. Ton cas n'est pas compliqué, tu fermes la télé et la radio, tu oublies les terrasses, les publicités et les revues, les vendredis et les samedis soir, tu pars en exil loin de la ville deux ou trois ans, et tu n'en a plus de problème!

J'avais faim ce matin dès le réveil comme on a faim après un bain de minuit et une fenêtre ouverte toute la nuit sur la forêt. Inspiré par ma lecture de Suzuki peut-être, je me suis imposé de reculer l'heure de mon déjeuner, rien que pour voir. Un petit décalage surajouté, un bout de nez de rien qu'on viendrait à nouveau prélever. Or cette tension me rend immédiatement actif, j'en fais quelque chose et viens écrire ceci. N'est-ce pas ce qui s'est passé depuis janvier? Une petite amputation et voilà que l'idée de ton corps, du corps des autres et de son corps à Elle s'en trouve bouleversée, te forçant à t'arrêter et te demander: où es-tu? quelle heure est-il? Cette tension cependant, serais-tu arrivé à la créer par simple discipline? Si le temps reculait et qu'on m'enlevait cette balafre tout en me laissant ce que j'ai appris grâce à elle, il me semble que je le ferais mon livre sur *La pensée juive et la notion de désir*, depuis longtemps projeté, médité, reporté. Mais non, tu te racontes des histoires et tu le sais. La réalité étant ce qu'elle est, c'est en apprenant ce que tu apprends que tu écris ceci, tout ceci, rien que ceci: ta petite vie de juif exclu du paradis.

Jeudi 6 août

Il est onze heures et quart, plein soleil et plein silence. Je bâille et regarde par la fenêtre distraitement, pensant à toute autre chose qu'au paysage alentour, lequel devrait pourtant me tirer des exclamations tellement l'existence y semble frappée de stupeur, interdite sous la baguette des grillons; le silence lui-même semble se reposer, il fait l'été. Tout est excès en équilibre. Mon champ de vision (ici, littéralement le champ que je visionne de l'autre côté du chemin et le ciel au-dessus) se réduit à deux bandes, très bleu-violet en haut, et vert-jaune en dessous dans l'échappée d'un champ. Je songe: un Goodridge Roberts, un beau, le métaphysique au cœur du physique.

Un garçon, treize, quatorze ans, entre alors dans le cadre nonchalamment. Il se penche le dos tourné, se redresse et lance un caillou. À nouveau, ramasse une poignée de cailloux dans le gravier qui longe le chemin de terre et en lance un, puis un autre, avec application, dans la vague direction d'une perche de métal gris plantée de l'autre côté du fossé. Chasse-t-il un insecte, un crapaud ou un petit rongeur quelque part dans les hautes herbes? Il ne semble pas quitte et encore une autre poignée de cailloux, qu'il lance un à un par-dessus l'épaule: exerce-t-il son lancer au baseball? Soudain, «ding-cling». Il s'arrête. Voilà, il voulait atteindre... ce bruit. Du moins semble-t-il, car il repart, son goût de la vérité satisfait. Trois, quatre pas dans le plein soleil et, toujours du même côté, il y a un poteau téléphonique avec une belle plaque à mi-hauteur...

De quoi est faite sa journée, est-il débile? Non, seulement humain. Il désire, sans savoir pourquoi. L'homme-qui-ne-sait-plus-où-il-en-est sait peu de chose, mais il y a une chose qu'il sait: à cet instant précis, les esprits les plus remarquables à travers le monde, grands artistes, grands politiques, grands stratèges et gens d'affaires font la même chose que cet enfant. La réalité est obsessionnelle. Seul l'objet apparemment change. Ô monde obsessif et ses racines aussi inexplorées que les fosses abyssales des océans Pacifique et Atlantique réunis!

Mon bonhomme ayant atteint l'autre vérité repart, satisfait momentanément, le cou penché en avant, ô mon semblable, mon frère.

Vendredi 7 août

À Montréal, je crois être un Robinson Crusoë à l'envers, qui vit sur une île fort peuplée et n'aspire qu'à voir sans être vu. En réalité, je suis comme lui, mon image a beau inexister dans le deuxième sous-sol, je monte à la surface pour venir chercher quelque chose dans leur regard, et je dois le trouver, même si c'est un regard que je leur prête.

Devant l'écran des sapins comme dans une légende indienne inquiétante et merveilleuse, je passe la journée à voir de profil une Géante qui marche, une Sorcière, une Déesse laurentienne vêtue de peau orangée, enjambant les accidents du terrain d'un pas noble, elle passe et repasse, sans s'arrêter, sans se retourner. Aujourd'hui, j'ai faim d'elle. Je mangerais bien si je soupais avec elle.

21 h 30

J'ai osé deux choses qui ne pouvaient s'oser qu'en même temps. J'ai d'abord décidé de faire prendre un bain à ma plaie. La dimension de l'aviron qui me manque là est incroyable, j'avançais dans l'eau fraîche en tremblant. Et puis je suis entré me promener dans le sous-bois. Pas très dense il est vrai; sous le jour écrasé par la chaleur humide, il m'apparut un moindre mal. Une fois à l'intérieur, il était rafraîchissant, et surprenant, on n'entendait plus les cigales.

Un peu tendu, me répétant à intervalles que ce n'est pas une bonne idée à cause de cette affaire qui risque les coups de quelques branches mal placées, j'avance néanmoins, suivant les incitations d'un étrange devoir intérieur. Et puis, peu à peu, je me calme. Et c'est alors qu'on vient à moi comme vers un saint François étonné. Je rencontre des animaux. Un chien roux, un chat noir, ayant sans doute pénétré peu avant dans l'ombre depuis le chalet voisin, dont je devine le toit bleu là-bas perdu dans le vert. Seuls, sans maître. Et tout à l'heure une marmotte m'a-t-il semblé, sans maître non plus. Tout cela anodin, sauf que je fus à l'instant visité par une curieuse impression de bien-être. Au lit, repassant cette petite journée extraordinaire (autre chose que je ne fais jamais en ville), je me souviens de ceci: ils me regardaient différemment. Je pense que j'y suis, ces êtres me regardaient *comme si de rien n'était.*

Dimanche 9 août

Journée venteuse, mousseuse, qui serait parfaite sans une allergie aiguë, alors c'est l'enfer, paupières gonflées, reniflements sans repos, la journée hachée menue par la fente de la boîte de Kleenex, ce qui me confine à l'intérieur, sans pansement, l'orifice gauche en éruption. À l'hôpital, enfant, lors des tests d'allergie, on défilait à la queue leu leu, mais en fait ce sont les tests qui étaient enfantins. Pas de causes sinon vagues, pas de remèdes sinon ridicules, tels corps X quand ils rencontrent tels corps Y, etc. Certains semblent destinés à se rencontrer depuis la nuit des temps chromosomiques, d'autres non, c'est ainsi. En sommes-nous rendus plus loin avec la maladie d'amour, ne pourrait-on mettre: «amour aigu depuis deux jours...», ou: «tel corps P. L. quand il se trouve rencontrer tel corps C. D...» N'est-ce pas le cas Tristan? quelqu'un qui réagit mal au poison. Certains en feraient une affection du cœur, d'autres une affaire de peau, mais en fait c'est un problème de cellule, de sang.

Lundi 10 août

Baignade. Journée d'humeurs extrêmes, contrastées. Cailloux brûlants, ombres frissonnantes. Un lit de sable entre deux pierres au bord de l'eau, où tu viens souffler un peu. Ton maillot qui te sèche sur le corps, quelques gouttes d'eau perlantes comme un champagne entre tes muscles abdominaux. Dans une plage de ciel bleu, le soleil comme un feu de joie caressant, fortifiant. Cette chaleur localisée sous le mince bandeau de polyester. Tu te sens fort, intact, débordant. Personne sur ce lac dont la décharge coule à proximité, le chalet voisin est fermé pour l'été, la tête noire des sapins semble se refermer dans l'intimité. Mais sait-on jamais, viens plutôt t'étendre à l'intérieur.

~

Lorsqu'elle s'est éloignée pour la première fois derrière le comptoir de foulards d'un grand magasin: «môman!» C'est cela qu'il faut réapprendre, il n'y a rien de pire que d'être perdu de vue.

Mardi 11 août

Jogging. Pendant que je cours, je songe à la bonne fatigue qui *doit* en découler. Quelle est la fonction de cette image, de toute image?

Une image vient d'une action, qui vient d'une image, qui vient d'une action, qui vient... Et plus nous nous éloignons du début, plus nous prétendons nous en faire une juste image.

Amour et vertige. Comment est-il possible qu'on trouve plus excitant d'incarner le rêve de quelqu'un d'autre plutôt que d'être à soi-même sa propre réalité? Puisqu'on sera finalement insatisfait d'être un rêve et qu'on voudra être aimé pour soi. Nous sommes encore religieux, c'est la seule réponse, nous aimons chanter le divin et être chantés. Quelqu'un qui passe sa vie à chercher du mythe, et en trouve, voilà qui nous sommes. N'importe quel être croisé dans la rue, une fois placé dans le rayon fumant, théâtral, de la lumière amoureuse, devient un dieu devant qui on brûle. La femme dont je lis le meurtre dans le journal se trouvait hier sur l'autel d'un homme qui brûle, mais cet homme a des visions et il tue, et dans ce qu'il voyait, on aurait bien de la peine à reconnaître sa victime. Entre l'image et la réalité, le rapport devient en amour quasi accidentel. Parlant d'accident, c'en est un qui fait naître, où? quand? comment? pourquoi? — c'en est un autre qui donne tel nez, telle face, un autre encore qui vient trancher l'arête d'un nez qui paraissait si naturelle. Tout est collision avec la nécessité, tout ce qui est donné, tout est scandale, chaque seconde de notre vie. Constellation d'atomes accidentels par-dessus constellations jusqu'à l'initiale rencontre amoureuse elle-même, dont chaque geste était contingent pris un à un: qu'elle ait ri une première fois (pan!), qu'elle ait eu ce pli au bord des lèvres (ouf!), qu'elle ait voulu enlever ses chaussures, ses bas à cet instant, si ses chevilles, si sa voix avaient été différentes... L'ensemble des accidents fait ce destin et l'impossibilité d'un autre. Cette septième ou huitième soirée de vos débuts fut porteuse de signes avant-coureurs, de moments creux ou même d'un imperceptible ennui, à bien des égards tu aurais déjà voulu dépasser ces impressions, ce malaise naissant, tu sentais déjà que tu t'éloignais d'une certaine liberté à laquelle tu tenais tant. Au lieu de quoi, tu as plutôt minimisé, nié, renié, puis oublié. Tu finis par appeler ça une bonne soirée en déboutonnant ton col, ou son corsage, plutôt que de déboutonner ton âme. Un mois plus tard, tu appelles ça une excellente soirée. Un an après, une de vos soirées fétiches.

Tout commence comme accident, tout finit comme destin, c'est pas beau ça? Un délire qui a pris naissance alors que j'amorçais une longue descente, mon corps déboulant comme un pantin suivant ma technique de massage éprouvée.

Mercredi 12 août

Assez longue promenade par les chemins des environs. Sous un soleil ardent à blanchir les graviers, je débouche sur le chemin qui doit me ramener au chalet, une jeune femme marche devant moi, comme tombée du ciel. Elle porte un long t-shirt de coton qui lui flotte librement jusqu'au genou, un pantalon noir serré à la cheville à la façon hindoue, des ballerines de toile noires. Le coton fin de ce chandail et son amplitude évoquent le drapé antique, contredit par le soutien-gorge que l'on devine en transparence. Sa démarche est cadencée, élégante, je pense à ses formes majestueuses, à ses épaules larges et ses hanches qui bougent en harmonie sous le tissu immaculé, agité par le balancement de ses bras et une insoupçonnable brise. Je marche à sa vitesse et je fixe toujours ce dos, ces cheveux bouclés, ces montures de lunettes roses, la petite touche de frivolité. Me fascine la qualité de sa peau, son grain fin, que je devine, que je sais — à quinze mètres, la peau fine sous le coton soyeux, ce que j'en vois et ce que j'en prolonge. Je devine sa joue de biais où un satin de même qualité semble s'étendre encore. Je n'aurai vu de cette jeune femme que des mains souples qui dansent au bout de bras doux, et une nuque et des pommettes satinées, juste assez pour désirer, trop peu pour en être quitte. Car voici venir l'embranchement où je dois tourner et elle non. Je n'aurai jamais aperçu son visage. Dans l'allée, m'éloignant sur sa gauche, il est trop tard, je jette un dernier coup d'œil sans espoir et c'est alors, sans doute intriguée, qu'elle bouge la tête et m'offre, oh! une seconde à peine, son profil. Ce profil hélas... Et alors un déclic se fait. Alors cette peau revient occuper dans le monde la place qu'elle occupe sur ce corps. Cette peau qui est toujours d'une qualité exquise, visible à quinze mètres dans le soleil, qui étendait il y a dix secondes son pouvoir de diffusion, son rayonnement jusqu'aux confins du cosmos, cesse immédiatement d'être une peau qui diffuse en moi, et reste une enveloppe de chair là-bas, un simulacre réduit à ses proportions réelles. Finis les prolongements dans le temps et dans l'espace, elle a cessé d'agir à distance sur un autre corps, mon corps, ses états, ses fantasmes. En un sens, il faudrait dire: *elle ne peut plus faire de mal.* Mais par un dernier détour elle se venge; je me souviens, et c'est de sa faute, d'un autre épiderme, que j'ai essayé de remplacer pendant quelques minutes, qui lui, comme une radio extraterrestre, diffuse partout dans le sidéral, sans préavis, sans permis, sans scrupules.

21 h 30

Aux alentours sévit la forêt laurentienne et ses conifères, que j'ai le réflexe de sentir par moments un peu oppressante. Sauf qu'il y a un bout de sentier d'une centaine de mètres, où se trouvent deux maisons plus anciennes, habitées je pense par des Anglais. Ce coin de paysage a dû être domestiqué à une époque antérieure, il y a un siècle peut-être. Le sentier ondule en montant légèrement comme s'il voulait ralentir le pas et multiplier le plaisir. Sur ce tronçon flanqué de feuillus, trois grands peupliers, un immense à gauche, deux à droite, un beau sapin bleu, quelques petits pins, quelques érables, une vieille clôture rouillée, et pas mal de broussailles bien sûr, mais quelles broussailles! avec le soleil là-dedans comme un sourire dans des taches de rousseur, il y a là monsieur un débraillé de verdure dans un condensé d'essences, avec les branches qui se mêlent au-dessus du chemin, c'est la Magie, la Poésie, comme dans certains Corot, ou dans ce tableau de A. A. Edson que j'avais voulu acheter dans une galerie de la rue Sherbrooke Ouest il y a des années, jusqu'à ce que j'apprenne que le dénommé Edson est au musée, jusqu'à ce que j'apprenne le prix. Ce sentier désert et pourtant si peuplé, je l'ai essayé de matin, de midi, de soir, c'est le paradis, celui qu'on a de tapissé sur le petit écran intérieur. C'est le propre de certains lieux: quand quelqu'un nous demande où l'on aimerait finir nos jours, sur le coup on ne sait quoi dire, et puis on voit, et c'est eux qu'on voit.

Jeudi 13 août

Oui j'ai envie de toi, c'est pourquoi je préfère ne pas te voir ce soir. Déjà que cet après-midi, je t'ai trouvée particulièrement belle. Je rêvais à ta peau orangée sous tes habits d'hiver. J'ai présentement envie de tous les petits défauts de ton immense beauté, je les vois, je les touche, et il vaut mieux que cela me suffise. Je ne suis pas triste remarque. Tant que je peux y rêver, j'ai l'impression que tu es d'accord. Tu te souviens de notre fameuse discussion...?

Je me secoue. Le grand peuplier est là qui me regarde dans le crépuscule rosé. Mais non, il est six heures du matin, le soleil se lève! Incapable de dormir, je suis sorti sur la véranda et j'ai dû me rendormir dans la berceuse. C'est lui le grand hypnotiseur, avec son tronc divisé très bas comme ceux du parc Lafontaine où j'avais croisé Constance en janvier dernier, elle faisait en solitaire une «petite sortie» non loin du logement d'une amie où elle passait les derniers jours avant son départ, elle avait jugé qu'il fallait «s'éloigner un peu», ce serait plus facile, c'était lamentablement plus facile oui, une grosse neige tombait doucement, floconneuse, je marchais lentement dans cette féerie, blanchi et givré, les patins sur l'épaule; mais cette promenade avec elle sous la neige, deux cents mètres à peine, cet accompagnement avait été très doux, dans l'allée des grands peupliers. À peine étais-je rentré, le téléphone avait sonné près de la fenêtre où la ville cotonneuse refusait la nuit. Constance avait été émue par notre rencontre, elle suggérait qu'elle pourrait peut-être passer me voir...

Ai-je rêvé cette promenade, ce grand liard me ment-il en pleine face, ou en suis-je rendu, le doigt levé comme les promeneurs délabrés du parc, à prendre les peupliers à témoin?

18 h 30

La «fameuse discussion» avait bien eu lieu en tout cas, elle concernait une lecture que j'avais faite. D'après l'auteur, une érection ne pouvait venir à un homme qu'une fois «autorisée», fût-ce inconsciemment, par le corps d'une femme; selon lui, on ne pouvait s'émouvoir devant une femme dont toutes les fibres du corps diraient non. Je me souviens avoir ajouté que c'était sans doute une fiction invérifiable, mais qu'il y avait peut-être quelque chose là-dessous. «Oui, un cochon!» me répondit-elle du tac au tac. Je n'aurais voulu de sa part aucune autre réaction, mais comme bien souvent, plus elle résistait, plus je m'entêtais à trouver du sens à quelque chose à quoi je ne tenais guère cinq minutes plus tôt, à jouer l'avocat du diable, rôle dans lequel j'excellais. «Et le viol, et les viols durant le sommeil, qu'est-ce que c'est selon toi?» poursuivit-elle d'une voix amère, et je compris que la conversation était terminée. Je finis néanmoins par répondre que l'auteur me semblait viser surtout la situation d'un homme et d'une femme qui se connaissaient déja intimement, mais peu importe lui dis-je, de toute façon le viol n'était pas innocenté par cette hypothèse. Je peux désirer par exemple posséder un million mais si on me force à voler, tuer, ou à faire quoi que ce soit contre mon gré pour l'obtenir, je résiste; et le coupable demeure celui qui exerce la contrainte. Même chose ici. Résister au viol, c'est dire non avec sa bouche, sa tête, son cœur, et c'est déjà beaucoup — qui dit mieux? Et le viol reste odieux, c'est clair. Mais la question était: est-ce que tout le corps parle le même langage que toute la volonté? Est-il nécessaire d'avoir recours à une notion d'intégrité mur à mur de la personne humaine (laquelle est battue en brèche sur tant d'autres plans) pour condamner le viol, n'est-il pas suffisant de condamner la violence infligée? Les rapports entre homme et femme sont troubles sur tous les plans y compris le plan sexuel, mais la violence subie, elle, est clairement injuste, n'est-ce pas de là qu'il faut partir? Plutôt satisfait de ma réponse, j'osai finalement la regarder. Elle secouait la tête et son expression en détournant le visage m'a fait plus mal qu'aucun argument. Je n'aimais pas perdre nos discussions — ni les gagner. Ou plutôt, ces mots n'avaient guère de sens avec elle.

Je la revois et je comprends maintenant. À cette heure étrangement tranquille, alors que je suis de retour sur cette véranda qui me semble si pleine d'elle, je comprends qu'il y a des moments où dire non avec son cœur, avec sa tête, c'est vouloir que le corps entier et le monde entier disent non également. De ces moments où on a besoin de s'unir, pas de discuter. Lorsqu'on se sent fragile et qu'on a finalement pris une décision à grand-peine, *à son corps défendant*, il faut que le reste suive, sans dissidence.

N'est-ce pas ce soir seulement que je comprends la motivation qui animait et cette discussion et ma réponse négative au téléphone? Je croyais et je crois toujours que les sentiments sont réciproques. Mais à cette époque, lorsque Constance décida de partir, j'ai eu intérêt à tout déplacer sur le plan sexuel, ses sentiments n'étant plus sûrs du tout. Sous prétexte de faire l'ascète, je boudais sexuellement C., laquelle m'éloignait sur le plan affectif. Donc, les sentiments ne sont pas réciproques pauvre cloche! Mais si, mais si. C. m'aime autrement, je l'aime autrement, nous nous aimons de façon complémentaire. Le désir aussi est réciproque: j'avais désiré C. avant, elle s'était émue après la promenade.

Vendredi 14 août

Nuit fraîche et venteuse, après une soirée telle qu'on se demande si c'est encore l'été. Dans cette nuit louche, un craquement; un silence; un froissement. Un deuxième craquement. Diable que le chalet est grand, où suis-je? qui suis-je? je me sens moi-même un inconnu. «Voyons, ferme l'œil et dors!» Une autre vibration, un autre craquement. L'estomac commence à me gargouiller. J'épie. J'attends la suite, le prochain coup, l'effraction, le matraquage... woh! holà! Je me ressaisis soudain *et dis à voix haute:* «prends sur toi, garde ton calme!...» Je me lève alors décidé (évidemment, il n'y a rien que du vent). — Que s'est-il passé? Quelque chose se raidit au niveau du tronc, la tête se met à l'heure, le courage se ramasse, je me parle, et j'écoute qui me parle. Se raisonner, c'est obéir deux fois, au corps qui se lève et à la voix qui parle, ce qui s'appelle être un homme. Les fantômes me rappellent que ce n'est pas l'imagination qui est l'opium; l'opium c'est de reporter l'action.

Je me recouche, un restant d'angoisse me tient réveillé, une heure peut-être, qui ne s'achèvera pas. Car, comment dire, un bruit de rien, un bruit de poulie... — «la poulie au loin dans l'étui...» — «... la petite poulie qui grince et s'essuie...» — «... la poulie qui roule et rit...» enfin j'ai compris! C'est le premier oiseau du matin qui se risque dans l'avenir. Le premier test de voix d'avant le chant, qui sépare de la nuit le jour. On ne sait jamais pour le dernier du soir, on n'y porte aucune attention, mais cette fois, l'impression d'une chance impossible, d'avoir connu le monde d'avant le monde.

Samedi 15

«À la campagne, ta blessure finirait par se résorber», c'est ce que je relis plus haut. Je me demande souvent s'il me sera un jour possible, avec la tête que j'ai, d'être dans le plaisir. Ici à la campagne, d'être dans le plaisir, oui; mais il n'est pas possible d'être dans le Bonheur. Car le plaisir est un fait; mais le Bonheur lui est une opinion, une croyance qu'on vérifie dans les yeux des autres, un possible en commun, un même coup d'œil imaginaire vers la soirée qui s'en vient. Et nous accordons plus de valeur à cette croyance qu'à ce fait.

Dimanche 16 août

Pluie toute la journée. Odeur insinuante de planches humides, de couvertures moisies et de papier imbibé, comme dans le hangar de la cour à treize ans, il y avait là mes frères, mon cousin et mes cousines, nos amis, leurs amies en robe d'été et en sandales. Premiers jeux excités, la porte fermée, être seuls à sept ou huit était déjà terriblement excitant, sur un fond de passerelles de bois, de cordes à linge, de cow-boys, de hit-parade et de rock'n roll américain, d'odeurs de hamburgers mangés dehors sur une petite table de bois, ce qu'on appelait un pique-nique. Il y aurait éternellement des pluies de quatre heures de l'après-midi, des étés, des chansons américaines, des soupers qui allaient suivre, et dans un mois des sacs d'école aux odeurs violentes d'automne — c'était notre certitude, le fond véritable de notre vie.

Je rentre à Montréal demain avec une seule certitude, celle d'avoir couru vingt kilomètres pour la première fois de ma vie, en 1 h 54, avec à peine trois ou quatre intervalles de marche. Ça fait ça de pris!

Mardi 18 août

Au bar du Lux où je parcours une revue que je viens d'acheter après en avoir feuilleté une dizaine sur la passerelle. Parfois, comme ce soir, une suite de pensées agressives à l'endroit de Constance, et puis après, comme un reflux: un détail, une lecture, une image, une conversation (cela m'arrive généralement en public) me ramènent à ces autres qui sont là, qui parlent ou qui discutent, leur sérieux, leurs théories, leurs pseudo-sciences, et soudain la conscience me saisit, vive et irritée: les autres ne sont que les autres, comme ils sont étrangers, lointains, qu'en ai-je à foutre des autres! Loin de tout ce bavardage, elle et moi nous dérivons sur une île flottante, en lutte, en chute peut-être, mais sur une île néanmoins, l'île sous le vent de l'amour qui s'éloigne.

Ces moments où les autres sont minables, où je savoure leur inconsistance, sont suivis de doute, comme un enfant turbulent sent qu'il exagère. Constance avait raison, je pue le raisonnable.

Mercredi 19 août

Matinée venteuse, ciel bleu cru. En short, je marche vite et regarde mon ombre, tête oscillante qui sort drue d'un col de chemise. Dans ce spectacle d'ombres chinoises très noires (le temps est sec, le soleil déjà haut), quelque chose d'étrange et d'inexplicablement insistant, mais quoi? Je cherche tout en marchant: serait-ce cette tête qui semble offerte, évoquant le tragique de la Terreur et sa guillotine dans le soleil du petit matin? Serait-ce plutôt son aspect juvénile, tête de scout qui dépasse, tête que j'avais à quinze ans au sortir de la messe dans mes cols ouverts frais repassés? Non. C'est qu'entre cette tête qui me colle après et les autres têtes, il n'y a aucune différence n'est-ce pas?

16 h 30

Il est assis au carré Saint-Louis. Il voit le bord intérieur de la monture de ses lunettes, le banc et les deux amoureux en face de lui, la fontaine qui les arrose de confetti, à droite la rue qui rue, à gauche le soleil qui soleille, là-bas les façades qui faseyent dans la chaleur de l'après-midi, et par-dessus, le mur du ciel gris bleu, de là il revient à tous ces flâneurs qui encombrent le square, besogneurs innombrables qui s'appliquent à ne rien faire — il se regarde regarder.

Ça surgit alors comme une révélation, il suffirait qu'une personne vienne à lui, une seule, pour que quelque chose lui soit apporté de tout à fait disproportionné avec la place objective d'une simple personne dans le monde. Cette banalité lui semble d'une évidence palpable, lui apparaît tout sauf une banalité. Qu'une personne n'est ni un arbre, ni une fontaine, ni une grille de fer forgé parmi les apparences du décor. Une personne est plus qu'une personne. Il se dit que si tous les individus étaient sans commune mesure entre eux, une seule personne serait un microcosme fermé, un monde non compatible, il n'y aurait pas de véritable «monde». Mais ce n'est pas ce qui se passe. Les êtres humains sont des «compatibles» (certains plus que d'autres sans doute). Un être humain est quelqu'un qui porte tout le monde, tout le langage d'un monde. Un être donné peut équivaloir le Monde, une ville, une époque à lui tout seul. Les êtres sont dans le langage et le langage est en eux. Il touche ce constat, le sait physiquement à cet instant. Un autre être, un seul, suffirait pour partager la surcharge de langage inutile qu'il y a en moi, diviser l'angoisse, transformer la tristesse, m'empêcher de surchauffer. Il rêve qu'il est en voyage au bout du monde et qu'une jeune personne s'avance et qu'aux seuls sons qui sortent de sa bouche, il se retrouverait depuis le fin fond de l'Asie transporté juste ici, par la magie de l'accent du quartier. Il rêve assis sur son banc, rumeur dans la rumeur.

«Faseyent», le mot est venu comme ça, lui aussi, mot de voile que j'aimais, parmi d'autres que Laurent m'avait enseignés. Ça fait longtemps, à quand la prochaine voile?

Jeudi 20 août

Rendu loin avec mon jogging, de l'autre côté du mont Royal, fourbu, il pleut, je me résigne à prendre l'autobus. Mais je n'ai qu'un billet humide glissé contre la cheville, et répugne autant à payer deux fois le prix qu'à demander quoi que ce soit à qui que ce soit. Un barbu se tient là sous la pluie, accoté contre l'abri qui déborde, pétrifié, livide, costaud pourtant, pitoyable et déjà mort et solide dans cette mort, moyenâgeux pour tout dire, les cheveux torsadés d'une gorgone. Je m'approche, le chiche qui se sent riche, et lui dis à l'écart, submergé d'un afflux de tendresse soudaine, qu'il me donne un dollar de monnaie je lui donne mon billet de deux. Il baragouine je ne sais quoi et fouille dans sa poche pour en retirer une pleine poignée de petites pièces. De ses ongles pierreux, il fouille et les compte une à une, il a décidé de me payer en pièces de cinq sous... Concentré durant toute l'opération, les doigts gourds comme ceux d'un Christ de cathédrale, il ne me regarde pas une fois, le visage gris sous cette barbe et ces pelures de haillons d'un gris rat. Il n'a pas mon nez, mais je n'ai pas sa gueule. Cet homme en un autre temps fut prodigue peut-être, brûlait chaque billet qu'il voyait, maintenant il fait pleurer tellement il a de vénération pour chaque sou qu'il caresse — comme moi pour chaque visage. Mon semblable, mon frère. (Les visages et l'argent, curieuse connexion, qui m'apparaît soudain pleine d'un sens à creuser.)

J'oubliais. Il a eu ce geste qui ne s'invente pas. Quand il a retiré de sa poche la pleine et sonnante poignée de nickel, il a mis son autre main par-dessus et a secoué religieusement le tout comme un joueur avant de jeter les dés. Sans quoi une pièce sur le bord pourrait toujours glisser. Un geste cadeau pour un acteur, qui rendrait toute la scène vraisemblable, qu'il faudrait terminer «gros plan sur les ongles».

Lundi 24 août

Humeur en créneaux, que j'essaie de soigner au fond de la terrasse du Cherrier, il est 16 h 15 et je n'y arrive pas vraiment. L'homme-qui-ne-sait-plus-où-il-en-est s'aperçoit qu'il flotte encore plus que d'habitude. Sensation de vide qui s'accuse à mesure que la terrasse fait son plein des sorties de bureau. Il se sent comme désœuvré, sans emploi. La belle bêtise: tu *es* sans emploi, le monde t'a licencié, le monde tout court, et le monde scolaire aussi. Il se sent professeur comme jamais en cette seconde. Il regarde la tête des autres autour et sent qu'enseigner est une cure, travailler et vieillir avec ces gens-là, ce serait justement travailler et vieillir! Il est trop immature pour les gens sérieux (ceux qui accusent les autres de se prendre au sérieux); et il est trop mûr pour eux (les gens sérieux sont enfantins). Ah! ces dernières minutes des vrais bons cours, où sans le souci du dire à venir on peut savourer l'impression que les étudiants, mi-souriants mi-étonnés, sont bien, et voudraient rester. Pourras-tu donner d'autres bons cours? Sans pirouettes? Donner un cours de philo avec la tête de Platon, la célèbre tête mutilée au nez fracassé, ne serait pas, remarque, d'un mince effet: «la maison ne reculant devant aucun sacrifice...»

19 h

Au carré Saint-Louis. On joue au Frisbee, on fume, on tourne en rond, d'autres dorment, écoutent une guitare assis dans l'herbe, on se croirait dans Washington Square, c'est la rentrée. Immobile, n'existant qu'à la limite, j'arrive presque à disparaître à certains moments. Dans six, sept semaines, finies les disparitions commodes derrière mon masque, les avis sont formels, on devra laisser respirer la plaie. Au diable le pathos! — facile à dire. Il va bien falloir manifester quelque chose, exprimer, prendre un air. Se cacher ou se montrer, deux boursouflures également ridicules.

Un envol de pigeons qui applaudissent au-dessus de ma tête. Mon problème, résumons-nous, en est un de signes, c'est-à-dire de touche. Pratiquer la litote, l'allusion, la rigueur, ou parfois le détail, je l'ai d'abord essayé en pédagogue débutant, ça ne passait pas toujours, soyons franc, ça ne passait toujours pas, ce n'était pas «enregistré». Il faut donc changer de touche. Pas de touche là où l'audience ne distingue plus. Et voilà, comme dirait l'autre, pourquoi je supportais de n'être pas plus subtil — c'est mal vu, pas à la mode. En classe on apprend vite à ne pas imposer une forme, ce serait une grave erreur. Il faut savoir renoncer. C'est ce qu'on appelle l'expérience, cuire lentement à parler tout seul. Ce n'est pas tout, souffrir devant un public est une chose, s'en formaliser en est une autre, on risque de se décourager et personne ne comprendrait même pourquoi. Il te faut envisager la possibilité que ta propre forme, qui t'obsède, leur importe peu. Ouais; mais puis-je supporter qu'ils m'imposent, eux, ce manque de sensibilité, qu'ils me découragent, me déforment une deuxième fois? Est-ce que je pourrai, voudrai m'ajuster à la demande? Mes signes, c'est ma vie, est-ce que je veux perdre ma vie?

Je vois les autres se chercher des cachettes. Quand les formes manquent, on cherche des cachettes, même les bons sentiments deviennent lamentables. Donnez-moi une politesse et je me passe d'un bon sentiment. Il y a des gens, j'arrive, je m'assois, je passe, parfois je reste, le malaise persiste dans mon dos, je sens qu'ils n'ont pas voulu se mouiller. Ils manquent d'humanité, le gros mot est lâché. S'ils étaient simplement innocents? Oui, mais il y a un âge pour être innocent. Faire graver dans le marbre au coin de chaque rue: *attention: humains.*

La vraie loi c'est les formes, nul n'est sensé l'ignorer. Dites-moi donc quel avantage peut avoir à mes yeux votre malaise sur la parfaite indifférence? Je n'étais pas vraiment beau, j'avais le nez fort, mais j'avais du nez. Avoir du nez, si vous saviez quel charme.

~

N'es-tu pas en pleine projection, personne ne sait ta blessure après tout. Hélas, c'est là le problème, ta blessure est réelle et en plus elle est imaginaire.

Mardi 25 août

Promenade à vélo, qui d'un détour à un autre m'amène insidieusement aux abords de la piscine Laurier. Insidieusement quoique de façon préméditée. La fin de la saison est proche, ma tête semblait sincèrement l'ignorer, mais mon corps et mon coup de pédale s'en souvenaient.

Une jeune fille très blonde est assise le dos contre le grillage, jambes écartées, genoux pointant vers le ciel, les pieds bien à plat sur le ciment. Elle regarde sa jambe gauche, blonde aussi, au galbe en S allongé parfaitement accentué, penchée le sein sur sa cuisse, le menton sur le genou, dans l'attitude involontairement séduisante du modèle qui va s'épiler; parfois bouge un de ses orteils. Une grâce d'animal, un chevreuil qui allonge le museau. Elle palpe soigneusement cette jambe, examine un défaut, un bouton peut-être? La considère avec soin, mais comme un objet détaché. Moi, je suis condamné à considérer cette jambe blonde comme un objet également. Mais combien plus noblement, comme une colonne ambrée du Parthénon, comme un chemin tiède de juillet parfumé, rasé par le soleil de huit heures du soir qui s'enfonce dans la luzerne enflammée, comme la courbure chaude et luxueuse d'un stradivarius dans les mains d'un virtuose, comme une lettrine antique coulée par les soins d'un maître typographe, comme un pilotis secret du rêve, comme... Elle est donc l'essentielle jeune fille, la Déesse? Non, c'est la Déesse essentielle au contraire qui ne peut pas être plus jeune fille que cette jeune fille. Je suis sûr que sa peau offerte au soleil, si je m'approchais plus près, aurait le goût du lait chaud. Arrière, démon!

~

Il doit s'arrêter au magasin d'aliments naturels. Une belle musique joue fort ses violons, Bach, Vivaldi peut-être. Instantanément, elle le ravit. Même un peu trop. Cette musique le console. Il était installé dans cette tristesse comme une espèce d'ignorant, et cette musique vient le cueillir.

Mercredi 26 août

Sur la rue Sainte-Catherine ce soir, quelques vêtements de peau remplacent la peau. Je renoue avec la peau de la Ville en cette fin d'été, la peau sale des trottoirs mais les nouveaux achats aussi, les couleurs, les bruits et les cris, les mille odeurs racoleuses du premier vent d'automne qui tourne et vous surprend d'une joue sur l'autre, ou d'une jupe qui remonte, comme au coin des rues dans les toiles de Philip Surrey. Les odeurs du vent d'automne qui tourne et me tourne la tête. Mais là-bas c'est le cinéma Parisien, et la foule du Festival des films du monde qui déborde les trottoirs; plutôt faire un détour que d'affronter toutes ces vestes de lin.

Jeudi 27 août

20 h 30. À vélo sur la rue Laurier Ouest, les voitures luisantes dans le soir gris fumé, les allures stylées qui reviennent, la sortie des boutiques, l'entrée chez le nettoyeur, le va-et-vient des bras chargés de paquets, ça sent le goût de la possession.

Lentement jusqu'à Bernard. Belle soirée étonnamment chaude, un peu trop pour une fin d'août et pour un pansement désagréable. J'attends mon tour dans la file du bar laitier Le Bilboquet. Trois ou quatre places en avant, je reconnais alors le profil attirant d'une étudiante de l'automne dernier, laquelle m'avait effectivement attiré par sa haute taille, son allure très au-dessus de ses affaires, ses traits froids mais purs, presque durs, le tout avec des mines il faut le dire sentant très fort le caractère de cochon. Je m'étais donc tenu loin, non sans quelques regrets, le vague rappel de la beauté de Constance aidant — ou nuisant. Ce n'était pas une raison pour ne pas regarder ses jambes, puisqu'elle les montrait là, à deux pas, dans un short que sa mère n'aurait pu porter. Or ces jambes ne me plaisent pas, mais décidément pas, quelque chose de malingre et fade ne m'en donne aucun désir, et ses pieds dans des sandales fermées, j'allais dire fort heureusement, des pieds énormes, grossiers, sans attrait. Soudain, l'aura que j'avais pu voir nimber son beau visage hautain s'évapore. J'éprouve la satisfaction mesquine de voir que la vie dans sa sagesse ne nous a privés de rien. M'a-t-elle remarqué? Cela en tout cas n'affecte en rien son naturel, toute coquetterie dehors. Cette grande jeune fille aux allures de diva détestable doit être traitée comme son air le mérite: de haut, et avec une indifférence affichée. Je ne m'en prive pas, arrangé comme je suis! Maintenant je suis sûr, elle m'a remarqué. Chaque fois qu'elle détourne la tête, je fais de même, puis la reluque de nouveau, curieux de voir le dénouement de cet étrange ballet. Lorsqu'elle est servie, je renonce enfin à mon petit jeu et lui jette un œil, elle a déjà décidé visiblement — visible à quoi? mais je le jurerais — de ne plus me voir et effectivement elle passe là sous mon nez, me touchant presque, en glissant sur un nuage, frappée comme son *milk shake*, ses yeux gris glacier perdus au loin telle une héroïne wagnérienne. Je jubile, en flagrant délit de muflerie. — Sur le trottoir tiède, le sourire aux lèvres, je peux savourer posément mon cornet au chocolat noir sous mon cornet de carton glacé blanc.

Un quart d'heure après, roulant vers la maison: elle n'a pas traversé une de mes couches minimales, ces strates successives dont j'ai souvent parlé à Christophe, que chaque objet d'amour doit franchir s'il veut entrer dans notre intimité. Vous en passez cinq, tant pis, il en faut huit. Pourtant une autre, dans un autre contexte, malgré ces jambes, ces pieds, n'aurait-ce pas été possible, qu'aurait-il fallu qu'il se passe, quel élément non physique aurait-il fallu pour illuminer ce physique? Cet arbitraire dicté par..., par qui? par quoi? par mon corps? cet arbitraire est-il infranchissable? Tirant sur ma paille comme un somnambule, je continue à rouler, les yeux fixes, interrogeant, brassant mon lait et ma théorie.

Une heure plus tard: au moins, ne formait-elle pas avec moi une mécanique à deux? Depuis huit longs mois, n'est-elle pas la seule femme à m'avoir traité en homme?

Vendredi 28 août

L'été tombe comme le soir, on ne peut rien empêcher. Le parc, de sportif et américain qu'il était, se latinise, redevient grec et portugais avec ses casquettes, l'église du village est remplacée comiquement par une montagne; les couples-campus du printemps, le ventre dans l'herbe et le nez dans les livres, les infirmières des après-midi d'été, le lunch sur leurs genoux blancs, ont cédé la place aux joueurs de cartes. Je connais un petit vent frisquet qui va me ramasser tout ça bientôt, le soleil non plus n'y pourra plus rien.

Visite au docteur Voyer cet après-midi, qui m'apprend que mes «cratères» sont parfaitement guéris. Un peu plus et il disait «complètement éteints». Prêts pour une première greffe qui va les envelopper de façon assez semblable, paraît-il, à une plasticine qu'on appliquerait par bandeaux délicatement. Je pense alors à la poterie et sa technique dite du colombin, et j'espère qu'ils vont me trouver la bonne couleur. J'aurai en effet l'appendice en forme de colombarium où pourront venir se nicher les petits oiseaux, sur le bord de cratères devenus inoffensifs et même hospitaliers: un Vésuve en fleurs. Tout est convenu pour la deuxième semaine d'octobre. Pourquoi diable est-ce que je parais d'aussi bonne humeur alors que j'ai la trouille? Une humeur excitée, factice, celle du négligé des parieurs qui monte dans le ring, il lui reste deux minutes pour danser. Mais des bribes d'Apollinaire me viennent, l'essentiel poète de septembre, de fin d'été, de la guerre qui commence, et je décide de regarder le parc *comme un guetteur mélancolique.*

Dimanche 30 août

En ce début de dimanche soir gris perle, étrangement tranquille, plat, qui semble annoncer tous les dimanches de l'hiver à lui seul, il met une cassette par inadvertance. Sur laquelle est enregistrée une musique qu'il avait d'abord appris à aimer chez Constance, à cette même heure, lorsqu'elle préparait un de ses fameux soupers végé. De la scène new-yorkaise illustrant la pochette originale du disque, mauve fluo par le fond, noire par la chanteuse debout sous le Brooklyn Bridge, semblent toujours à nouveau se détacher les quartiers du *waterfront,* puis la frise des gratte-ciel du *downtown* et toute cette palette féminine, violette, parme et noire d'un Manhattan de rêve au crépuscule, à bonne distance, comme un plateau de laque érigé de cocktails rares, pétillants. Tout le contraire de notre souper. La chanteuse noire traînait divinement de la voix, le cœur nous scandait doré au rythme des cymbales, on se sentait un peu gris et anonyme, à l'aise et américain, new-yorkais mais new-yorkais riche. Cette belle voix continue toujours à monter, passé et présent confondus, lorsqu'il sort du coma. Il veut l'enlever, mais il ne veut pas le silence. Il cherche, hésite, ses doigts frôlent une cassette et une autre. Celle-ci par exemple d'un chanteur français, que Constance lui avait offerte en cadeau et qu'il n'avait jamais vraiment réussi à aimer. La première musique, il l'avait prélevée lui-même du disque de C., elle portait sur son mince ruban, intimement associés à elle, tout son amour et ces heures de souper en sa compagnie sur une terrasse new-yorkaise fantasmatique, c'était un concentré, un concentré de son amour pour elle en lui. L'autre cassette est un cadeau, un exemplaire de ce que Constance aurait voulu qu'il aime. Il n'en a jamais réellement pénétré l'univers, ne l'a pas vraiment apprivoisé, c'est Constance en visite chez lui qui la mettait, comme un vœu de son amour pour lui, en elle. La mésentente entre ces deux musiques lui apparaît ce soir en microcosme le fin mot de la difficulté occulte à l'œuvre dans un couple. Comme une morsure.

Je n'aimais pas tout de ce qu'elle aimait. Mais que j'aimais aimer la même chose qu'elle.

Lundi 31 août

23 h 30. À La Petite Ardoise. Deux serveurs et même pas de serveuses; assis au comptoir, ils rigolent. Presque plus de clients, et ce n'est pas moi qui arrive à en faire un. Être seul, cela est fréquent pourtant, c'est même la norme. Ce n'était pas prévu il faut croire, tu ne veux pas, pas ce soir, d'un lieu qui n'est pas habité. Alors, va au Lux, c'est à côté. Non, tu restes ici et tu creuses. Avant, la solitude d'un petit soir t'aurait semblé terrible, tu étais malade sans le savoir, mais aujourd'hui, le pire est passé, non? (Comme si on savait où on se trouve sur la courbe du pire.)

Ça reste et ça insiste, un froid dans la gorge. Si tu avais comme celle-là, à la table du coin, une amie bienveillante, tu serais aussi intarissable, un chagrin se raconte si bien de vive voix, tu laisserais couler trente pages en deux heures plutôt que tes deux pages en trente heures. Ce goût, plus amer que ton allongé, n'est pas celui d'être seul par-dessus le marché, c'est d'être seul par-dessus le présent, c'est savoir qu'on va l'être tout à l'heure et après tout à l'heure, et dans la nuit tu vas l'être encore. La goutte tombe, et comme c'est la millième, la suivante te fatigue déjà, tu dois trouver le moyen d'arrêter le maudit robinet. — Mais, comme si tu aimais ça, tu te mets à penser d'avance que tout à l'heure tu vas rentrer dans la nuit, papal, auguste et triste pape. En philosophie, on fait profession de savoir bien peu de chose, pourquoi cela le savoir si net? La solitude, tout le monde la vit un certain temps, pour un souper, un cocktail, en sursis, car bien sûr tout à l'heure il y aura Mireille, Michel... C'est plus dur quand on la reçoit cinq sur cinq. Un des serveurs s'approche, demande «si vous ne pouvez pas payer tout de suite...»

Sur le parc Jeanne-Mance, la nuit est pure et cristalline. Rien de spécial en vue.

Jeudi 3 septembre

La Beauté: avoir envie certains jours d'expériences d'un autre ordre, mais dans un rapport secret avec elle. Avoir envie par exemple de se promener dans des rues qui ne sont pas belles — tu ne voudrais pas vivre dans une ville où il n'y aurait que de belles rues. Tu ne voudrais pas davantage évidemment d'une ville où il n'y aurait pas de beaux quartiers, où il n'y aurait aucune belle femme, même chose pour une langue où il n'y aurait que des beaux mots, ou que des mots ingrats. Des éléments communs à des lieux ou à des ordres différents, un trottoir, un arbre, une odeur, une tache sur un mur, un rythme, peuvent dériver et signifier autrement, être sordides ici, parfaits là. Tu ne saurais dire ce qui fait ta joie certains jours, c'est Poésie, c'est affaire de *timing* peut-être, telle humeur à telle heure sur telle place; pas des éléments pris un à un mais un ensemble, pas n'importe quel ensemble non plus, certains ensembles, comme certaines photos qui ont besoin de beaux «noirs». Le laid élément du beau, et cessant d'être laid.

Certains de ces moments surviennent dans des endroits quelque-part-nulle-part. Ainsi l'autre jour au coin de Bernard et Saint-Laurent, près du viaduc, en plein dimanche après-midi vers trois heures, le *no where*, le rien, le vide. Il y a un mois, un samedi matin écrasant boulevard Dorchester près de Radio-Canada. Des moments bienheureux pleins de néant. Ce soir vers neuf heures et demie, rue Saint-Laurent, accoté en retrait contre le mur du parking d'une discothèque branchée, je fais le gangster qui fume dans un film de série B. Ç'a été le vide, mais autrement. Une file de jeunes sur le trottoir, cheveux gominés, plastifiés à la mode, certains très beaux. Un dénominateur commun, le regard dur, surtout pour ceux qui passent et qui n'en sont pas. Dureté de code. En fait, c'est seulement un grossissement de la norme. Ils sont les uns pour les autres des miroirs, ils se multiplient comme des miroirs, se parlent dans un miroir, se brisent comme des miroirs. Cliché typé. Le beau élément du laid.

Vendredi 4 septembre

Terrasse du Cherrier, juste sur le coin. Coucher de soleil «interloquant» au-dessus de l'ambiance m'as-tu-vu.

Sparages dans le ciel, moirés rose et gris sur un fond de bleu immatériel. Fusées et diffusions sur Saint-Denis, en montant. Mais, au-dessus de nos têtes — inaperçu des buveurs de bière — est *le* spectacle, un Borduas mouvant. Quatre «pofs» de cigarette rosâtres en rangée et, au bout, une immense main recourbée qui fait signe, colossale griffure mauve et gris clair mélangés, un gris de pétale de fleur en fondu sur un ciel lavande encore plus clair, au bord de l'irréel, ce gris de nacre sur ce gris lavande languissant est quelque chose monsieur, le tout ternissant vers le sud du tableau, le nord d'un bleu de plus en plus étonnant. Déjà ça bouge dans la vastitude, quelqu'un souffle sur l'écran, ça s'ébranle, se disloque lentement, irréversiblement, gigantesque entropie au ralenti. Mais quel ralenti plus éphémère qu'un ciel qui monte vers sa forme et puis se décompose. L'effet de fondu est de Mark Rotko, les pofs, de Borduas. Sauf que ces deux grands poètes de la couleur et de l'ambiance, même eux dans leurs griffures ou leurs plus beaux bougés flottants, se tiennent en dessous de ça, de cet incomparable effet *all over*, comme la terre reste en dessous du ciel. *Amen.* Des perles pour les pourceaux. Pour des nez au fond des verres. Et c'est de leur regard que j'ai peur! Après quatre minutes, c'est fini. Cette montée et cette annulation, toute une vie en raccourci. Toute la Beauté du monde, déformée. *Amen.*

Des impressions de rentrée qui reviennent à ma table, ou je divague beauté ou je divague métier, c'est peut-être pas par hasard. Les premiers contacts d'une rentrée quand, au sortir du premier cours par exemple, s'approchait une étudiante que je ne savais pas encore être la plus attirante ou la plus douée de sa classe, ou les deux comme il arrive souvent. Désormais seule debout devant mon pupitre, elle parle de tel détail, de la lettre du cours. Moi qui n'avais d'yeux cinq minutes auparavant que pour le concept écrit au tableau, qui n'aurais pas hésité à rappeler à l'ordre cette élève si elle s'était mise entre lui et moi, voici que je la regarde dans les yeux pour la première fois de ma vie — j'ai encore un nez à cette époque. Je la regarde et j'ai certaine difficulté, je me secoue intérieurement pour la suivre. Pour suivre la lettre de sa question tout en regardant ces yeux, ce visage (incarnations temporaires de la Beauté changeante du Monde). Elle reprend, s'anime, très sérieuse, pour préciser sa pensée. Moi, aussi sérieux, retranché derrière un sourire qui se veut attentif, c'est l'impensé en personne que mine de rien je regarde brûler, tout en sachant qu'à elle j'ai déjà renoncé, du moins pour moitié. Elle est la Chance incarnée et ne le sait pas. Elle tâtonne, gesticule un peu, tourne autour du concept et comme ce n'est pas de toute façon très clair, je la fais répéter encore. Nous rions tous les deux un peu nerveusement. Tout cela ne dure qu'une minute et demie, elle est déjà partie. Ce qu'elle ne sait pas, c'est qu'elle est le concept; ce qu'elle ne sait pas dire, elle l'est, elle l'exprime rien que d'être là, en vivant, bougeant, souriant, et ce qu'elle exprime sans savoir me convainc plus que le savoir. Je ne touchais pas cette beauté, je touchais une vérité, sauf que je la touchais avec le corps, c'est ce que j'aurais appelé avoir le corps enseignant. Titre du tableau: *Le Corps enseignant et la Beauté du métier.* Il n'était pas possible d'être plus près de cette jeune fille tout en restant à distance. La vérité est la Beauté, elle a quelque chose d'imprévu, de contraint, de forcé, elle est du côté de l'expérience; tout le reste est du côté des mots; le reste, ce sont des phrases:

— le corps, non le concept,

— ou plutôt, le corps prime le concept,

— ou plutôt, le corps par qui seul arrive le concept, là où tout atterrit, puisque c'est là que je suis.

Voilà pourquoi j'étais un si bon professeur, et pourquoi j'acceptais d'être disponible après la fin des cours. Et voilà pourquoi je demande d'oublier à cette terrasse qui sombre dans la nuit.

~

Et si tu avais tourné le dos jusqu'ici à cela que maintenant tu commences seulement à apercevoir? Que l'amour de la jeunesse est ta Ruse de la Raison à toi, la façon dont tu te caches l'essentiel, qui pendant ce temps ne s'accomplit pas moins souterrainement. Que sous couvert d'aimer la beauté sensible, c'est en réalité la philosophie, la beauté de la philosophie que tu aimes, c'est à elle que tu es seulement fidèle (appelons philosophie la recherche de quelque chose d'autre, toujours plus loin). As-tu déjà pensé à ça?

Lundi 7 septembre

Trois heures pile de l'après-midi. Le soleil n'a pas l'air de savoir de quel côté du jour tomber, il s'ambitionne, il ne porte pas l'âge de la saison, il plombe.

À plat ventre, à plein ventre, devrais-je dire, sur une couverture en ce lundi étouffant de la fête du Travail, la position de l'ennui. (C'est la seconde année d'affilée, C. l'an dernier était au chevet de sa grand-mère.) Un jour où tout le monde est désœuvré et nul n'est disponible. Cette année, mon répondeur parle à mes compagnons, mes ex-compagnons de tennis. À quoi peuvent-ils penser? Ils ne pensent à rien, ils jouent! et font bien. Le comble du banal, ce qui n'est pas pour me soigner. Un après-midi voyons, c'est vite passé, c'est comme cet arbre centenaire, c'est vite regardé; mais si tu cherches à observer les feuilles qui vont et viennent, si tu cherches à compter les secondes... Sur ma gauche, un match de baseball vient de s'improviser entre quelques jeunes du quartier qui braillent en anglais. Il leur manque quelques joueurs, et je ne sais ce qui me retient d'aller leur offrir de faire la vache.

Tu t'imagines seul et tu imagines les autres ensemble partout à travers le monde. Tu n'es pas responsable de cette niaiserie, mais tu es responsable d'y croire. Ce texte qui se débite entre tes oreilles n'est pas réel, il est imaginaire; tu les imagines heureux, tu te compares, résultat, tu te trouves triste et seul. Tu n'agis pas, tu réagis. Imaginer les autres heureux est en fait la conséquence d'une tristesse acceptée, cajolée, qui n'est pas si triste, un luxe que ton amour-propre se permet. Par exemple, la solitude d'un autre au café, tu l'ignores parce qu'elle te menacerait, elle serait une invitation à sortir de la tienne; c'est que la tienne fait ton affaire, tu la couves, lorsqu'on est seul vraiment on cherche un complice, souviens-toi de tes rares voyages. Ta solitude, fût-elle forcée et motivée, est une image dont tu avais besoin pour reprendre ton souffle. Prends-la, tu y as droit, si c'est un plaisir, jouis-en, ne te plains pas. Même ensemble, les autres sont seuls, et toi, même seul, tu peux te sentir ensemble. Dieu merci, les autres savent tous jouer un rôle dans la vie, être des autres, et ils le jouent bien, tu peux compter sur eux. Les autres, c'est même leur définition, sont ceux qui disent: «deviens un autre et tu vas devenir comme nous.»

Après de nombreux palabres, le match de baseball n'en est toujours qu'à son premier frappeur, un petit gros fort en gueule, surtout qu'on vient de lui compter une deuxième prise qu'il a regardée passer. L'estomac encore englué, j'imagine Spinoza et Platon enfants s'essayant au baseball avec saint Augustin qui triche, s'engueule et refuse d'être retiré. Mais voici un autre lancer, le petit gros s'élance sur une balle en plein centre du marbre, qui d'un «poc» mat et sec s'envole, voyage, voyage par-dessus la tête de la seule vache au champ, et lui qui roule et roule sur les sentiers, vas-y! vas-y! en tournant les coins rond. Les hourras montent dans la poussière qui retombe au ralenti sur le fond du champ vert. J'entends dans l'air détendu un solo de trompette tout à fait américain, qui hérisse le poil des poignets, je revois dans le stade en ovation le plus fameux frappeur du baseball, on l'appelait Babe, qui trottine dans la gloire autour des buts après le circuit, la tête sur la bedaine, à petits pas...

Mercredi 9 septembre

Réveillé à 2 h 45 du matin.

Chez le dentiste, ou en avion, le moindrement tendu ou angoissé, je lis avec sérieux des revues qu'autrement je ne lirais pas. Déprimé, je prête une oreille à une interview qu'en temps normal je trouverais non seulement humaine, mais trop humaine. Réveillé à l'instant par une crise cardiaque qui est une simple tachycardie, conséquence sans doute d'un jogging un peu forcé et d'un dessert *idem*, j'allume et trouve la paix dans *Les sept boules de cristal*. Est-ce qu'à quarante-huit ans j'aurai vraiment dix années de plus? Non, je suis condamné à la fluctuation, l'humain fondamental. Douleur me change. Ce n'est pas une devise, c'est un constat; la devise devrait ajouter *mais pas assez*.

11 h

Paradoxe qui descend sur le carré Saint-Louis. Quelque chose a craqué dans la saison, est devenu bruyant. Quelque chose s'est mis à sécher dans le bois malgré l'humidité. Une vapeur de rien le matin, absolument délicieuse, et qui revient le soir, intimiste et précaire. L'humidité caraïbe de juillet est un émollient, un sauna étouffant. Celle d'aujourd'hui est tassée, les jaunes paraissent plus jaunes, on dirait que l'air n'est plus une condition abstraite mais une chose, avec une texture, une odeur, une couleur, une fraîcheur; l'air s'est raidi pour se faire tableau.

Vendredi 11

À L'Express. Je philosophe sur les miroirs, leur froideur de glace si bien nommée, lorsque dans sa robe rouge elle est venue s'asseoir à côté de moi. Un remue-ménage d'abord dans mon estomac, puis dans son sac. Ses boucles d'oreille me donnent immédiatement le goût de l'amour, de la manger. Elle regarde autour, son collier et ses yeux roux brillent sur la plus haute note, et voilà qu'elle est reçue par le miroir. Ô le transfert de poids! Une seconde avant, elle était encore vivante, d'une vie capricieuse et fausse qui refuse toute vérité parce qu'elle est plus-que-vraie, qui se jette au-dehors perpétuellement. Elle était feu follet, tourbillon, courant d'air, la voici hélas! marmoréenne, funéraire, sphynx auguste regardant l'éternité en face, la voici monument, et son parfum de brume légère pèse aussi lourd que les pyramides. Je n'ai plus faim.

Il se demande si elle sait qu'il cache sous ses bandelettes un presque-nez d'un rose si explosif qu'il ferait se vider la place, d'un rose aussi insupportable qu'une chair d'enfant naissant écorchée. Il se sent aussi sauvage et dépossédé qu'un enfant naissant. Consterné devant un monde dévoyé, un monde de voyeurs. Il se sent labouré, écorché. Peut me faire mal qui que ce soit à qui je ne peux faire mal. C'est-à-dire presque tout le monde, il suffit d'avoir une face.

Lundi 14 septembre

Au Lux, feuilletant des périodiques. Entrer au Lux était difficile dans le temps, on arrive par un des deux côtés, le droit de préférence, le Roi Soleil et sa cour sont au milieu avec leur cent paires d'yeux qui vous attendent. J'y vais un soir innocent de début de semaine, en espérant que mon accoutrement soit passé de mode après dix secondes. J'en suis pour mes frais, à peine me guette une poignée de clients. Juché sur une des passerelles, la protubérance libre, je peux jeter des regards désabusés et... goûter au Lux d'être visible.

Mais bizarrement, après cinq minutes arrivent deux ou trois groupes et la salle se remplit. Sur la couverture de la revue *Psychologie*, des visages de jeunes femmes séduisantes. Diable! quel rapport? Je dois déjà me tasser, à côté un couple discute de philo. J'aurais pu leur parler dans le temps, glisser mon mot; je me pousse plus loin. Cette fois, ce sont des jeunes gens, genre Collège Français ou bien Stanislas, beaux et crispés, qui rient fort. Je pense: superficiels. Eux aussi, dans le temps, auraient fait mes délices. Décidément, ce n'est pas ma soirée. Tu es venu ici pour t'évader, et tu t'évades toujours avec les autres, quel est le problème? Ne plus avoir de face est comme UN COUP D'ÉPERON DANS LES OUÏES — voilà le problème. La mauvaise humeur asséchante, comme au tennis quand on perd alors qu'on devrait gagner, le même coup de varlope mais au cube: ce soir, je *devrais* avoir droit à ma tête. Ce soir, je me sens solidaire de tous ceux qui vivent dans l'indignation. *Du furieux comme état d'esprit.*

Jeudi 17 septembre

19 h 30. Les soirs, de plus en plus tôt, tombent un à un, rue Saint-Denis ou ailleurs, à cette terrasse comme à une autre, dont j'oublie le nom. Dans le reflet de la vitrine d'à côté, une jeune femme brune très élégante en brun clair et noir, les cheveux tirés, frappante comme aurait dit mon père, se regarde tout en faisant semblant de regarder les bibelots. Se donnant à regarder, je la regarde. J'ai déjà joué ce jeu; comme elle, je n'étais jamais satisfait de ce que je voyais, de ce que j'étais à l'extérieur, en dette perpétuelle avec l'intérieur. Je pourrais la rassurer, elle est vraiment splendide. Moi qui faisais semblant de me demander ce que je fais ce soir, je la regarderais bien pour deux, toute la soirée et toute la nuit.

Dimanche 20 septembre

Il faisait trop calme, même pour un dimanche matin, j'ai finalement compris et suis descendu les voir courir au coin de Saint-Urbain, puis de Saint-Denis. D'un endroit à l'autre, je peux revoir certains d'entre eux. Ils courent depuis une trentaine de kilomètres déjà et ça paraît. J'avais remarqué que la fatigue de la course ramollissait mes attitudes et tout mon schéma corporel. C'est là évident sous nos yeux. Leurs corps dans la force de l'âge glissent et trottinent comme des vieillards, les traits tirés, affaissés, tous les contours des muscles rendus plus fluides par la sueur, les pertes de calories et d'eau, on dirait des boxeurs qui commencent le combat baraqués et finissent avec des corps de Descente de croix. Je me sentais, avant même de commencer à courir, féminisé par ma blessure, mon maintien, mon port de tête étaient moins hauts, moins fiers. L'usure de la course fait le même effet en raccourci. À ce stade, une figure impassible serait déjà surhumaine pour un amateur de haut calibre, même pour un champion. En fait ne sont-ils pas en train de s'exercer à mourir? *L'expérience*, c'est sans doute ce que m'a fourni l'accident. Courir, n'était-ce pas renouer avec une expérience de la fatigue, de la douleur, de l'accident rencontré de force? Une épreuve. Tous ces coureurs ne sont-ils pas en train de me montrer qu'en fait de souffrance chacun veut avoir son dû, chacun son trophée? — J'en suis, pensais-je en les regardant, à la moitié du marathon, la moitié de leur fatigue. Et, à cet instant, l'autre moitié s'est mise à exister vraiment comme quelque chose de désirable.

Mardi 22 septembre

Un vent de feuilles mortes sinistre, temps frais et même froid de fin d'automne avancée, il est neuf heures du soir mais la nuit est celle de trois heures du matin.

Il traverse le square du Mile End et son décor baroque. Avant, croisant tard le soir des promeneurs attardés dans des rues désertes, si imperceptible, si ténu que fût ce jeu, il se mesurait en imagination aux autres hommes: «si on m'attaquait, serais-je plus fort? je frapperais en premier ou je me mettrais à courir?» etc. La rue un instant se transformait en décor de thriller, scène de maquis ou d'assassinat dont il était l'acteur principal, poursuivant ou poursuivi, tantôt frappant, tantôt frappé. Est-ce la condition masculine misérable que cinéma et télé nous fabriquent, est-ce une particularité de tempérament, une tranche à vif de ma folie, est-ce normal docteur? — Même chose quand je croisais un homme accompagné d'une jolie femme, mais cet homme était petit. Élégant, il avait une Mercedes, un compte en banque, une piscine peut-être, rien à faire, il était plus petit qu'elle, il le savait, je le savais, et ça se voyait dans sa face. D'où ma joie de lire un jour que le président Lincoln, dont on a tant loué le réalisme et le courage politiques, était fier de ses six pieds quatre pouces au point de jouer à se mesurer avec les hommes de haute taille. Cette candeur profonde me plaisait, enfin un qui avouait. Elle me paraissait fidèle à son génie, à son réalisme.

En continuant à marcher, je me dis: «Oh non!» Je ne suis plus terrain attaquable. J'ignore la peur comme le colérique ignore le danger, je suis rempli d'adrénaline jusqu'aux oreilles. Plus d'image, donc pas de fragilité. Rien qu'à l'idée qu'on attaque le restant que je suis, j'ai les membres qui se raidissent, on verrait alors quelque chose de laid, sans aucun rapport avec un comportement humain prévisible, on m'a déjà assez attaqué comme c'est là. Et puis cinq minutes après, je me dis qu'un soir je me sens féminisé par ma blessure, un autre je me sens criminel, comme quoi cette histoire prend parfois des airs de bouffonnerie.

Mercredi 23 septembre

Vers 10 h 45, à la hauteur du bain Schubert, j'aperçois un type, avec une forte impression de déjà vu. C'était un matin de l'automne passé, je fonçais vers le collège, de bonne humeur si je me souviens bien, il faisait beau, j'avais mis probablement ma veste préférée. Devant moi, un homme qui flottait dans ses vêtements venait de s'arrêter, à gauche, actionnant d'un coup sec le clapet d'un téléphone public, plus loin à droite, fouillant dans une poubelle. Je sonde ma poche et, l'ayant dépassé, laisse tomber trois ou quatre trente sous — sans me retourner. Voilà pour le fait. Sauf que j'en eus après coup une réaction d'une émotion surprenante. Je marchais, léger, pas peu fier. La satisfaction de conscience qui colle à la peau du chrétien? En partie seulement, je ne donne que sur demande, et moins souvent que plus. Sans doute, j'avais accompli un geste que «les autres en moi» pouvaient applaudir, mais on peut donner en secret sans frisson. L'essentiel devait être ailleurs. Et c'est là je crois, caché tout en se montrant, que résidait le ressort intime de mon émotion: ce geste était à lui seul, paradoxalement, un *spectacle*. Un spectacle secret sans doute, dont j'ignore la fin d'ailleurs: que surtout personne ne me voie pour ne pas rompre la chance, lui seul devait voir les pièces et je ne devais pas me retourner non plus (c'était le prix de la chance). Bref, une caméra imaginaire m'accompagnait. Dès que l'idée m'est venue, je l'ai senti, c'était un geste à filmer, en soi, de façon aussi neutre que possible; il ne s'agissait surtout pas d'en altérer la perfection, c'était non seulement du filmable mais du filmique. Et le film sans doute avait commencé longtemps, bien longtemps avant, car j'aime à dire: *dès que l'idée m'est venue, j'ai senti...*, mais peut-être était-ce en réalité: *dès que j'ai senti le spectacle, l'idée...* (je crois en fait que non, mais qu'est-ce que cela veut dire?). Il y avait autre chose encore, cet homme m'avait touché comme s'il restituait son sens aux antiques valeurs, il avait honte du honteux, il n'en faisait ni une bravade ni un jeu à la mode, ni une glorification, il n'osait quémander, il *cherchait.* De telle sorte que lui donner ouvertement était déplacé, perdre de l'argent devant ses pas devenait la seule obole convenable. — Je revivais l'épisode en quelques enjambées lorsqu'une vitrine placée dans un curieux angle me montre un individu qui marche et se tient le cou un peu cassé, déjeté par en arrière. Une fois la vitrine dépassée, je l'identifie: c'est moi qui marche dans cette vitrine! Voilà l'étranger que le clochard aurait pu reconnaître, quelqu'un que je ne reconnais pas moi-même.

23 h 30

Qu'est-ce que cette simagrée de conscience qui nous habite, nous obsède, qui est prête à tout pour un petit rôle dans le grand film que tourne Dieu depuis la nuit des temps, Dieu alias Metro-«GOD»wyn-Mayer: un jour je serai au Ciel et on projettera pour une Humanité enfin réconciliée au grand complet, parmi les milliards d'existences dont le spectacle se déroulera bout à bout, chacune à son heure et pour la durée totale d'une bonne Éternité, on projettera à point nommé le film entier de ma vie, entrée libre. J'y verrai, tout le monde y verra, vous y verrez mesdames et messieurs l'existence d'un homme au cou droit puis penché, au nez intact puis arraché puis réparé, marchant fier puis voûté, puis redressé par les Autres, généreux devant la caméra et dans le malheur, pingre dans le bonheur, ouvert et fermé, sombre et joyeux en proportions variables, tantôt grave, tantôt léger, que je retrouverai comme un frère jumeau, non sans que l'animal se cabre encore et encore, pour finir par vieillir et me ressembler sans être jamais moi, sans que je sois jamais satisfait d'être lui, incapable d'être tout court — bref, un être humain. Et c'est ce qu'on appellera le Paradis, parce que ça ne durera que soixante-quinze ans. La même expérience sera disponible au ralenti, avec voix off, sous-titres et explications, et c'est ce qu'on appellera l'Enfer.

Vendredi 25 septembre

Antichambre du chirurgien. Une femme autour de la cinquantaine, encore belle, mais le visage tellement fermé, je me dis: elle irait jusqu'à provoquer un accident pour réparer l'accident de l'âge, pour placer le chirurgien devant le fait accompli et lui forcer la main. Quelques instants passent, le temps pour le boomerang de revenir: et toi, ne pourrais-tu faire comme elle? dire «je veux que cela soit arrivé».

Dans le magazine que je feuillette, toutes fraîches et glacées, les photos du dernier marathon de Montréal (j'ai mis les bouchées doubles avant l'hospitalisation pour emmagasiner la forme, économie absurde que je crains de confesser à Voyer). Certaines photos m'accrochent, je revois le fil d'arrivée au parc Lafontaine. Les derniers mètres. Ils seraient placés plus loin, ce serait la même chose, c'est purement psychologique, oui mais ce sont les derniers mètres! Ne subsiste qu'un ruban tremblant et effiloché de ces champions du quotidien, plus mince et plus pâle que le ruban rose du fil d'arrivée. Sauf que la foule crie, des amis, des épouses, des enfants (la vie souvent rangée du marathonien, ou on vit ou on court), bref, des familles. C'était l'Agonie, *subito* c'est la Résurrection, le coureur perclus lève la main sans cesser de regarder devant lui, oh à peine un coup d'œil, on le regarde, c'est la Transfiguration, les pleurs de Marie-Madeleine ne seraient pas plus doux, il se redresse, sourit, la couleur lui monte aux joues, et les affres du chemin de croix ont disparu. Porté par cette foule de croyants, il ressuscite d'amour-propre. On peut toujours plus sur cet élan, la mort elle-même ne nous arrêterait pas.

Lorsque je jouais au tennis, le moindre petit vieux qui s'arrêtait rehaussait le niveau de mon jeu. Même le regard des badauds qui n'avaient jamais joué. Un regard impressionnable est plus efficace qu'un regard qu'on ne peut impressionner. Il ne s'agit pas ici de connaissance ou de vérité, mais de merveilleux. Être la merveille de celui qui ne connaît rien, peu importe, nous n'allons pas cracher là-dessus. Nous ne voulons rien savoir de ce quoi, ce qui, ce que nous sommes *au juste.* Nous voulons le regard qui prolonge le rêve, que vos yeux me soient une rampe de lancement. Narcisse depuis longtemps est au bord de la rivière, et pourtant elle ne connaît rien.

Ces héros en photos couleur ont traversé le «mur», ils ne croiraient jamais qu'ils n'ont couru que le temps d'un mauvais film, d'un brunch avec des amis, d'un cours de philo. Ne reviennent-ils pas d'un long voyage, qu'ils ont mis un an ou plus à préparer. Ils peuvent maintenant, heureux, aller «vivre entre leurs parents le reste de leur âge»; et de fait, nombreux ceux qui ne reviendront pas. Héros pour la première et dernière fois de leur vie, sitôt entrés dans la légende familiale, ils rentreront chez eux, à jamais anonymes. Ils ont connu l'*expérience.* Je vois, je lis des sentiments divers sur leurs visages, mais jamais le seul qui s'impose il me semble: savent-ils toute leur Chance?

~

Opération dans la semaine du 7 au 11 octobre, c'est confirmé, probablement le 8. Le docteur me rappelle une fois de plus que le pansement sera bientôt chose du passé. Son ton de voix, d'une gentillesse voulue, menace plus qu'il ne délivre. — La buanderie contre le stress. L'angoisse et les mots qu'on se dit dans un cabinet de chirurgien. Des mots-vapeur, humides, qui prennent pour nous calmer la forme qu'on désire. Puis quand on sort, ça s'évapore peu à peu au soleil.

Une chance que la saison des pommes McIntosh et des petits raisins d'Ontario est arrivée, les deux saveurs surettes de la Création.

Samedi 26 septembre

Minuit. Rue Saint-Laurent, vis-à-vis de chez Bagel etc., ils descendent la Main, je les suis tout en rentrant par cette belle soirée tiède et brumeuse. Ils sont si mal assortis que, s'ils n'étaient sur mon chemin, je ferais le détour pour les suivre. Elle, au bord du trottoir, très quelconque, franchement moche à vrai dire, allures garçonnes, petite, démarche disgracieuse. Lui, vraiment impeccable dans le genre, grand, épaules larges et carrées, sourire étonnant, même de trois quarts arrière, cheveux bouclés, traits réguliers, athlétique, six pieds, dans un imperméable crème un peu négligé. Bizarre, bizarre. Ils parlent anglais, et c'est lui qui est animé, elle en retrait. Il y a là quelque chose «qui ne se peut pas». On arrive au pied de l'immeuble chez moi, vais-je continuer, chercher à en savoir plus long? Mais non, au dernier moment ils vont entrer au petit bar de jazz à côté. Une seconde, il m'offre son autre profil: il a quelque chose d'anormal, une taie sur l'œil droit. La réalité se peut à nouveau, tout redevient probable et rentre dans l'ordre.

Un instant, écrivant cela, je m'imagine conférencier devant un parterre à la mode. Tollé, indignation. Comment, voulez-vous dire qu'il est impossible que?...

— Oui, ce que j'avais vu était impossible, ou si improbable qu'un de ces statisticiens comme ceux qui dirigent nos vies n'en tiendrait nul compte. Le fait est que j'en fus frappé, que j'en eus le réflexe du bizarre. Est-ce ce couple, est-ce moi, est-ce le système et son réflexe? — ce n'était pas là le couple d'amis ordinaire. C'était différent, c'était un couple insolite, c'est le sens que je recevais de cette société, mais il est vrai que je suis malade, et cette société aussi. Bref, je ne pouvais échapper à cette lecture. Comment désapprendre cette réaction culturelle devenue fait, devenue réflexe? La culture nous fait cacher le premier réflexe dit naturel, elle est une parade que les enfants ont à apprendre, on ne leur reproche pas d'avoir tel réflexe, mais seulement d'ignorer que la culture le refuse. Sauf qu'ici, je réagissais justement avec ma culture. Il m'aurait fallu mentir pour réagir autrement, ne plus sentir comme elle ce qu'on m'a appris. Ce que cela signifie, c'est que nous avons besoin d'inventer une culture contre notre culture, une culture qui ferait voir et sentir autrement ce que, par culture, nous avons appris à voir et sentir. Mais que l'on ne vienne pas me dire que les faits ne sont pas les faits, je souffre du nez pour cette raison madame, du fait du manque de nez des autres — si le monde était autrement, je le saurais!

Lundi 28 septembre

J'ai rêvé: *Constance est à Paris et découvre en librairie ma thèse qui vient de paraître intitulée... Elle se promène dans la grande capitale, sur les quais, au Vert Galant, au Luxembourg, émue, s'arrêtant ici et là pour lire quelques passages et lever des yeux qui franchissent les mers et m'imaginent à leur tour. Je souris d'aise à ce merveilleux va-et-vient. Mais ses yeux quittent la page de plus en plus souvent et regardent les trottoirs ensoleillés, les vitrines, les boulevards, les terrasses. Rien ne vaut ce vêtement qu'est le soleil semblent-ils dire, eux qui aiment tant regarder, rien ne vaut cette foule, ces fleurs, cette odeur de café pour son nez qui aime tant sentir, rien ne vaut cette lumière sur l'étang, le regard brun de cet homme élégant, aux tempes grises et qui s'arrête, s'approche d'elle, souriant, rien ne vaut cela qui continue, la vie. Elle reprend sa promenade. Je ne suis pas triste, je ressens moins l'effet que la distance de cette reprise de vie, en écho comme si j'étais au fond de la mer, je supporte pour la première fois ce qu'avant je craignais le plus au monde, que le désir de C. désire ailleurs. Ma thèse est un énorme succès, j'aurai assez d'argent pour me faire opérer à Rochester, un nouveau traitement miracle...*

21 h

J'ai parfois à me souvenir des allusions qu'avaient faites la première fois le bon docteur. Croisant depuis des mois des femmes dans la rue, j'en reçois le même regard un peu biais qu'à mes quinze ans, j'avais le visage bourgeonnant d'acnée et portais un petit chapeau bas sur les yeux. Avaient-elles de la pitié ou de l'imagination? Aujourd'hui, le même regard de côté revient, elles ne savent toujours pas ce qu'il y a là-dessous.

Ensuite, pendant un intervalle de vingt ans, une espèce d'âge d'or, j'aurai cru savoir le sens de leur regard. Teinté d'un léger étonnement, j'aimais ce coup d'œil, c'était de l'intérêt quoi d'autre? je me sentais fort. Dorénavant, dans le même étonnement, je ne lis qu'une chose, que je ne suis pas dangereux. Qu'est-ce qui est préférable, avoir l'air dangereux ou avoir l'air inoffensif?

Tout ce que je sais, c'est qu'un peu de tissu de ma cuisse interne, la gauche est plus indiquée paraît-il, va devenir un peu de ma face, et qu'ils ne pourront tout régler d'un seul coup. Que ne sont-ils meilleurs sculpteurs, il manque à peine deux ou trois bandelettes de chair et quelques heures de travail.

Mardi 29

À L'Express, un type entre, élégant, l'air un peu désagréable et revenu de tout, cela dû à ceci, avec au bout du bras une serviette fauve superbe qui capte l'œil, cuir pleine peau, «pleine fleur» dirait-on à Paris, un cuir oui qui donne la chair de poule et que je lui envie immédiatement. S'étant alors approché d'un crochet pour y suspendre son imper, c'est le moment qu'il choisit pour laisser tomber, sans se pencher, comme un sac d'ordures, l'objet magnifique. On croirait voir jouer un acteur avec un objet qu'il n'a pas payé. Cet homme laisse-t-il ainsi tout tomber? rejoue-t-il un épisode de sa vie? il n'y a qu'un chagrin qu'on aimerait larguer de pareille façon. Il est vrai qu'à la longue c'est l'être aimé lui-même qu'il faudrait baptiser chagrin d'amour, et traiter de la sorte.

À l'époque du temps des Fêtes, je m'étais promis d'appareiller chaussures et serviette de cuir. Après quinze ans de métier, pourquoi ne pas érotiser mes modestes instruments de travail? Ni Mercedes ni téléphone cellulaire, ni voyages, seulement deux serviettes plutôt qu'une. Avec deux serviettes italiennes harmonisées, je saturais le désir, le fétichisme après tout me tenaillait parce que je me retenais. Le hasard m'a arrêté en plein élan. Mon désir dorénavant, un nez en vraie peau, italien ou non.

Cela me fait penser à l'histoire de Raymond F. que je voyais à une certaine époque. Jouer au dandy était pour lui un style de vie, il se privait littéralement de manger. Il portait ce jour-là une veste italienne de couturier en prince de Galles gris clair, lorsqu'un enfant juif s'est fait renverser sous ses yeux à Outremont. Le garçonnet, qu'il avait d'abord pris pour une fillette avec ses bouclettes, n'avait qu'une entaille au poignet et au genou, mais il saignait et tremblait déjà sur l'asphalte. Raymond avait hésité, regardé autour comme s'il cherchait quelque chose, puis s'était résigné, recouvrant le petit corps gémissant et frissonnant de sa veste sans prix, tout en frottant le genou blanc replié qui pointait vers lui. Il racontait souvent l'histoire avec force détails, comme un célibataire à qui prendre soin est un plaisir refusé. Mais sa veste avait été tachée, une petite tache de sang très nette en forme de coquelicot sur le revers, une fleur de civisme à la boutonnière. Si paniqué qu'il fût sur le coup, il refusa de la faire nettoyer. Son narcissisme avait changé de place.

La serviette est restée là, dans la poussière de l'entrée, et je songeais: ce geste, laisser tomber une serviette de cinq cents dollars... mais si c'est un enfant qui vient de se faire écraser et on vole à son secours, si c'est une femme que l'on n'a pas vue depuis des mois et qui descend du train en nous ouvrant les bras et sa bouche, si c'est la mort soudaine de quelqu'un: «Quoi!» — ce geste pouvait être très beau. Ici, il n'était que blasé, il n'y avait rien d'autre au-dessus. Plutôt l'abus de fétichisme que le fétichisme désabusé.

Mercredi 30 septembre

Où est le changement? Je ne suis plus le même, mais étais-je si satisfait avant? Je voulais être autre, être plus, pourquoi faire semblant de croire le contraire aujourd'hui? On me redonnerait ma gueule comme à un vieux sa jouvence que n'en recommenceraient pas moins les conneries, la perpétuelle insatisfaction, le quémandage du miroir. Comme le joueur de tennis vieillissant, il croit être en route vers son meilleur tennis, il battrait n'importe quand le joueur qu'il était il y a dix ans. Il y a quelque chose d'irréductible dans la conscience. Avoir de quoi rêver, c'est tout ce qu'on demande à la vie, donnez-moi de l'aliénation, que je me prenne pour un autre. Des illusions, dit-on, on en vit on en meurt; peut-être, mais sans illusions, on meurt tout court. Moraliser sur le désespoir, philosopher, relativiser, tout cela est dérisoirement à côté, comme moi. Le désir qui intéresse tout le monde est le désir qui m'intéresse, ce que je crois c'est croire, ce que je veux c'est vouloir, ce n'est pas compliqué. Ou en serais-je si je doutais du désir de mon image? Le paralogisme par excellence:

1. Être déformé est la hantise suprême;
2. L'angoisse d'être déformé est insensée pour un être jamais content de sa forme;
3. Être déformé n'en demeure pas moins LA hantise, une espèce de mort.

Un coin de gueule m'a fait retomber dans la *kenodoxia*, l'opinion vide fustigée par Épicure, que j'enseignais à mes élèves, pour la dépasser dès le premier cours évidemment. Je n'arrive pas cet après-midi à croire les philosophes. Et il me semble que cet énoncé est hautement philosophique.

Jeudi 1er octobre

Tu n'es pas mort, n'exagère pas, tu es une parabole: *il était une fois un gars comme mort...* Jadis, tu aurais pu rentrer des campagnes d'Italie apparemment chanceux, quelque chose de moins voyant arraché par un éclat d'obus. Tu aurais sexuellement 83 et non 38 ans: «Pardon madame, c'est combien déjà mon pourcentage d'indemnité?» Mais non, tu n'as que l'image de blessée, et l'orgueil, un éclopé moyen quelque part entre le castré et le grabataire. Ce jeune vétéran, il lui serait resté les honneurs du 11 novembre et la pension; à la place, il te reste le réel de la queue humaine, sans pouvoir t'en servir plus que lui.

Si le désir est l'essence de l'homme, Spinoza me pardonne, je suis un moteur qui tourne à vide. Un moribond absurde qui lutte pour être enterré dans le coin du cimetière qu'on lui refuse parce qu'il tient aux couchers de soleil dans un grand parc, après sa mort. Un type privé de ce rien qui est la suprême douceur, celle d'être regardé *encore un peu plus longtemps.*

Vendredi 2 octobre

Fin de soleil sur la piétonnière rue Prince-Arthur, l'occasion ultime pour sortir les tables. Un bleu brillant s'étale en réserve au-dessus des toits, lesquels semblent découpés sur le fond du ciel comme un collage d'enfant quand les figures sont trop découpées, les bords trop aigus. Cette peau bleue d'automne d'une couleur irréelle, des kilomètres carrés d'une pellicule Kodak qui semble sur le point de se déchirer. Un ciel de peinture italienne, comme la sensualité d'une Italienne à laquelle se vouer excessivement, pour laquelle gaspiller sa santé. Les gens sont sortis, ils pensent aussi: une dernière fois.

Alors une fille traverse le mail à pas pressés. Un joli pressement. Je me dis qu'il faut regarder cette autre beauté tout à fait italienne elle aussi, enveloppée noire dans un chandail angora discret mais ceintré, un chandail étonnant. Rare, plein, vulnérable comme le jour. Mais eux, les assis, le voient-ils? Je gagerais que non. S'ils voient tout et ne manquent rien, ils me voient moi-même et ils m'écœurent. S'ils ne voient rien, ils sont indulgents avec ma blessure, oui, mais ils ne jouissent pas et sont bêtes. Insolents ou bêtes, je veux partager, je ne peux partager avec eux. — Le jour en attendant se consume; regarde bien, regarde plus encore.

Je change de place et me pousse au carré Saint-Louis sur un banc. L'instant royal qui continue. Dans la brise qui se lève en faisant des caresses, mélange de fantasmes, d'absences-présences, surtout pas de vraies pensées! Comme une girouette, je prends une de ces fadaises au hasard: les instants de la vie, on les anticipe et puis on les vit. A-t-on jamais calculé ce rapport, l'étendue de rêve d'un bord, l'intensité des jouissances de l'autre? Si c'était proportions égales: j'anticipe autant que je jouirai, je jouis autant que j'ai rêvé, l'intensité moindre multipliée par un temps long égale l'intensité forte multipliée par un temps court; hein? — Mais la vraie question se cache en dessous du banc. Suis-je capable de soutenir l'instant-roi, d'échapper à cette machine qui fait du bruit à l'intérieur, suis-je capable de contempler et de fermer ma gueule?

Lundi 5 octobre

J'entre à Notre-Dame demain. De plus en plus anxieux. Un nez, ça ne s'oublie pas facilement. *Evidentia*, ce qui se voit de loin, comme on dit à nos élèves en enseignant Descartes. Un nez c'est tellement plus qu'un nez. Comme je trouve beaux maintenant les gens qui ont un nez fort, un nez long et même trop long. Le nez au milieu de la figure humaine ne tient dans le monde, dans le champ de vision d'une autre personne qu'une place ridicule, mais dans l'espace imaginaire de qui n'en a plus, il est le vaisseau sidéral le plus incontestablement magnifique, l'astre le plus éblouissant de toutes les sphères intergalactiques! Et c'est trop peu dire, c'est bien court jeune homme! Et puis savoir que ce n'est que la première opération d'une série, se faire charcuter pour un résultat transitoire, incertain.

Jeudi 8 octobre

23 h. Du bout du doigt dans la pénombre, pour le témoignage sur le vif. Comme un tampon alternativement chaud et froid dans le milieu de la figure, parfois rien. Et la main de mon frère dans la mienne quelques secondes, lui qui disparaît des mois et reparaît par hasard en bas de l'immeuble à l'instant où je prenais le taxi pour venir ici. Nous ne nous sommes jamais touchés que pour nous tirailler. Il est arrivé puis reparti, mais chaleur durable au fond de ma paume.

Lundi 12 octobre

Le docteur Voyer en visite et l'infirmière. Visiblement content: «C'est aussi bien qu'on pouvait espérer, regardez!» Je ne m'attendais pas à cette attaque sauvage, le miroir de l'une caché derrière l'autre. Une gomme étendue, étirée avec cœur par un garnement sur une porcelaine ébréchée. Plus rose que chair; un pansement à la cuisse atteste que j'ai là une aile de nez en moins. Le petit beignet esquisse une lointaine préparation de narine tant bien que mal, plutôt mal, une boursouflure autour d'un cratère. Je n'ai jamais autant ressemblé au Platon du Staatlische Museum.

«Vous vous habituerez, vous verrez», dit-il avec une moue en clin d'œil. Vous verrez verrat oui! J'ai vu faire la même au boxeur qui n'a aucune chance. Il me quitte après m'avoir soigneusement palpé, l'air inspiré comme s'il préparait un tour de magie noire. C'est là qu'il se retourne, la main sur la porte, je me le donne en mille: «Il y a des boxeurs, vous savez, qui sont plus amochés après quinze rounds.» J'ai éclaté d'un rire fort, trop fort je l'ai bien senti, devant l'infirmière stupéfaite. Vous savez, vous verrez, mon nez!

Elle vient ensuite me reluquer sous la chose, si je puis dire, d'autorité; en aucun temps, il ne peut être supposé que je n'apprécie pas. J'ai beau essayer quelques raclements de gorge, pour toute réponse elle vient planter ses yeux dans les miens, ses yeux verts et fendus en coulisses dans mes yeux au beurre noir, et me dit: «Vous savez, c'est comme bien d'autres choses dans la vie, faudra apprendre à regarder ce qu'il y a autour!» Décidément, je dois en savoir des choses aujourd'hui.

Mardi 13 octobre

Feuilletant ce journal, il voit une difficulté. Ce qu'il vit n'est là qu'en partie. Ce qu'il consigne, c'est le noir de sa vie sur le blanc de sa disponibilité, vidangeant et avançant. Ce qu'il n'écrit pas par contre, le trop léger, l'insignifiant, ce qui n'en vaut pas la peine, n'est-ce pas la disponibilité elle-même?

Pour bien faire, il faudrait étirer le cou et regarder de biais entre les deux. Sa vie écrite est gris foncé, sa vie vécue est plus claire. Écrire est un *négatif*. Écrire de telle sorte que la vie se développe bien, de biais.

~

Ne faudrait-il pas dire de tout: quoi que tu imagines, ce sera différent de ce que tu imagines.

Mercredi 14 octobre

Dans le taxi qui nous ramène, mon pansement et moi. Le chauffeur, la soixantaine joviale: «Une fracture du nez, je suppose? — Oui, c'est ça, mais si vous voyiez l'autre!» et il se met à rire chaleureusement, jugeant sans doute qu'aux malades les chauffeurs de taxi doivent quelque sollicitude. Il me raconte avec une touche de fierté qu'il a fait de la boxe dans sa jeunesse. «Certains boxeurs, dit-il, se font casser le nez si souvent qu'ils arrêtent de compter.» Je souris et songe avec lassitude aux petites différences infiniment différentes de la vie, comme quoi on peut recevoir sur le nez quantité de coups sans écoper autre chose qu'un attrait sexuel de plus, genre Belmondo, alors qu'une seule ébréchure peut vous tuer, sur le coup, ou plus tard.

Par la vitre fait signe un temps magnifique, une vraie journée d'été, mieux encore, une journée d'été indien, il doit faire dans les vingt degrés. Lumière mousseuse dorée, qui semble couler d'une bouteille de champagne. Je me souviens de ma précédente sortie comme d'hier, je souriais aussi. Chaque sortie d'hôpital doit avoir son sourire et son espoir, ne serait-ce que celui d'aller mourir à la maison. Pendant que je médite, le chauffeur a ouvert la radio et ses publicités; la sollicitude a ses limites.

La porte poussée du pied, je mets l'autre sur une enveloppe *air mail* que je ramasse avant d'avoir lu l'écriture, le cœur battant. Qu'espères-tu encore, convalescent imbécile, ce ne peut être qu'une surprise de sortie d'hôpital, un autre thème classique. — Elle demande de mes nouvelles. Son stage va bien, elle est entourée de gens ayant «tous des personnalités très fortes». Qu'est-ce que cela veut dire? Un être de lune et de marée, qui monte et descend, un être de fuite, qui part pour partir, revient pour revenir, c'est donc cela Constance, c'est cette fluctuation que j'ai aimée? Comme si elle m'entendait penser, elle dit qu'elle a l'intention «de continuer à bouger sur la terre» (est-ce que je bouge sur la terre?), de profiter du moment où elle se trouve sur place, «avec Élisabeth peut-être», dont elle «se sent la plus proche». Pour le temps que ça dure.

J'ai beau lire en différé, je sens l'hésitation, qui se transforme en imperceptible tension ligne après ligne. Effectivement, juste avant la fin: *Dans les circonstances, je ne savais pas quoi faire ni comment être avec toi. Je sais que pour toi ç'a dû être* épouvantablement *difficile, mais c'était très difficile pour moi aussi. J'étais partie pour une recherche plus calme, l'année a été très mouvementée. Je voulais te dire, à Montréal je n'étais pas seule...* En fou, le sang à la tête, une serviette dans le cou, j'ai foncé vers l'ascenseur, sans l'attendre j'ai dévalé l'escalier quatre à quatre, traversé le vestibule comme s'il y avait le feu, comme un drogué qui sort de chez le coiffeur poursuivi par des ciseaux géants. La serviette me pendouillait dans le collet, précaution de malade mental qui craint le rhume alors que le médecin lui interdit tout exercice pour huit jours. Les ciseaux peu à peu se sont éloignés. Elle n'était pas seule à Montréal, elle n'était pas seule. J'ai fini par modérer, en sueurs froides, ne cessant de me répéter l'admirable formule. C'est bien ce qu'on appelle un euphémisme.

J'ai descendu la terrasse du parc soudain ennuagée, déserte et triste comme une lande boueuse d'où l'on ne peut s'échapper, ne cessant de marmonner, «n'être pas seul, n'être pas seul».

Vendredi 16 octobre

Elle m'attendait assise par terre dans le couloir de l'immeuble. La voyant, immédiatement je porte la main à ma figure comme si j'allais éternuer. Je tourne les talons, mais je ne pouvais aller bien loin. Elle a bondi et couru jusqu'à moi en criant «Pierre Lebel!» sur le ton d'une mère excédée, «viens ici!» Elle me tenait déjà par le coude, je me suis retourné la main collée sur le visage.

—Je le sais, t'en fais pas, je t'ai vu l'autre jour traverser le parc en courant, j'ai crié plusieurs fois mais tu as préféré faire le sauvage.

Marie-Maude devait rentrer en septembre de Berkeley, j'avais complètement oublié. Elle m'a de plus écrit deux fois; elle a dû recevoir ma carte à Pâques où je lui suggérais la vérité d'un petit accident, c'était à la fois la moindre des choses et le plus que je pouvais dire. Debout bêtement devant elle, c'est cette bêtise qui me cuit, le reste n'est pas si douloureux, moins que j'aurais prévu. Marie-Maude n'est pas expansive de nature, son affection quoique sincère est mordante, ironique, tout sauf affectueuse, cela ferait quétaine.

Toujours masqué, penaud, je l'entends me dire sur la haute note: «Lebel, fais pas l'imbécile!» le tout soutenu par ses beaux yeux noirs de fouine. J'enlève ma main et continue de fixer ses yeux, ils ne peuvent que voir un gros pansement, ils ne peuvent qu'imaginer. Ils restent brillants, plus brillants et semblent s'enfoncer. Est-ce que des yeux qui imaginent semblent s'enfoncer? Elle passe le bout de ses doigts sur mon front avec une douceur que je ne lui connais pas, que je ne lui ai jamais vu manifester (Marie a un chum anglophone, plus anglais qu'elle). J'ai eu envie de lui crier: «Tu es contente!» Je suis soulagé de ne pas l'avoir fait.

Marie-Maude sait écouter parce qu'elle aime écouter, avec l'oreille intéressée des gens curieux, voire indiscrets, à qui on finit toujours par dire plus qu'on voudrait, c'est-à-dire tout ce qu'on brûle de raconter. Nous sommes rentrés et nous avons parlé, cela faisait longtemps.

Samedi 17 octobre

Après une fatigue de trois jours, j'ai couru aujourd'hui et je vais courir demain.

Elle n'était pas seule. Maintenant est-elle seule? — Tant que tu te poseras la question...

22 h

Mon début de saison télévisée, les Bruins de Boston au Forum. Une présentation fracassante avec rappels épiques de la rivalité ancestrale entre les deux équipes. J'aime le hockey, pas le tapage ni la fanfare, mais enfin! — voici qu'on nous montre des images du Garden de Boston et l'arrivée de la foule un beau samedi soir des années cinquante. Alors, ce vieux film en appelle un autre, la porte du grenier intérieur s'ouvre. Dès cette époque Boston existait pour moi, l'émission qui m'empêchait de dormir était la soirée de la lutte; il y avait un lutteur, je me souviens, qui venait de Boston. J'avais cinq ou six ans et on me donnait la permission de regarder le premier combat avant d'aller me coucher; entendant le nom de Boston chaque semaine comme une chanson, j'en étais venu à faire une espèce de rêve (le sommeil était proche mon père avait raison) où je voyais un camion qui montait une côte sur une route à la tombée du jour, et cette route menait à Boston, tout droit derrière, que l'on ne voyait pas. Rêve brun. Boston, ville des Bruins, ville brune, ville de brume, de bruine, ville chaude jaune et brun comme ses fameuses fèves au lard, à moins que ce ne soit les étiquettes sur les boîtes «Boston beans». Boston, ville proche et à la fois lointaine par tant d'aspects, comme New York sa voisine dont les émissions nous parvenaient en direct, le *Jacky Gleason Show*, les *Toasts of the Town* d'Ed Sullivan, aussi habituelles que *Les Plouffe* de Radio-Canada ou les téléthéâtres du dimanche soir. Boston, je l'ai su plus tard, ville de l'Indépendance américaine, ville du célèbre marathon, de Harvard tout près, ville-théâtre du roman *Love Story* et du film du même nom, dont j'exploitais une séquence en classe. J'étais allé à New York dès mon adolescence, mon premier vrai voyage, et plusieurs fois depuis, mais pas à Boston, que j'avais effleuré sans m'arrêter, en route vers Cape Cod. Avais-je peur d'affronter un ancien rêve? C'est fini, j'irai à Boston, j'irai courir à Boston, je vais m'inscrire au marathon! Cette simple éventualité, sitôt dite, a déjà des allures de nécessité.

Les Bruins sont en train de gagner ce match 3-2, ennuyeux comme tous les matchs d'ouverture. Peu importe, je vais courir le marathon.

Dimanche 18 octobre

Me promenant rue Laval, je vois d'innombrables feuilles d'un brun grisâtre, parfaitement dessinées sur le trottoir, comme étampées. Une saisissante lithogravure en effet, les intempéries faisant office de presse, les feuilles mortes ont dû coller, macérer toute cette semaine, le vent les aura finalement balayées, et voici l'œuvre sur ciment. «Les jolis fossiles», «une façon bien à elles de prolonger leur présence», «elles ne veulent pas mourir tout à fait», etc., qu'est-ce que je ne leur fais pas dire! Voilà surtout qui en dit long sur mon état d'esprit.

~

Pas de pitié. Quand un sourd-muet te met un crayon sous le nez avec un prix attaché après, tu n'aimes pas ça, ou bien les clochards, quand ils se tiennent sur la rue, trois, quatre à la suite les uns des autres. Tu n'aimes pas avoir pitié, tu n'aimes pas qu'on t'y force, et puis tu te dis ça sert à quoi, on aggrave les effets en oubliant les causes, etc. Diable! comme tu réfléchis quand il s'agit de garder ton argent. Alors, quand tu approches de tes fenêtres avec ça qui se reflète, au bord de t'apitoyer, sois conséquent, ne fais pas le détestable.

Lundi 19 octobre

Deux jeunes filles dans une Petite Ardoise grise et déserte, l'une boude la rencontre amoureuse racontée avec effusion par l'autre, qui ne remarque rien. Il y a interférence de courant.

Il faut avoir la crainte du désir des autres, comme on disait la crainte de Dieu, pour parler d'un respect extrême. Sache que moi aussi je désire, jalousement. Tu te laisses aller à telle passion, tu le montres trop, je n'aime pas ce que je vois, entends, je serai fermé d'autant plus que je t'aurais ouvert le cœur et les bras si tu avais traité mon désir délicatement. Ton désir m'excite ou m'irrite dès lors qu'il est inconsidéré, qu'il ne considère pas le mien, dans lequel tu figures toujours. Les âmes sont des machines instables, sitôt montées sur l'amplificateur du désir, l'aiguille de l'âmomètre peut aussi bien se buter ou s'emballer. — Une voix me dit qu'elles sont jeunes, elles ont le temps. Une autre ajoute: ainsi tant de fois avec Constance...

Mardi 20 octobre

Je suis plutôt coureur de fond, Constance un sprinter qui aime changer de piste d'entraînement. Je fais partie de ceux qui croient qu'il n'y a pas de secret à la vie, des recettes peut-être, alors que Constance a toujours cherché le grand secret, c'est attirant dans les yeux d'une femme. Elle se lassait en route, pour partir à la recherche d'un autre secret. Le dernier est-il blond, musclé? Laisse tomber le masochisme facile, tu avais une autre idée, plus utile, à savoir que toute guérison implique action, faire entrer dans sa vie une pratique. Le yoga rapporte tant qu'il dure, après il faut trouver autre chose, ou ne jamais lâcher. Notre pouvoir est moins de volonté que d'action, je le vérifie chaque jour. Le sport tant qu'on en fait, la promenade tant qu'on met son chapeau et qu'on sort. J'ai au moins pratiqué l'exercice d'essayer — ma seule vertu naturelle?

Mais ça, c'était pour les «grandes choses». Dans les petites, c'était le contraire, je cherchais des secrets, elle était pratique et méthodique. Comme elle me le dit d'ailleurs un soir avec philosophie, devant l'évier où je me plaignais de la vaisselle: «... mais Pierre, c'est pour la vie ça!» Nos recherches se complétaient.

Jeudi 22 octobre

23 h

Il faut que je lui réponde même si je pense que je pourrais ne pas le faire. Je sais trop ce que vaut cette impression.

Vendredi 23 octobre

Ma lettre à Constance, une seule page de photocopie.

Depuis que nous nous sommes rencontrés la toute première fois, Constance, nous nous sommes séparés des dizaines et des dizaines de fois, comme si notre relation était une vraie courtepointe, surtout faite de coutures, de belles piqûres apparentes. Mais vois-tu, pas une seule fois sans que je te dise à l'intérieur de moi, et encore en juin dernier lorsque tu es sortie du café: tu peux t'en aller, tu peux tourner le coin comme chaque autre fois, pour une journée, une heure, une éternité, peu importe, c'est maintenant que commence le vrai dialogue. Le non-dit va commencer à remonter, par grumeaux. Ce que j'ai omis ce soir-là, cette nuit-là, ce jour-là de te dire pour x, y *raisons, tu vas commencer à l'entendre, dit par ta propre voix en mon absence, plus sûrement que si je l'avais fait résonner, expliqué, déplié, répété à tort et à travers. Sois sans crainte, le processus a joué de la même façon de toi à moi. Quand je pense à nous maintenant, c'est en ces termes, nous sommes dans une autre de ces phases où tu te dis l'essentiel en mon absence et mieux que je ne saurais faire, et cette phase pourrait bien être d'une durée indéterminée, jamais terminée.*

Reçois ceci affectueusement.

PIERRE

Samedi 24 octobre

LA sortie s'en vient, la sortie du tout nu. J'ai fait hier mes courses exprès. Pour faciliter la décision. Je viens de maudire contre le mur mon scaphandre de protection. Je vais courir, il ne me restera qu'à courir de plus en plus vite. L'entraînement au service du mental, qui dit mieux? Vous ne pouvez plus affronter votre patron, essayez la nouvelle méthode, entrez et sortez de son bureau en courant! Vous ne pouvez affronter votre classe, faites de même et courez, discourez autour de votre groupe! Après le jogging extatique, une autre thérapie révolutionnaire du docteur Lebel.

Il le faut! il le faut! Il le fallait! C'est fait!

Je me disais: les autres seront d'autres promeneurs, des gens ouverts, écolos, «mcgilliens» de la montagne, je n'ai rien à craindre, ils me verront à peine passer, le temps peut-être de remarquer quelque chose, mais quoi? Celui de se dire «qu'est-ce qu'il a donc lui?» et je serai déjà disparu.

C'est ce qui est arrivé, mission accomplie suivant les prévisions. Dans l'ascenseur, pas de problème, comme prévu un samedi. Mais d'ici au parc, je redoutais cette centaine de mètres. Quelques regards de femme en coin, les mêmes qui m'ont déjà fait croire que j'étais beau! Je les cherche, il faut croire. Pour la performance, c'était mon meilleur temps, sans aucun doute.

Dimanche 25 octobre

Réveil calme, décidé. Écrire à Constance ne m'a pas suffi, c'est écrire d'elle qu'il me faut. J'ai le prétexte, Christophe est à San Francisco depuis hier.

Minuit

De ma lettre à Christo, une drôle de pieuvre, extraire ceci pour le dossier futur de l'homme-qui-ne-savait-plus-où-il-en-était:

... oui, vieux frère, très souvent devant Constance me venait et me vient encore l'idée déplaisante que je pourrais lui dire tout ce qu'elle voudrait entendre, c'est écœurant comme ce serait facile, rien à faire, je n'y arrive pas. Avec cette attitude machiavélique, j'obtiendrais peut-être ce que je veux, la Beauté en résidence surveillée, mais est-ce cela que je veux? Au lieu de quoi, je me sens comme forcé d'écouter un instinct, je refuse la complaisance autant que je peux. Avec ce que les rapports amoureux exigent de souplesse, de mollesse, tu imagines que j'ai l'air buté. J'ai peut-être menti dans mon rapport à Constance, jamais par complaisance. N'étant donc jamais paternel, je lui apparais comme le contraire, le père sévère, et voilà qu'elle me traite de paternaliste! Mais ce père la touche.

(...) Je lui ai écrit il y a deux jours une lettre où je nous confie au temps. Mais c'est ici en cherchant les mots pour t'expliquer que je comprends: tout entre elle et moi a été une question de temps, de déphasage. À cause d'une famille, d'une enfance, Constance a cru que la récompense de la souffrance est d'être aimée, d'autant plus qu'on a plus souffert, que c'est une loi. Lorsque nous nous sommes connus, alors qu'elle parlait amour et souffrance, je lui répondais amour et sensualité. Tout a commencé sur ce malentendu. Elle me demandait secrètement, je veux dire sans me le dire et sans se l'avouer peut-être elle-même, elle me demandait de changer, ainsi qu'on le demande tôt ou tard en amour, et comme je ne changeais pas, elle a eu l'impression de souffrir à cause de moi comme son passé l'avait habituée à souffrir à cause de la situation extérieure. Tu connais la mécanique perverse qui nous jette les uns contre les autres, à partir du moment où il y a demande, il y a déséquilibre, il faudrait en amour que personne ne demande. Dès le moment où elle a commencé à vouloir me changer, Constance changeait déjà, car son amour avait commencé inconditionnel. Pendant ce temps, qu'est-ce que je faisais sinon répondre par ce que j'avais dérisoirement de plus honnête, mon inertie fondamentale. Tu le sais, je n'aime pas passer, j'aime rester. La même inertie avec laquelle je répondrai à toutes les femmes de ma vie: «c'est inutile, je sais que je ne pourrai changer tant que ça.» À ce moment, le spirituel a commencé à remplacer l'amour dans sa «recherche». À ce moment est arrivé mon accident. À ce moment, le sablier s'inverse et c'est à mon tour de commencer à croire à la souffrance (croire est une affaire d'habitude, je n'en avais pas l'habitude). Et je suis en train de faire le même parcours qu'elle, celui qui va de la demande à l'exigence, c'est-à-dire l'enfer. L'amour commence inconditionnel et finit terriblement conditionné.

Elle s'en allait ailleurs dès l'instant où je l'ai rencontrée. Je croyais qu'elle arrivait, elle ne faisait que passer, moi j'étais sur le balcon bien assis dans mon rôle préféré, jouant «celui qui est heureux d'être là». Nomade contre sédentaire. La nomade est toujours belle et elle gagne, c'est elle qui fait mal au sédentaire. Et c'est dans l'ordre, le sédentaire est déjà installé, il a tout à perdre, il ne reste plus qu'à le déstabiliser, parfois il ne demande pas mieux. Mais je ne peux pas devenir nomade, de toute façon Constance ne voudrait pas longtemps d'un nomade. Elle vient demander à des hommes qu'elle choisit — par instinct — égoïstes et sédentaires de lui donner l'amour et l'aventure. Ils ne le peuvent, par définition. Ils ont tort, pense-t-elle, et elle en souffre sincèrement. Pas plus, remarque, que ces femmes que nous avons connues tous deux, qui doutent, ne savent si elles aiment assez quand elles aiment trop, à cause de cette espèce de puits sans fond qui a été creusé en elles. Et nous, comment aimons-nous? Je lui ai écrit trop brièvement, et à toi mon chaêr trop longuement...

Lundi 26 octobre

«Avec Constance, tu te tenais à l'écart, délaissant tes amis, une quasi-solitude à deux finalement. Elle faisait parfois hautaine et distante même si tu la savais cordiale, tu en étais venu à l'aimer contre les autres, à la protéger à l'intérieur de toi. Au fil des ans, tu as vu de moins en moins de gens sans jamais lui en faire la remarque. Lui en aurais-tu secrètement voulu?»

Cette espèce de flash comme un boomerang, comme la queue d'un train d'idées qui se perd déjà dans la brume. Peu importe les autres wagons, ce cheveu sur la soupe est un résultat, relié à tout l'état affectif qui le précède. Alors, qui sait si cela ne s'est pas produit aussi à l'instant où tu as vu Constance la première fois, un sentir déjà senti, un penser déjà pensé et restés cachés, dont ton amour pour elle dès cette minute a été le *résultat.* Et tu penses à ton amour comme si c'était une création, une Idée, une chance inouïe, ou encore une qualité de discernement de ta part, alors que c'est en fait une réponse à quelque chose que tu ne peux pas discerner comme il faut.

De la même façon, lorsque tu te sentais seul avec elle, est-ce que tu ne continuais pas à être relié à tes amis, à ton passé, lesquels se liguaient en toi contre tout changement pour lui en vouloir et l'abattre, oh! sans méchanceté, souterrainement?... Cela, que tu avais «sacrifié» pour elle, elle n'en parlait jamais, elle l'ignorait, trop silencieusement sans doute pour l'ignorer vraiment. Toi, qu'est-ce qui te pousse à t'en souvenir aujourd'hui, qui tient le téléphone à l'autre bout? Évidemment, si tu savais comment tu désires, ton amour ne serait pas ton amour.

En cet instant, une envie irrépressible de lui demander PARDON. Que j'ouvre les yeux ou les ferme, je la vois, jeune fille seule, de profil, sur fond de pierre gris.

Mardi 27 octobre

L'enfant, le rat et le philosophe. — Par profession, j'ai été à la fois conservateur et explorateur. D'un côté, vouloir absolument conserver le plaisir, le cultiver. D'un autre, ne se contenter de rien, refuser de s'asseoir où s'assoient les autres, creuser plus profond, gratter le labyrinthe. Une satisfaction perverse et une incurable insatisfaction. Est-ce là le don pour la philosophie, deux obsessions plutôt qu'une, être moitié enfant moitié rat? Un curieux animal, un œil tourné vers le paradis et l'autre qui fonce dans la voie difficile, un mélange de dépendance et de griffes — sphincters.

Mercredi 28 octobre

Journée d'une telle splendeur qu'elle parle: «Viens, qu'attends-tu? il n'y en aura pas d'autres comme moi, il n'y a rien de mieux à faire dans la vie, tu le sais, toi qui n'as rien à faire.» Elle se déploie, bleue de bord en bord, on dirait d'instant en instant le pur possible qui se réalise, une voûte envoûtante. Regardant le profil de Constance dans une pareille journée, j'avais l'impression de tenir le possible et priais en même temps que ce possible dure, que C. soit toujours nouvelle. Mais comme un ivrogne qui roule sa cigarette, j'ai laissé filer entre mes doigts les brindilles du temps, c'est devenu bientôt «avoir C. ou avoir le possible», ce n'était pas supportable. Seule chose que j'aie préférée à C., le possible pourtant n'est pas une chose, même pas. Je n'ai pas le cœur à chercher mes mots pour définir ce vice, il est rien, il est tout. Le possible est une permission qu'on s'accorde, une recherche, on veut trouver, et quand on trouve... Jouer sans jamais gagner. Que le temps devant moi soit ouvert, toujours.

Je me souviens d'un livre jadis, de qui? Il raisonnait merveilleusement sur le possible, paradoxes et alternatives, discussions et déductions. C'est là aussi qu'il commettait une grave erreur. Le possible est un devenir de l'âme, un saut, une jonglerie. C'est galoper sur le cheval et la barrière s'en vient. L'auteur voulait se tenir sur le cheval du possible et en même temps dans les estrades, comme si gagner la course à cheval et la gagner assis avec son ticket étaient la même chose. Un livre qui discute sur le possible est un livre impossible, «ce n'est pas possible». Possible est poésie, c'est-à-dire ne pas savoir d'avance.

15 h 45

Ma première vraie promenade ainsi emmanché. Jusqu'au lac des Castors, puis au chalet de l'observatoire. Je compte les graviers du sentier dans la boue. Mon premier café demandé dans la salle vide, au premier regard assumé, celui qui peut me regarder deux fois, celui qui ne fait pas que passer. Cacheront-elles toutes comme cette dame leur étonnement de façon aussi *invraisemblable*? Merde! merde! merde! — C'est peut-être parce qu'elle portait une blouse et une coiffe blanches.

En montant le sentier, je pensais pourtant à autre chose, essayant de tromper ma peur en réfléchissant à la tromperie. L'imagination m'apparut limpide tout d'un coup. Elle n'a aucune couleur en soi. Spinoza, comme les autres, imaginait d'avance son projet terminé, et avec plaisir. Imaginer est fait pour agir. Je dois imaginer pour mettre en branle quelque chose, pour me lever et changer le monde, ou me coucher si se coucher est agir, lorsque j'imagine par exemple que je dois me lever tôt, vais au lit et m'endors de ce fait plus tôt. Imaginer au sens de sortir, et ne jamais revenir à vide. Non pas imaginer ce qu'est le fait de conduire une Jaguar et puis revenir à ma vieille bagnole en imagination. Je ne dois pas imaginer d'être, je dois imaginer pour faire, *x*, puis *y*, puis *z*, qui feront que j'aurai une Jaguar. Imaginer sans *m'*imaginer. Même pour la séduire, je ne pouvais faire comme si j'avais déjà à moi cette femme nommée Constance, et risquer ainsi la déception. J'ai plutôt imaginé-agi, tout entier tourné vers elle, entrant de ce fait dans un dédale d'actions où d'autres actions m'attendaient. Alors, il n'y avait pas passion, mais action. Et si je peux imaginer activement, je sortirai du trouble de son absence comme je suis entré dans le trouble de sa présence. Que les choses sont simples aujourd'hui.

Jeudi 29 octobre

Traversant, le pas précaire, ce milieu d'après-midi clément, le retraité au parc, que je croise deux ou trois fois, lui sous son chapeau de paille brun clair, moi sous ma casquette de tweed superflue pour le quinze degrés qu'il doit faire. À soixante-quinze ans passés, souriant et oisif, paisible, c'est comme ça que je les aime. Narcissique sous son petit chapeau, mais le minimum requis. Il tient à son personnage instinctivement je dirais. Parfois l'air frais qui descend de la montagne balaie doucement le col de son manteau, le force à se tasser sur lui-même. Il se promène et continue à sourire. Il n'a plus beaucoup de temps. En ce sens, objectivement, sa condition est pitoyable aux yeux de mon âge: condamné à terme, un sidatique. Or, manifestement, s'il sait la condamnation, il l'a oubliée. Il lui reste donc... du temps, et du sourire, à l'état pur. Il a cette sagesse, dira-t-on, maintenant qu'il est forcé. Et puis après? Quelqu'un a-t-il jamais été sage sans être forcé d'une façon ou d'une autre? Tu ne ferais ainsi que te rapprocher du commun des mortels. Sois commun, toi qui es mortel.

Vendredi 30 octobre

Trois heures et demie, jour de pluie gris et lâche. Je voudrais sortir, j'ouvre la télé pour la météo, rien d'encourageant; je pitonne et tombe coup sur coup sur deux documentaires. Dans le premier, dont je manque le début, un homme ressemblant fort à Jean Genet raconte l'anecdote d'un officier palestinien en zone de combat refusant au cameraman le droit de filmer ses hommes: «... ils pourraient faire attention à la caméra plus qu'à leur propre vie, vous comprenez.» Eh oui, mon cher, à qui le dis-tu, l'Image on en vit, on en meurt. Depuis la plus lointaine enfance, depuis le premier regard de la première femme. Être ou ne pas être dans le miroir, *that's the question*:

1. On me regarde donc je suis.
2. Je suis donc tu hais.
3. Nous haïssons donc c'est la guerre.

Devenir humain, seul ou en tribu, ça se paie le gros prix. Si on brisait toutes les images, ce serait la paix. Le problème, c'est: renoncer à l'Image sans renoncer à l'Humain. Voilà en fait la question, notre question.

Dans l'autre, dont je manque également le début, une femme de quarante-cinq, cinquante ans, intellectuelle distinguée, un peu précieuse même, est interviewée à son bureau. Elle est atteinte d'une maladie grave et témoigne en ce sens (c'est diffusé en reprise du printemps dernier). En réponse à la question de savoir ce qui est le plus difficile: «Lorsque ça vous arrive, le plus difficile c'est qu'on se croit en route, on se dit qu'on ne fait que commencer, que le meilleur s'en vient, comprenez-vous?» Eh oui, comme tout à l'heure je comprends, j'ai même les larmes aux yeux. Je m'identifie peu mais à fond, signe d'état valétudinaire, donnez-moi un soldat palestinien le moindrement mythomane, donnez-moi une femme de carrière gravement malade... Ce que tu es, tu ne t'en contentes pas non plus, tu te sens comme elle une équation impossible: ce que tu es = ce que tu es + x + y + z que tu imaginais devenir. Bref, l'avenir fait partie de ma définition, c'est mon avenir, une aliénation peut-être, mais inaliénable. C'est une des premières choses que l'on remarque chez quelqu'un en crise, la façon dont il est suspendu à son futur, comme un perchiste au bout de sa perche; ainsi cette dame, à son sourire un peu las, au grain de sa voix distendu, elle tenait sa perche nerveusement serrée contre elle.

Les autres te regardent, toi tu cours en regardant au bout de ta perche. Nous vivons perpendiculaires les uns aux autres. Tu as toujours couru comme si tu allais faire ton meilleur saut, et ce n'était pas le dernier qu'on se le dise, le suivant serait encore meilleur. Tu tiens à l'*aura:* futur simple du verbe avoir. Comme tu es humain. L'humain n'accepte de baisser ici que s'il grandit là, dans un jeu de placements ininterrompu. Chacun son être plus son possible, son capital plus ses intérêts. Mais si l'on vous arrête de force, si l'on vous dit que c'est fini, que ce ne sera plus jamais pareil, la tentation est grande de rester figé, très grande. Ce n'est pas le bon point de vue. L'art en philosophie est de ne pas s'arrêter mais de ralentir seulement, puis repartir, trouver la bonne vitesse. C'est ce que j'ai fait aujourd'hui en venant écrire, sans savoir quoi, d'instinct, empêcher cette tristesse de coller, la faire rouler entre les doigts; d'abord oublier le pathos de ce reportage — cette dame vibrante et raffinée est décédée récemment si j'en juge par l'arrêt sur image à la fin. Regarde: tu es sorti de cette émission ficelé, entortillé, remuant des questions massues, projets, avenir, vieillir seul, mourir avant d'avoir vécu, etc., questions qui t'assaillaient avant et dont tu t'extirpais tant bien que mal, pensons à autre chose! Et puis en venant écrire ceci, un retournement s'est produit qui disait à peu près: *voir ce qui est et partir de là, à ta vitesse, t'avouer une fois pour toutes que la Beauté, sous quelque forme variable que ce soit, est définitivement tout ce qui t'intéresse, c'est pourquoi tu aimes les femmes dans leurs yeux du soir au coin d'une rue, les œuvres d'art qui donnent un coup au cœur, les différentes heures du jour qui tremble, le crépuscule rose sur la ville argentée, ce visage empourpré sur l'oreiller qui te glisse une œillade plus vraie que le plaisir, et tu n'as d'intérêt que pour cela, c'est ainsi, le reste, perdu dans la brume. Embrayer là-dessus une fois pour toutes.*

Lundi 2 novembre

Ciel gris et venteux, après hier où il faisait si beau. Journée absolument morte si ce n'était des bourrasques retournant les feuilles qui joliment tourbillonnent. Une journée déserte pour monsieur personne. La tête vide quelque part entre le frivole et l'insignifiant, il marche dans la rue Jeanne-Mance après avoir longé le parc. Il entend une petite voix jacasser en lui, comme une cassette qui rembobine. Elle dit tout sur tout, «tiens, tiens, drôle d'allure», «elle est pas mal, mais pourquoi ce visage dur?», «quelle couleur pour des rideaux!» etc. Il est successivement toutes les voix que réveille le hasard des rencontres, il n'a rien de mieux à faire. Quand la tête est vide, la petite voix la remplit. La tête vide, les oreilles pleines, monsieur personne continue sa marche en entendant la voix du système, contre laquelle il a l'impression de lutter tous les jours, mais dont le texte reprend le dessus chaque fois qu'on ne met rien de mieux. La voix de son maître.

Mardi 3

Après la douche, nu devant le miroir. C'est bien simple, nous ne voyons jamais les choses comme elles sont. Par exemple, j'aperçois dans un miroir ces mains ou ces pieds qui m'étonnent, désagréablement, comme si je les voyais pour la première fois. Mais l'imagination raboute, remmanche, je me restaure peu à peu, je redresse ces doigts, ces orteils jusqu'à finir par les arborer. Inversement, j'en arrive à défaire la beauté d'une femme qui m'échappe. Désinvestir est un mot trop neutre pour ce travail, qui n'est pas seulement de retrait, mais de dépréciation. À cet être désormais je n'accorde plus grand-chose, le cou, les poignets, la grâce de cette femme, ses pieds si mignons ont subitement changé, rognés par un magicien sympathique à mon chagrin. Il le faut, je ne peux croire indéfiniment le bonheur là-bas alors que je reste ici. Cette opération n'est d'ailleurs pas définitive, un autre coup de baguette magique et je pourrai revenir là-dessus, revouloir belles des mains que j'avais délaissées et voulues ingrates, ce qui compte c'est l'ajustement, l'accord. Se persuader, y a-t-il un travail plus intime, plus constant, plus vital? Je colle, je ne peux plus et ne veux plus décoller, je ne peux plus lâcher, je pousse dans ce sens involontairement, vaille que vaille. Sphincters.

Mais comment se fait-il que, ce faisant, je me croie? «Se croire» était l'expression favorite de mon père pour épingler ceux, celles qui revenaient de la messe en se tenant le corps raide et pétaient au-dessus du trou. Mon père avait raison, il était dans sa vantardise même le plus modeste des hommes et peut-être le seul que j'aie connu, il l'était maladivement. Mon père avait tort, personne ne veut s'effacer, chacun a peur de disparaître, chacun se croit à défaut de croire à autre chose. Nous sommes tous dans le désert et le mirage nous fait avancer.

Jeudi 5 novembre

La pluie depuis plusieurs jours, footing intensif de soir. Mais aujourd'hui, comme on tire un rideau, le ciel réapparaît au-dessus de Montréal. Temps froid qui sent l'hiver. J'ose régulièrement promener le rocher percé de mon appendice nasal au pas de course, de marche parfois, sur les sentiers du mont Royal. Prochaine étape, jogging dans les rues, puis déambuler dans la ville. En attendant, cette chose sans nom s'atténue il me semble, et le rose bleuté qui apparaît me comble au moins d'une satisfaction: il semble irrigué, que diable! du sang y circule! Capsule de chair informe qui s'agrippe et veut vivre.

Sur l'heure du retour, après avoir contourné le lac des Castors trois, quatre fois par différents trajets, il est 16 h 30, je redescends par un temps splendide dans le giron de la montagne. Le sentier est tranché net par la lumière qui rase les arbres à mi-hauteur, les troncs dans l'ombre sont anthracite, les panaches sont acajou, les couleurs et le vent dans les branches font penser à un orchestre solennel accordant ses violons avant que la nuit commence. Au fur et à mesure qu'on descend et que la masse abrupte s'oppose, les derniers rayons du soleil se perdent, le concert d'archets se précise. Je marche les mains dans les poches, le col relevé, regardant les feuilles par terre, leur fausse gaieté Technicolor, le problème avec les après-midi d'automne qu'on traverse tranquillement un jour de semaine, tout seul, c'est comme un coup de poing dans le ventre, ça n'a pas de bon sens, ils ont beau raccourcir les uns après les autres, ils semblent interminables, on se dit alors que c'est pour la vie, qu'on sera toujours seul, jusqu'à sa mort. On finit par lever les yeux, on voit la ville plantée en contrebas au bord du gouffre, distante et toute proche, lumineuse déjà, bleutée et scintillante, cristalline, irréelle avec ces quelques panaches de fumée opaque, la ville qui fume et se tient assemblée; la rumeur égale fait un faux silence et si on écoute bien, on entend dans cette rumeur monter un chant, à l'unisson, un chant venu du chaos, et on comprend que c'est le chœur de la Ville au garde-à-vous qui est venu nous raccompagner jusque sur le balcon, nous les solitaires, pour nous réchauffer et nous souhaiter bon retour, comme les amis font après la fête dans les tableaux de Krieghoff. On descend le sentier, escorté par ce chant anonyme. Ç'a déjà été pire...

Samedi 7 novembre

Journée pluvieuse, poussière de suie qui tombe, quelques degrés de moins et ce serait la magie.

Devant une série hawaïenne, je lutte sur mon divan contre le fantasme insistant et précis d'une femme au corps doux, sali par quelques algues, épave roulée par les flots à mes pieds, encore haletante, nue et huileuse, passive. Elle garde les yeux fermés, son corps est agité de légers soubresauts; quand elle ouvre la bouche, c'est un souffle chaud et quelques mots simples, elle parle la langue la plus étrange et la plus étonnante, fasciné par cette voix et cette bouche entrouverte qui sent le cèdre, je comprends surtout qu'elle me parle d'amour...

Dehors, la fin d'après-midi avec ses avenues noires ressemble toujours à une gare de triage. Je préfère replonger et suivre ce capitaine qui regarde la mer, semble-t-il, avec sa mâchoire rugueuse et virile (il y a des acteurs ainsi qui regardent avec le torse ou le menton), au moment où le soleil fond et se répand liquide dans un Pacifique incandescent. Je me prends pour le capitaine Troy de mon enfance, que je suivais dans les mers du Sud, assis serré entre mes deux cousines le vendredi soir; mais ce héros était chaste, alors que je me sens avide de moiteurs salines.

Dimanche 8 novembre

Anniversaire de soi. S'y préparer, oui, comment? On fête, dit-on, un hasard, une chance sur trois cents millions, la chance d'être tel et pas le néant, ou son frère. Volatil et fugace à l'échelle cosmique, un parfum qui passe, rien de plus, mais à l'essence rare! Parlant du moi à mes élèves et voulant leur suggérer que cet objet signifiait une catégorie générale pour les besoins de la cause, que nous ne pouvions bâtir un cours de philosophie à partir d'un chacun et de son équation chromosomique, je sentais leur résistance; ils acceptaient les raisons en silence, mais un mur invisible se levait derrière lequel je pouvais sentir leur soif du particulier intacte, leur réticence à oublier après tout l'essentiel. Un moi c'est quelqu'un qui dit «ces chaussures-ci, pas celles-là», sinon ça ne va pas, quelqu'un qui ne se suffit jamais à lui-même, qui avant de se jeter devant la rame porte ces chaussures auxquelles il tenait tant il y a deux semaines, qu'il avait préférées à toutes les autres du magasin qui lui «donnaient l'air fou», qui y tenait trop justement..., voilà ce qu'est un moi, voilà ce que j'aurais dû leur dire, je l'écrivais sur mes fiches et je parlais d'autre chose. Toujours est-il que je les devinais et les comprenais, sans leur dire. Plus encore ce soir.

22 h 30

J'avais décidé de laisser le répondeur branché aujourd'hui. Je désirais sans doute à la fois l'intérêt des autres et mon chagrin stupide, inévitable, d'autant plus stupide que je n'attendais rien, Christophe m'ayant téléphoné hier soir. Le seul cadeau que je voudrais, personne ne peut me le donner, et je ne peux le demander à personne. Il n'y avait donc pas de demande, pourtant il y a une déception. Est-ce ce chagrin ou cette stupidité qui me fait regimber, toujours est-il que dans une confusion irrécupérable, je décide vers 21 h 30 de raccrocher le téléphone que j'avais, eh oui!, décroché vers 19 h. Il sonne justement: c'est mon frère. Rapide comme il les aime, moi aussi. J'ai goûté les anniversaires en famille jusqu'à la fin, et la douceur des *Happy Birthday* chantés au dessert, j'ai fait des provisions. Cet anniversaire s'achève comme appuyé sur ce coussin.

23 h 30

À la fin des nouvelles, ça sonne de nouveau. Appel que je n'attendais pas, balayé dans les coins. Téléphone de Constance le soir du 8 novembre. C'est tout ce qu'il y a à dire. Troublé trouble troublant. La communication mauvaise, sa voix oppressée, celle des grandes occasions. J'essaie de visualiser son expression, je ne saurai jamais son visage au téléphone, ni quand elle raccroche.

Allusion brève à nos deux lettres, pour suggérer à sa façon typique que, bon, ce n'est pas le moment... Après, que reste-t-il? Rien, sauf un téléphone de Constance et sa queue de comète acérée dans le duodénum. Et une plénitude apaisante en même temps. C'est tellement loin du Tout, c'est tellement mieux que Rien. Aurais-je dormi sans lui?

Le plus remarquable, oui, j'aurais dormi sans lui. Ce soir, peut-être pas demain. Qu'est-ce donc qu'avoir le moral tel soir? Mystère. S'il est déjà là, tout va, sinon, c'est *just too bad.* Et même la philosophie, trop souvent, n'y peut rien. La courbe de ce moral en dents de scie m'échappe, je chevauche, perdu quelque part à l'intérieur de ses angles râpeux.

Mardi 10 novembre

Cherchant un numéro de téléphone dans le carnet de mon portefeuille, je tombe sur une réflexion vieille de cinq, six mois: *Dans tout malheur solitaire, quelque chose comme un petit bonheur; et dans tout bonheur solitaire, quelque chose comme du malheur; quand on dit autour que ça va mal, il y a du sens à protester qu'on est heureux.*

Je vois bien que j'y faisais mon La Rochefoucauld, mais l'amusement est depuis longtemps terminé et je me demande quelle vision j'avais en tête. J'essaie, rien à faire. Merde, une fois pour toutes, note le point de départ, l'émotion, le flash déclencheur, si tu veux retrouver le mouvement du sens. Ce qui seul en aurait maintenant, c'est le particulier, l'insignifiant que j'avais voulu précisément sauver et élever à la dignité de l'écrit, et qui se cache drapé à tout jamais dans cette dignité. Je donnerais bien cent fois mon petit effort de style pour le fait d'origine. Ce que je relis me fait l'effet d'une momie. Tu voulais d'un exemple tirer une belle règle, tu l'as. Comme un écureuil stupide qui ne retrouve plus sa noix malgré tous ses rituels.

Mercredi 11 novembre

Constance était pudique et peu portée sur les pratiques autoérotiques. L'imaginant ce soir, seule et nue dans son lit, j'ai la réflexion incongrue: pourquoi ne se caresse-t-elle pas?... Penser à Constance, c'est-à-dire la poser automatiquement dans son corps, dans sa chair, mais *de mon point de vue.* La penser, c'est être là auprès d'elle, avec sa chaleur, mais être là c'est ne pouvoir y être à sa place, seulement à la mienne. Je m'approche, je m'approche, et au moment où j'entre, où je crois revêtir sa personnalité, je suis en elle encore moi-même et je veux guider sa main. Impossible d'être plus près tout en restant plus loin. Durant tout ceci, c'est moi qui suis nu dans mon lit.

Vendredi 13 novembre

Je jette des papiers, dont un article mis de côté jadis pour un cours, que je survole une dernière fois, par acquit de conscience. Dans sa critique de la parapsychologie, l'auteur mentionne, pour en démontrer l'absurdité, qu'admettre telle attitude conduirait à admettre l'existence d'événements «dont les conséquences ne se feront sentir... qu'hier!» La logique de son raisonnement est d'après lui — qui va le blâmer? — la marque d'une attitude rationaliste inviolable. Je me dis que oui, mais en amour, n'est-ce pas possible et même commun, par exemple je vais un peu mieux *donc* elle n'*était* que cela?

Amour égale objet dont il n'y a pas de science sinon rétrospective, où ce qui est réputé ailleurs impossible devient possible. Un monde où seul le futur dira demain ce qu'est le présent, devenu hier; nous nous arrangerons pour ne pas nous être trompés. À ce compte-là, prends garde, même la perte d'un nez pourrait un jour recevoir un sens que tu ne soupçonnes pas, comme la fleur que tu as achetée hier a déjà commencé à pourrir et à remplir la pièce d'un parfum que tu ne sens pas encore.

Samedi 14

C'était en août de l'an dernier, un samedi comme ce matin. Une des dernières semaines où Constance habitait encore ce petit appartement de la rue Hutchison. Dans la chambre qu'elle venait de quitter, j'étais assis au bord du lit sur le bout des fesses pour profiter de la fenêtre, lisant *La Presse* tant bien que mal dans la pièce assombrie; je l'attendais, nous étions supposés faire l'amour après le déjeuner, mais peut-être étions-nous tous les deux fatigués. Je lisais, sait-on jamais, lorsque s'est élevée dans la pièce une musique céleste, le fameux largo de Pachelbel je crois, remplissant de ses violons l'espace exigu. Automatiquement, j'ai levé les yeux. Constance alors m'apparut de l'autre côté de la fenêtre, tout en rouge, short, chandail et mocassins. Elle balayait avec application les premières feuilles mortes dans sa petite cour en ciment pendant que la musique annulait tout. J'étais au cinéma, en Cinémascope, le cou cassé à la hauteur du store, pour voir s'encadrer la scène dans le rectangle de lumière, mon corps baignant dans l'ombre velouté des violons qui me donnaient le frisson. J'avais les larmes aux yeux, je ne sais pourquoi. Constance balayait toujours dans le cadre, si intensément touchante, si entière, si bonne. Je la regardais comme si j'avais soixante-dix ans, après toute une vie à balayer dans le jardin. Nous n'étions séparés que par une fenêtre claire. Je la sentais si proche et si lointaine, et je ne pouvais rien faire, elle m'échappait. Je lui échappais aussi.

Je voulais la garder et elle ne voulait pas. Du moins c'est ce que je pensais. Peut-être pouvais-je la garder, mais il aurait fallu payer le prix.

Regarder une personne qu'on aime sans qu'elle le sache, la beauté ajoutée à la beauté.

Dimanche 15 novembre

La vie est ronde, et nous croyons encore qu'elle est plate, avec des limites, un envers, etc. Une fois que nous aurons compris.

Mercredi 18 novembre

Pendant que le docteur Voyer apprécie les traces de l'opération, j'épie sur sa figure les traces de satisfaction. Je l'informe qu'il m'arrive d'être incommodé par le froid, une allusion crasse au fait que j'obéis à sa prescription, tout en lui cachant que je sors exclusivement pour courir. Je veux lui extorquer le conseil de porter un foulard, conseil que je pourrais suivre. Il me répond sans amabilité que je ne dois pas craindre de porter un foulard «bien sûr», ou un cache-nez approprié, et laisse tomber le nom d'un marchand spécialisé. Je descends l'escalier de service plus ou moins morfondu. Me voici sur le trottoir, je n'aurais justement qu'à persévérer... Il fait beau, il n'y a pas beaucoup de monde. Mais il y a ces taxis en face. Le chauffeur me jette un œil. Je lève le doigt et monte, vraiment dépité.

Vendredi 20 novembre

Film de fin de soirée — *Benvenuta* — et Fanny Ardant qui lance: «Laissez-moi donc mon chagrin d'amour!»

Il est difficile de renoncer à être le dieu de quelqu'un. Il est difficile de se passer du rêve et d'être athée. Je te le dis, Fanny, et à toutes les Fanny de la terre, j'ai encore besoin d'un mythe auquel je ne suis plus capable de croire. Comme je ne suis pas capable de rêver à tes yeux noirs sans rêver qu'ils me disent oui.

Samedi 21 novembre

Il était une fois l'homme qui voulut sortir sans nez pour se mêler à ses semblables non semblables. Il a commencé par se demander si c'était bien la bonne heure. Par des calculs tordus, il a supposé, supputé, essayé d'estimer le nombre probable de ceux qui le regarderont sur le total de ceux qui le verront. Alors quelqu'un a élevé la voix: «Niaiseux, vas-tu sortir!»

Il s'avance au ralenti. Les autres arrivent. Devant leur bonheur affiché (ils ont tous l'air d'afficher quelque chose), il doit absolument réagir. Pour cela se mettre à sourire, sourire à... personne. Donc à tous. Il s'accroche un sourire sur le visage. Et le miracle se produit. Non que tous lui sourient (c'est le cas souvent), mais on dirait que le cosmos devient élastique. Depuis des mois, de l'extérieur vers l'intérieur, il sent les autres l'affecter. Ne suffisait-il pas qu'il risque, lui le premier, un nouvel arrangement avec le monde? Craquer et faire craquer. Fabriquer de l'accident à l'envers, du pire aller vers le meilleur. Forcer un sourire comme on lance une bouteille à la mer.

Rentré chez lui, il avale sa salive et se regarde dans le miroir, il voit ce qu'il voit, mais sans l'envie aiguë de se mettre à courir. Le voici grave et ému. Comme s'il venait de faire l'amour pour la première fois.

Lundi 23 novembre

C'était trop beau. La première journée, c'était la chance il faut croire, la chance au marcheur. Avant-hier, c'était avant-hier, c'était la journée numéro un. Aujourd'hui, c'est la journée numéro deux et ça ne va plus du tout. J'étais moins conscient de mes réactions, plus attentif cette fois à *leurs* nez. Eh bien, le pire est à venir mon vieux. L'air ahuri de certains. S'ils savaient que je le devine du coin de l'œil. Ce n'est plus de la gêne, c'est de la stupéfaction. On ne fait pas ça à un être humain, on ne manque pas de pudeur à ce point. C'est bien assez d'avoir perdu la sienne sans que les autres répondent par cette face. Je suis sûr que si je m'étais retourné subitement, j'aurais vu leur regard: «Aie! as-tu vu ça?»

Calme-toi, c'est leur première fois. Ouais. Combien de milliers de premières fois avant d'avoir fait le tour de la ville?... Et quand ils vont commencer à me connaître...

Je croyais mon mal imaginaire. Mais aujourd'hui le spectacle a commencé. Le SPECTACLE RÉEL. J'aimerais vous y voir docteur Voyer.

Jeudi 26

J'ai fini par joindre au téléphone un représentant du syndicat. Le service du personnel du collège s'intéresse au «nouveau dans mon cas». Je vais vous en montrer moi du nouveau. Il n'est pas question que je retourne en classe en janvier, non merci, je ne suis pas un bouffon. Dussé-je en référer à tous les services psychologiques du monde. On avait déjà posé des questions en juin. Qu'ils se débrouillent!

Samedi 28 novembre

Je lis Wittgenstein sur les jeux de langage (*language game*) qui selon lui constituent la grammaire à partir de laquelle nous agissons, la trame du sens dans laquelle nous sommes pris.

Les faits, si je savais m'en tenir aux faits. Dans quels jeux de langage Constance et moi avons-nous donc été pris? Quand et comment ai-je commencé à jouer avec ces images et ces idées, comment se sont tissés les premiers fils de cette trame que j'appelle mon caractère ou mes réflexes, ceux d'un type malade de certains effets?

Constance m'était un tableau, oui, puisque je le voyais; — c'était comme une vague ressemblance avec la Renaissance, que je n'ai jamais vue, et que pourtant je vivais; — c'était une chaleur irradiante dans la nuit, je la sentais; — c'était une lumière orangée durant le jour, une lumière de torchère opaline dans la demi-pénombre d'un salon, j'y entrais les yeux fermés; — c'était rêver de m'étendre sur un divan et prendre avec elle le thé pour la première fois et pour l'éternité comme si c'était toujours la première fois, je baignais dans cette lumière; — c'était une densité de présence incroyable à la fois sérieuse et légère entre deux moues imprévues, que j'ai désirée, que j'ai goûtée; — c'était une façon de ne jamais dire oui et d'être pourtant accordée, d'un accord silencieux et musical; — c'était une façon de se donner qui ne pouvait pas être refusée; — c'était parfois une bouderie sans plus, agaçante; alors c'était la nuit et j'attendais le jour.

Cette beauté — non la Beauté sans doute — était le plus irrécusable des faits, un fait au plus haut degré, un super-fait, moins universel qu'une Idée, très particulier en un sens, mais plus puissant, qu'aucune Idée ne suggérait avec assez de force. L'universel est historique, mais seul le particulier est puissant, c'est lui qui fait vivre l'historique. Moins le FAIT, que LE fait, CE fait. De ce fait, il n'y a qu'une preuve: je fus conduit à en parler de façon irresponsable, poétique. Je sens que c'est ainsi qu'il faut en parler. Il faut en parler de façon superlative. Wittgenstein aussi sans doute le faisait pour parler de ses amours. Mais il a dû trier ses réflexions, ou on s'en est chargé après sa mort, ou on le saura plus tard. Et pourtant je me souviens avoir lu de lui quelque chose qui disait en substance que *même si nous n'avons pas de modèle pour un fait superlatif, nous sommes tentés de succomber à une super-expression.* Constance était sans doute dans ma vie le possible qui s'était factualisé. Cela que, d'instant en instant, j'avais si peur de rater dans ma vie, elle l'incarnait. J'avais réalisé un possible: on en est toujours inconsolable. Attention avec les rêves de jeunesse, on finit par les réaliser (qui a dit cela?).

Une des statuettes africaines sur mon bureau, sa dolichocéphalie têtue et boudeuse... j'ai mis des semaines à la voir. Les femmes qui vont et viennent dans un immeuble, un quartier, les étudiantes en classe, on ne les voit pas d'abord non plus, Constance pas plus que les autres, il faut le regard qui s'éloigne, qui revient, qui n'est que le temps nécessaire pour s'enrouler autour, un jeu de langage où bien des choses viennent s'imprégner, des images, des comparaisons, etc. La Beauté, fait retardataire, qui atteint après-coup, quand on recule — où est le coupable? Le poisson veut se déprendre, il est trop tard — qui tire sur la ligne?

Je termine ma lecture en tombant sur une perle, textuellement cette fois: «I have a right to say *"I can't be making a mistake about this"* even if I am in error.»

Lundi 30 novembre

Une autre journée numéro deux — et pourtant le temps était splendide.

Mercredi 2 décembre

L'obsession fondamentale.

Avant le savoir, ce qui fait le goût du savoir. Avant cette femme, ce qui fait le goût de cette femme. Avant cet objet perdu, ce qui faisait son prix. Ce qui pousse par en dessous. Cette faiblesse qui est force, ce penchant qui redresse, cette fatigue infatigable, cette dépense qui est cadeau. Cette racine de tout ce qui vit.

Jeudi 3 décembre

Tout à l'heure, ce n'est pas la première fois que je le remarque, je vais sortir courir, je me sens bien, ni faim ni soif. Mais *à l'idée que* je vais dépenser de l'énergie, que mon taux de sucre va baisser, je cale un verre de jus d'orange. Si je reste à lire au contraire je n'ai aucune envie de boire. L'idée d'une dépense à venir me creuse l'appétit maintenant. Avant un cours pareillement, je prenais soin de déjeuner et me trouvais de l'appétit; sinon, je travaillais chez moi à jeûn, la tête libre, sans penser avoir faim. La vertu souvent passe par une feinte, une croyance: je dois me raconter une histoire et je me crois. Où commence la bonne illusion, où finit la mauvaise?

De même mon comportement en classe lorsqu'on me posait une question: je savais bien par exemple que Platon dans *Le Théétète* abordait cette notion de tel point de vue, mais c'était loin, j'avais oublié le détail, je disais à l'élève «je regrette», et on passait à autre chose. Et je dormais sur mes deux oreilles. Alors que si, à mes propres yeux, j'étais supposé dominer tel autre sujet et qu'un élève me colle, ce qui revenait exactement au même, du moins objectivement pour lui et pour la classe, je cuisais et courais de lecture en lecture pendant quinze jours. Comment se fait-il que répondre zéro, sachant qu'on a déjà lu et su mais qu'on ne sait plus, et répondre zéro sans avoir encore lu ni su, ce n'est pas la même chose? N'était-ce pas du ressort de l'imaginaire, n'étais-je pas ignorant dans les deux cas, ne pouvais-je faire *comme si* j'étais savant, sortir un truc du métier? Ce n'est pas ce que je faisais. Alors quoi, cette exigence des plus beaux mouvements de l'âme, cette insouciance des plus moches ne sont-elles pas également imaginaires...

L'image est partie intégrante de l'animal que nous sommes. Si l'image, même trompeuse, en tant que trompeuse, est indispensable à mon corps, comment mon «âme» n'en aurait-elle pas besoin?

Vendredi 4 décembre

Rêve. *J'ai eu l'occasion d'être bon avec mes amis récemment. Voici que je meurs, mais sans tristesse. Ils défilent tous devant ma bière et disent des mots exquis. Je me réveille.*

Les amis auxquels j'oppose mon répondeur, que je refuse de voir par orgueil et disons-le parce que j'ai autre chose à faire. Cela dit, suis-je donc d'une telle enflure? Ou suis-je le seul malade conscient parmi ceux qui s'ignorent? Le moi, c'est bien difficile d'en parler de l'extérieur — *sincèrement.* Le moi est une mauvaise habitude d'une très forte probabilité. S'il est malade, je le soigne. Si je souffre, c'est lui qui me soigne.

J'écris ceci dans un coin désert chez Biddle's, avant le cinq à sept. Je viens y boire une fois chaque hiver à la santé d'une ancienne amour. Au bord du podium, un énorme jazzman noir se plaint à un client d'un air affecté, tout en portant la main à sa bouche de façon répétée. Le moi, on s'en plaint comme de son instrument un maître trompettiste qui a une lèvre fendue; on peut être sûr qu'il ne rêve que d'une chose, le réemboucher. C'est sa vie, sans lui il meurt, il ne faut rien croire de ce qu'il dit. Quand on est bien portant, on le tasse dans le coin sans façon, on en parle durement, comme les stoïciens. Quand on est malade, pas avant, pas après, mais pendant la maladie, il revient en courant. Sommes-nous inauthentiques? Non, pas plus qu'authentiques. Être humain, c'est faire profondément semblant.

Dimanche 6 décembre

Errant au parc Lafontaine, je tombe sur Gino, l'ancien concierge de l'immeuble que j'avais engagé pour l'aménagement de mon espace. Intelligent à sa façon, et même cultivé, et un peu fou. Qui est plus seul que moi? — le fou peut-être... Il doit avoir vingt-sept, vingt-huit ans et n'a visiblement jamais connu de femmes. Au lieu de fuir, touché, je l'invite à prendre un café. Lui, touché aussi? me regarde comme un vieux camarade. Il a le même air qu'avant, un diable sorti de sa boîte. Sa vieille mère est maintenant à l'hôpital et il vit seul, toujours seul, est-il simple parce qu'il est seul? Il parle des filles, l'œil émerveillé. J'essaie de parler, peut-être qu'il va comprendre. Mais non, quand on est comme il est, il ne reste plus assez d'énergie pour les autres. Le temps passe, long, mais une rencontre décevante est mieux que pas de rencontre du tout. Il se lève pour aller aux toilettes, j'en profite pour payer et reviens déposer le pourboire, mais il surgit, insiste fort, fouille longtemps dans sa poche, alors son trousseau de clefs tombe sur la table, une grosse pièce de cuir brun et une seule clef.

Mardi 8

Suite de journées numéro deux, qui me poursuivent jusqu'au soir. Pourquoi les noter, pour me faire croire que je m'habitue?

Mercredi 9 décembre

Visite au musée. Devant les *Carquois fleuris*, j'ai les larmes qui hésitent.

Combien de fois encore? Combien de fois verras-tu encore ce tableau de Borduas, huit fois, dix-sept fois, aucune fois? C'est déjà la septième ou la huitième, les autres sont à venir, semblent m'attendre quelque part, à distribuer dans le temps, et les intervalles entre elles c'est ma vie. Ce n'est pas seulement une question sur la Beauté, c'est une question sur le temps, pas seulement une question sur l'art mais sur moi, enfin, je me comprends. Devant un tableau de Borduas, j'ai compris encore ceci: je regardais globalement, du moins les trois, quatre premières fois. Puis j'ai commencé à regarder ici, là, localement. Dans les *Carquois fleuris*, il y a en a un, l'avant-dernier à droite je crois, qui est un tableau à lui seul, un vert lustré gris à l'horizontale, un roux à la touche verticale, etc., la beauté du détail d'un art qui se fout du détail. Je n'avais pas goûté autant les tableaux de Borduas avant de commencer à avoir mal: non parce qu'ils sont tristes, au contraire parce qu'ils sont une telle conquête, une telle échappée de soleil et de joie, sur la tristesse. Une blessure peut donc empêcher de devenir insignifiant, de se laisser porter de tableau en tableau comme des libellules. Je regarde *dans* et *entre* les tableaux de Borduas et je vois ma vie dans la vie. Ils sont beaux et plus encore, ils ramassent et ramènent. Des tableaux à voir le lendemain d'une rupture.

Samedi 12 décembre

Au parc Lafontaine tout blanc, glacial et lumineux. J'ai regardé le bout de mes bottes croustiller sur la neige, je ne sais pas combien de temps. Quand je lève la tête, je ne suis plus seul, les choses autour se réveillent et me réveillent, tout s'organise pour composer un «quatre heures trente de l'après-midi en décembre». Dans le couchant lavande, la lumière monte de biais, fuse, se répand jusqu'au plafond, de grandes mains roses aux doigts écartés s'avancent sur nos têtes lentement, faisant office d'abattants pour un soleil qui a déjà basculé. Le ciel joue avec le feu, les couleurs déviées contaminent la neige et la chaussée. L'asphalte pailleté luit vert sur ma gauche, à droite il semble brun, et rose en avant. J'hésite entre deux impressions. Tantôt c'est un rideau de scène gigantesque qui semble ondoyer comme une aurore boréale derrière les arbres noirs, tantôt c'est un four qui embrase le parc tout entier et dans lequel on semble s'enfoncer. Un vrai ciel d'Hawaii mais *on the rocks* à moins quinze degrés, avec l'impalpable mélancolie du couchant pour le même prix. Celle qui donne envie de rentrer, pour chercher la compagnie de quelqu'un.

Mais si je pouvais monter, m'élever dans les airs, je sais que nulle part je ne pourrais toucher, analyser, disséquer cette Beauté — qui en quelque sorte *n'existe pas.* Nuées, couleurs, reflets, évanouis au fur et à mesure de mon ascension, je ne verrais finalement dans l'œil cyclopéen du projecteur qu'un éclat aveuglant. C'est un pur paraître, visible d'en bas seulement, dans la salle. Il nous suffit d'avoir un corps d'homme, condamné au point de vue, pour jouir et être plus que Dieu. Dès lors, pourquoi donc, ici-bas, devrions-nous nous opposer à l'*apparence*? Hein, mon vieux, pourquoi?

Dimanche 13 décembre

18 h 30

Heure du souper, du souper en famille, heure du souvenir. Comment se fait-il qu'on se souvienne de façon si déraisonnable? Vient un jour où je ne me souviens plus vraiment des moments où elle m'a donné de son temps, de ses attentions, bref de son amour, ce qui était le plus important, ce qui était la vraie preuve — disons les «faits». Mais je me rappelle tel détail, telle attitude, tel trait de visage dans telle circonstance — disons les «effets» —, ma mère par exemple, la façon qu'elle avait de prononcer un mot, ou de fermer les yeux en plein fou rire, laquelle vient me tourmenter. Les anciens faits sont ainsi peu à peu noyés dans les eaux de la mémoire, les sentiments «graves» tombent au fond, pendant que les signes légers, eux, montent à la surface, cette œillade, ce plissement de paupière sitôt envolé, cette odeur, devenus dès lors les faits majeurs de ma vie. Les effets deviennent les nouveaux faits, les seuls qui restent et qui comptent.

Il me semble que cela affecte la mémoire la plus courante, et non pas seulement la fameuse mémoire involontaire de Proust. La mémoire du plus superficiel est là en nous de la façon la plus permanente et se fout de la profondeur. Le «cœur» est rempli de choses superficielles. Ou plutôt il en est *tapissé*, ce qui est profond en nous n'a pas de profondeur.

Mardi 15

Autre journée *numéro deux*, la pire depuis un mois.

Mercredi 16 décembre

Qu'est-ce que le monde, comment ce monde est-il devenu notre monde, ce que nous traduisons en l'appelant justement «le monde»? Un homme ne peut sentir en lui-même une force plus grande que la sienne, il est ce qu'il sent, il est sa force sans limites, d'où bien des illusions, bien des violences. C'est la même chose pour le monde: un couloir aseptisé avec des portes, et derrière, des salles également aseptisées, toutes ne débouchent que sur ce même couloir qui débouche sur elles: il n'y a pas d'issue, *no way out.*

Dans le grand hôpital, les fétichismes, narcissismes, névroses et autres drogues égotistes, et leurs remèdes, spiritualistes ou non, sont des portes qui s'ouvrent les unes sur les autres: on ne s'évade pas de l'évasion. Ça me fait penser à la flûte de papier des anniversaires que l'on déroule en soufflant dans la figure du voisin. Nos réflexes se déroulent et s'enchaînent les uns dans les autres comme ces anneaux de papier, le système souffle dedans à sens unique. Ce monde est notre monde et son langage est notre langage, et ses problèmes sont posés dans nos mots et définitions. La pensée, *dixit* Spinoza, ne peut penser qu'elle ne pense pas; je ne peux pas plus imaginer que je n'imagine pas. Je ne peux que deviner la limite de l'intérieur; pour décrire véritablement le monde, il faudrait être des deux côtés en même temps. La vraie sortie serait sortir du monde; ce serait une sortie du tube, que le tube pète, et alors fini le party! De même, je ne pouvais que réagir dans les termes que je connaissais, je ne suis extérieur qu'à celui que j'étais, pas à celui que je suis. Je ne suis pas devenu fou, j'ai évité l'extrême durcissement. Je ne suis pas réconcilié non plus. Je sais seulement qu'on naît faible et qu'on va mourir imparfait.

Jeudi 14 janvier

Rentré avant-hier de Floride avec mauvaise humeur extrême, excessive. Quand j'ai ouvert mon sac dans l'avion, j'ai dû constater que mon carnet spirale format de poche encore pailleté de sable de mer était resté en vacances. Parfait pour écrire sur une serviette, parfait pour tomber entre deux bancs dans une salle d'attente bondée quand on veut à la fois manger une pomme, regarder le téléviseur payant et penser à ne rien oublier. Vouloir avoir l'air absorbé et finir absorbé par l'air qu'on veut avoir.

Je me promettais chaque jour de transcrire ici mes impressions de plage et de promenade, des fois j'aime réécrire; le soir, le cœur n'y était plus, je le ferais en rentrant. Trop tard! Déjà l'écrire c'est le commencement de la paix. À dix mille mètres quand on cherche encore, c'est l'enfer, l'enfer de l'obsessif, cinquième acte. Ce n'est pas d'avoir perdu un trésor qui fait crier, c'est d'avoir perdu le contrôle. Par définition, on ne peut voir le geste de perdre; mais si par chance la mémoire nous redonne le geste qui a précédé — plaçant le carnet bleu à côté juste sur le coin du banc pour remettre une cinquième fois les maudits billets dans la poche intérieure zippée —, alors on sait, et le deuil peut commencer. Perdre n'est rien, mais perdre le contrôle..., les sphincters et la disproportion des causes et des effets. Il nous faudrait un mot pour distinguer ce qui est perdu, et qu'on ne cherche plus, et ce qui est perdu mais que l'on cherche toujours.

Non, une telle mauvaise humeur, si j'y pense comme il faut, n'est jamais *disproportionnée*, elle est simplement fonction de tout ce qu'on est, elle donne la mesure du désordre.

~

Disons que ce carnet ne contenait pas grand-chose.

Ce que je peux en ramasser ici, comme un restant de sable dans mes chaussures, c'est l'impression d'avoir connu de tout temps la Floride, de l'avoir reconnue. Floride ancestrale au nom féminin, et même féminin pluriel. Les Florides ne me surprenaient pas, ne m'emballaient pas, je les reconnaissais comme des visages réunis par un même air de famille. Avais-je donc été là dans une autre vie à feuilleter un journal américain dans un hall d'hôtel quand le soir va tomber? Avais-je depuis toujours rêvé à l'envers de cet hiver froid que je pense aimer? Clémente, tiède, basse, hospitalière Floride, forcément un peu mélancolique sous ciel gris. J'y ai couru des fins d'après-midi à longueur de plage sous des ciels clairs ou bien livides et jaunâtres, mais si différents de mes ciels noirs vitrifiés de Montréal à la même heure; pourtant je savais, je reconnaissais là un ciel de janvier en Floride, et ce vent doux, et ce hall d'hôtel de cinéma de série B où je lisais les nouvelles du Nord, des impressions que je vivais comme des souvenirs.

La Floride acceptait d'être vécue comme je l'imaginais depuis la carte orange et bleu qui pendait gaiement au mur de la classe de géographie le vendredi après-midi. J'y ai roulé dans une voiture Hertz comme si je roulais sur un souvenir en couleurs. Rouler à la tombée du jour sur une route un peu sinueuse et bien pavée, en bordure d'un soleil rouge souverain, un bonheur que je ne connaissais pas — mais reconnaissais. Je me voyais monter et descendre le long de cet appendice semblable à une grande main ouverte qui s'avance et s'offre à soutenir palmiers, décapotables, motels climatisés, stations-service, frites, glaces au chocolat, pour notre simple agrément. Et puis une certitude, que je n'ai pas souvent en voyage: j'y reviendrai un jour.

Noter pour le plaisir dans quelles circonstances subites je suis parti. Le bonheur de Marie-Maude de m'annoncer que ses parents n'allaient pas profiter de leur condo, que oui on me le prêtait, et que même elle s'offrait pour me conduire à l'aéroport. Quelque chose rayonnait noir dans la fente iroquoise de ses yeux, tout mouillés de contentement. L'affection plus l'amour-propre de Marie-Maude la rendaient plus belle: comme elle était heureuse de me faire plaisir et comme j'étais fortuné de la connaître puisqu'elle m'aimait si bien! Garder cette vision d'elle me précédant sur le carrelage glacé, marchant vite, les yeux baissés, pudique et attentive à sa joie qui durait, et répétant «Ah! c'est le fun» — le «Ah» était lancé haut, et le «fun» tombait grave comme une caresse langoureuse.

J'ai du moins récupéré ceci sur une enveloppe:

Clendennon Hotel, Fda.

16 h, au bar. Un rayon de soleil fend la table en deux et met un bijou dans ton verre de bière. Tu trônes dans une affiche comme il y en a tant sur les murs des agences de voyages de la rue Saint-Laurent. Là où il n'y a pas de passé ni d'avenir, il n'y a pas d'image. Quand tout à l'heure je courais sur la plage en me disant: «s'ils savaient que je ne suis pas ressemblant!» Ressemblant à qui, pauvre cloche! Courir sur la plage pour t'apercevoir que ton image n'est pas un fait universel. Ceux qui t'ont croisé ou t'ont dépassé en te montrant leur dos te signifient le comble: ce n'est pas compliqué, tu n'existes pas. Sur la Main aussi, à l'instant même, chacun porte plus d'attention à sa nouvelle chemise qu'à la figure du voisin.

Ils se soucient moins de ton nez que de la couleur de leur bermuda. Comme cette lady âgée et grimée qui s'approche, me salue poliment sur la plage de Yellow Sands, et semble merveilleusement ne rien remarquer à mon visage, me demandant en aparté un renseignement sur les environs (elle en est quitte pour ses frais) alors que quelques jeunes, visiblement plus autochtones, sont là à côté. Mais visibles pour qui? Pour moi seul, il faut croire. Ils sont noirs c'est vrai. Pour qui? Pour elle en tout cas. Affaire de point de vue, tu es une affaire de point de vue.

Samedi 16 janvier

À La Petite Ardoise en fin d'après-midi, dans le très pénible; ce sont des gens que je ne connais peut-être pas, mais que je vois ici ou là dans le quartier depuis des années. Encore cent fois me revient l'idée qu'avant, c'était tellement différent. Mais non. Avant, entre ce que tu croyais être et l'appréciation des autres, un hiatus existait déjà. Ça ne balancera jamais. Toute vie est affaire de rattrapage, pour personne ça ne balance. Le rapport est toujours inégal, par excès ou par défaut, l'un n'est pas mieux que l'autre. Tu es dans le défaut, voilà tout.

Jeudi 21 janvier

Minuit trente

Téléjournal. L'époque des fausses questions: peut-on débrancher un malade? est-ce un geste actif d'assassin? (mais alors le brancher c'était passif?) Une femme enceinte peut-elle avorter? Ce «peut» est quelque chose...

Suit le film de Chaplin, *Lumières de la ville,* la fausse question qui revient, mais dénoncée cette fois. Une scène où Charlot devant la boutique d'un antiquaire fait semblant d'admirer un bibelot quelconque, pour mieux zieuter du coin de l'œil la Vénus grandeur nature qui répand sa nudité dans la vitrine. Cette beauté qu'on devine calquée sur le corps de quelque starlette, est-ce une norme, un stéréotype, un canon, une essence? on s'en fout! ce n'est pas la question. Chaplin magistral: un seul coup de sourcils pour passer de l'air convenu au regard allumé par le nu qui trouble, nous trouble. Devant la puissance du fait, pas de réflexion, seulement un réflexe. Ce que Descartes peut dire de la réaction incontrôlée des yeux devant la main qui frappe, je le dis de la réaction de l'âme devant la Beauté qui frappe. On contrôle ou on est contrôlé. Reculer devant la Beauté veut dire que la Beauté est plus forte. Cette réaction est celle de tous les vivants, pendant que les jocrisses qui réfléchissent sont dans une attitude de fiction, ou borgnes, ou morts sans le savoir. Mais les vivants, devant la beauté du soir ou du sein, reculent sans pouvoir fuir, et puis se rapprochent, se brûlent...

Il n'y avait pas Constance d'un côté et sa beauté de l'autre, voyons donc! Pas de simagrées. Comme ceux qui font semblant qu'il y a des «êtres humains en soi» qui ensuite deviennent homme ou femme. Pitié. Vive le chemin par où arrive l'intensité dans le monde! Il y avait Constance-rayonnement du jour, le jour rayonnait devant moi, et je ne pouvais atteindre ce rayon qu'en regardant et goûtant avec ma peau. La beauté de Constance n'était pas *accidentellement* la sienne, ni *essentiellement* d'ailleurs. Rien ne découlait, ne précédait, ni ne suivait rien. Ce n'était qu'une seule et même apparition, la Beauté-Constance, point final.

Vendredi 22

Journée numéro deux. Eux ne me manquent pas. Je ne sais vraiment pas si je vais passer à travers. — Passe-t-on jamais à travers un regard?

Samedi

Je ne me sens pas parmi eux, et me sentir contre eux n'aurait aucun sens. En tout cas, je n'arrive pas à en trouver, un sens, contrairement à certains enragés qui semblent savoir contre qui ils délirent. Même cela n'est peut-être plus possible. Dans la grande famille des pareils-qui-veulent-tous-différer, les monstres-qui-voudraient-tant-s'enligner sont récupérés en tant qu'ornement de coin de rue contre l'angoisse. Bon, assez pour aujourd'hui.

Dimanche 24 janvier

Souvent de ce temps-ci, une espèce de réflexion-protestation:

Aucune femme ne valait *Elle* — mais elle, même elle, ne valait pas un certain choix d'existence —, aucune femme ne vaut ma vie.

Mardi 26 janvier

Parfois le soir je me dis: si demain tu suivais le même rituel qu'il y a vingt ans avec tes emplois d'été pourris: tu te lèves à six heures et demie, traverses la ville en autobus, arrives à la porte de la manufacture, et au moment précis de poinçonner, tu jettes un coup d'œil dans ce tintamarre qui sent l'huile, stop, tu sors du rituel, tu sors de la boîte surtout, tu n'attendras pas la cloche, la cantine et le moment d'aller boire un peu d'air, non, ta journée t'est redonnée, tu peux aller déjeuner, tu es libre! Eh bien, le lendemain, un peu remonté, je laisse tomber avant même de faire le trajet, je me suis levé trop tard de toute façon. Le seul souvenir des temps durs on dirait suffit à me fouetter, en un sens c'est bien. Mais d'un autre côté, je ne suis pas capable du plus petit courage, ce n'est pas fameux. Un jour, j'aurai à nouveau nez et visage quasiment regardables, et voudrai semblablement me ressouvenir du passé pour me consoler du présent. Je me dirai: «demain, tu te colles un cône de carton aseptisé sur le nez et tu fais tranquillement le trajet jusqu'au bureau du docteur Voyer, ça va te remettre les idées en place.» Le lendemain au réveil, en me grattant le nez: «bon, ouais, disons que c'était une bonne idée...» Je n'aurai pas assez de force pour vouloir re-sentir une douleur passée. Forcé d'oublier la force. Est-ce une consolation docteur?

Vendredi 29 janvier

Profitant d'un redoux, jogging sur le mont Royal. Avec l'énergie accumulée depuis de longs mois, si cette température se prolonge, je devrais pouvoir couvrir la distance la semaine prochaine, je sais que je l'ai dans les jambes. Bref, ma forme est belle à voir. Je cours donc, en plein constat autogratifiant, lorsque me dépassent en montant deux joggeurs. Je ne tente pas de les rattraper, quoique l'envie un instant... En voici deux qui s'entraînent à la courte distance, ils ne courront pas longtemps. Ils courront en fait tout le temps que je serai là (une heure et quart) et me croiseront une, deux fois. Ni les remonter, ni les suivre, ils sont d'un autre créneau. L'un doit avoir entre vingt-trois et vingt-six ans, mais l'autre entre quarante et quarante-cinq. La santé est tout ce que j'ai, ils en ont plus que moi. Je battrais 99,5 % des coureurs, surtout en cette période de l'année, mais eux sont les 0,5 % en avant. Amateurs d'élite qui ne font que «s'entretenir». Si je suis parvenu à la force de l'accident et des jarrets à être prêt pour le défi, eux le sont en permanence. Une constatation difficile en ce jour où j'espérais la solitude qui fait croire qu'on est le meilleur. D'autres sont meilleurs et feront un meilleur temps (il n'y a rien comme être seul pour être plein des autres et de comparaisons). Tu es allé chercher des forces au plus profond d'une blessure, d'autres sont intacts et forts, plus forts, si difficile que ce soit à accepter.

Il me semble quand même qu'ils auraient pu aller faire ça plus loin.

Dimanche 31 janvier

Le volatil. Je ne pourrais parler aujourd'hui d'un sentiment, d'une idée non plus. Très furtif, on devrait dire de cela que c'est à peine (si cela est). Il faut être très attentif pour saisir ce mouvement qui n'est pas davantage une image. C'est un complexe volatil, un peu comme une brise d'été en vacances quand on descend de voiture, hum! que ça sent bon, et puis quelques pas et c'est disparu au bout du champ. Aujourd'hui, ça se donne comme ceci: *«Elle aimait tant jouer les rôles d'amour qu'elle aimerait bien pouvoir t'aimer en ce moment mais quelque chose doit l'empêcher...»* Mais, encore une fois, ça ne se dit pas. Ce n'est pas fait pour être arrêté. J'ai essayé néanmoins de saisir cette chose par le collet, comme si une grande importance y était attachée. C'est assez effrayant de commencer à faire le fou et de voir que rien ne vous en empêche. Comme si le tissu, le texte de notre vie était plein de petits trous qu'il s'agit de remplir à chaque seconde pour notre plus grande jouissance, comme les petits trous sur la plage entre deux vagues, nous n'aurons jamais le temps, nous nous affolons, ils disparaissent sous la vague et voilà d'autres petits trous dont il faut s'occuper! Cette jouissance qui devient panique. L'obsession de la réalité qui fait la réalité de l'obsession.

Jeudi 4 février

Est-ce que je dois parler aujourd'hui d'une journée moitié-moitié, *numéro un et demi...*

Bise si glaciale qu'elle brûle la figure, il est sept heures du soir, je remonte du carré Saint-Louis, terme d'une boucle qui avait commencé par la rue Duluth et le parc Lafontaine. Bonnet de fourrure, foulard et cache-nez sont plus que des prétextes, personne ne va penser que je triche, la rue Laval elle-même en porte sur ses façades victoriennes. On croirait entendre le glissement des traîneaux, quelques lanternes sont allumées, orangées, ce serait très beau si ce n'était si froid, même lever la tête est décourageant; ce vent qui mord, on a l'impression qu'en se retournant on l'aurait encore en pleine figure. Essayons tout de même pour voir. Il se produit alors une scène assez comique: de jeunes amoureux joyeux, surgis je ne sais d'où, s'éloignent comme moi de dos, à reculons, collés l'un à l'autre, en se prenant la tête à deux mains — nous échangeons un sourire gelé qui me réchauffe. Au coin de l'avenue des Pins, c'est presque plus possible, des voitures qui fument comme des locomotives me bloquent le chemin, j'en profite pour chercher un abri dans l'angle du restaurant chic, boiseries noires et rideaux crème, qui est là sur le coin comme une vision de Saint-Pétersbourg avec le menu qui rayonne dans sa boîte allumée. Je m'approche plus près, il y a quelques têtes au-dessus des nappes blanches, de l'intérieur je dois avoir l'air d'un David Copperfield un peu russe. Je n'ai pas soupé mais n'ose bouger: toujours cette manie (qui n'a rien à voir avec mon accident) de ne pouvoir transformer une idée subite en envie, une envie en satisfaction.

Je reviens un peu baba vers la «table d'hôte» lumineuse, comme si elle allait me réchauffer. L'Homme à la boursouflure rose constate une fois de plus ce charme caractéristique qui vient aux choses de la table d'être désignées par leur nom avant d'être goûtées par les yeux et par la langue. Si les autres pouvaient ainsi le désirer sans le voir, comme une auberge au joli nom, le titre d'un livre ou d'un film dont on a entendu la musique et qu'on aime déjà. Hélas, nos usages sont plutôt du genre cafétéria, vus d'abord, humés ensuite, puis nommés parfois.

Tout aujourd'hui doit être médiatisé et vendu, sauf ce visage invendable qui ne figure pas au catalogue de l'offre et de la demande. Qui n'est pas autorisé par la loi sur le commerce régissant l'échange du moindre regard. Cette peau qui n'est pas présentable, comme une région du corps sale. Me regarder est impudique, c'est voir quelque chose qui semble s'exhiber. Me regarder en face — n'est-ce pas regarder la chair de mon entrejambe?

Écrire cela, avant je n'aurais pu — est-ce une consolation?

Dimanche 7

Il y a des journées où j'ai l'impression d'être *sacrifié*. — Sacrifié pour quoi? par qui? Je sais très bien que cette impression est absurde, cela n'empêche rien.

Jeudi 11 février

Constance parlait avec obstination du bonheur. Une enfance mouvementée et tragique est ce que sa mémoire et celle des autres lui renvoyaient d'abord. De le dire à voix haute et elle y croyait encore davantage, sa gorge se gonflait jusqu'au silence — même si à l'écouter par ailleurs son enfance avait eu sa part de bons moments. Elle voulait le Bonheur comme les vieillards le passé et les enfants l'avenir. Elle prenait alors une voix élevée et chantante, pressée par quelque vision idéale entêtée qui renaissait toujours, qui renaîtrait toujours je le sentais, ce qui faisait que sur le coup, souvent énervé par ces élans d'enthousiasme, j'avais peine à retenir un «mais Constance...», et je me trouvais d'un calme méritoire d'y arriver. Je me dis aujourd'hui que j'en ai trop prononcé de ces «oui, mais...», qu'on ne devrait jamais freiner un élan.

Vendredi 12

Une journée *numéro deux* cinglante à ne pas savoir où regarder. J'aime autant passer mon temps à courir.

Pourtant, ma sortie n'a pas duré si longtemps. Pour les 5 % de vrais regards, il y a les 95 % que je leur prête. Une étincelle, mais qui rend fou et met le feu aux autres. Si j'arrive à étouffer les premiers, peut-être que...

Dimanche 14 février

J'oublie. Du moins peu à peu. Le retard à dire oui. À la beauté, ensuite à l'amour, puis à la rupture, finalement au fait qu'on s'en console. À son chagrin, et à la perte de son chagrin. On recule devant la Beauté d'une femme parce qu'on devine la commotion, on a peur de changer. On refuse ensuite de la perdre, c'est reculer, avoir peur de changer. On retardera encore de guérir, et de changer. On refuse l'avenir au nom du passé. Toutes variantes de l'effet sphincters.

J'aurais traversé la beauté de Constance comme un fleuve dangereux. Mais qu'est-ce à dire? Constance était la Grèce antique sur deux jambes qui se promenait à mes côtés, une cariatide descendue en plein Montréal, une korê boudeuse réincarnée, elle était la beauté qui revient dans le souvenir. Est-ce bien là ce que je voulais dire? Pas exactement, pas suffisamment. Qu'est-ce que je voulais dire? Qu'elle était la figure de l'absolu, ce que les autres aussi doivent entendre par là quand ils ont les yeux fous comme moi. Et maintenant elle ne le serait plus. Intense elle reste. Mais l'absolu aurait vécu. Et son immense trouble. Et l'immense plaisir de ce trouble. J'aurais commencé à administrer l'absolu lui aussi. Ma main tremble de l'écrire.

Tu devrais te réjouir de ce que quelque chose de *naturel* t'arrive, comme une tornade au large perd des forces, desserre son étreinte. Tu te demandais avec angoisse combien de temps on trouve forte, combien de temps neuve une beauté nouvelle, et tu jurais que tu en voudrais l'éternel retour... — Est-ce le signe d'une baisse de ma puissance de contemplation, pourtant bien ma seule puissance, est-ce un sursis et il suffirait qu'elle paraisse là, dans l'embrasure de cette porte, est-ce la triste tournure de toute chose, l'absence finissant par s'absenter elle-même? Pourquoi est-ce si difficile d'avouer qu'on se fait à tout, comme si c'était une défaite personnelle? C'est un autre fait simplement, ni plus ni moins incontournable que le fait de la beauté.

~

«Constance était la Beauté.» Je l'ai écrit ici plus d'une fois, pas besoin de rien dire d'autre, seulement celui de le redire. Constance était un médium, elle me mettait en contact avec quelque chose qui aurait pu être séparé d'elle, qui le sera un jour, mais qui ne peut exister à part, une expérience à trois termes donc, ce quelque chose, elle, et moi, où c'est elle apparemment qui était le terme faible et où elle était pourtant le terme fort. Huit mois plus tard, il peut m'apparaître plus *exact* de dire simplement: «Constance était belle et la regarder me ravissait.» Mais cette petite différence, c'est une traîtrise. Une traîtrise par rapport à la vérité, la vérité du moment, non, la vérité de la musique, les faits comme les gens sont de la musique, c'est comme passer du chant à la conférence. C'est le souffle qui s'en est allé. Pour analyser, pour seulement commencer à le faire, il faut avoir changé, seul le corps qui se détache peut prendre un ton détaché. Je deviens plus réaliste, plus critique, plus moderne, parce que je suis devenu surtout plus froid, je me suis calmé. C'est cela et rien d'autre que dirait la nouvelle formule. Je n'en sais pas vraiment plus (je savais tout cela), je ne ressens que moins fortement l'absence, son couteau, sa perte d'appétit.

Cette voix d'alors disait aussi ton goût pour le Destin et la Fatalité, un jeu, un pli bien antérieurs à Constance. Ce qui ne se comprend pas à force de chercher les causes, qui sont infinies, mais en regardant comment tu joues, en repassant une fois de plus où ça fait mal, avec attention, comme dans certains massages. La solution est en avant, pas en dessous, répète le mouvement encore une fois. On ne renonce pas à un désir quand on a compris sa cause, mais quand on construit un autre objet pour sa satisfaction, quand soi-même on devient cause.

22 h

Je n'arrête pas de tourner autour, je ne dirai donc jamais ce que je veux dire. Ce que j'appelle Beauté, merde, qu'est-ce que c'est? Ce n'est pas l'«harmonie» ou l'«esthétique», sinon tu passerais ton temps à Ville Mont-Royal. Non, c'est une expérience qui a quelque chose à voir avec le fait d'hésiter entre deux rues, à la recherche de quoi, on ne sait trop, un plus, une augmentation, une espèce de dilatation de soi. Il ne s'agit pas de nombre, mesure ou symétrie, mais de répéter quelque chose de très simple, quoi? qui suis-je? qu'est-ce que je fais là à côté de cette borne-fontaine moi qui ne suis pas une chose? qu'est-ce que ce frisson que je sens? — que j'ai eu la première fois sur la rue où j'ai grandi, non pas à Westmount ou à Beverly Hills. Mais les beaux quartiers, il est vrai, ont sans doute la secrète violence de raviver ces impressions d'enfance qui filtrent, grandissent et embellissent tout, les personnes, les choses autant que les pelouses et les arbres. Quelque chose, donc, de l'ordre d'une question à laquelle *il faut* une réponse: «Vous, soyez cette réponse!» La Beauté est plus que la Beauté. Le nez de Constance n'était pas parfaitement hellénique; sa beauté globale il est vrai était indéniablement grecque classique, et cela dut m'induire en erreur. Car sa beauté canonique et seconde tournait autour de cette Beauté première comme pour l'indiquer, cette chaleur, ces yeux, ce centre dont il n'y a pas de sens à dire qu'il est dépassable, *il s'enfonce*. Une réponse qui nous met en rapport avec d'autres questions, d'autres réponses, ce en quoi la Beauté est affaire profonde et éminemment philosophique! Constance incarnait la Beauté comme un ongle incarné dans la peau, ce en quoi il s'agit d'une affaire profonde éminemment charnelle. Platonicien? oui et non. Oui je crois à la Beauté. Non je ne crois pas qu'elle soit une Idée hors du monde, elle est ce par où le monde plat se fait pointu, par où je mordille le monde et par où lui me mordille, une essence matérielle.

Une syncope heureuse, une connexion-déconnexion, un plaisir sexuel alors? Elle y conduisait mais ne l'était pas. Du plaisir que reste-t-il finalement? — de cette moue au contraire, de cette attitude, cette œillade de Constance il reste tout, il reste plus: je me souviens. Un astre qui brûle la peau et c'est plus fort que nous. On meurt à tous les jours, à tous les instants pour cela. *Le soleil ni la Beauté ne se peuvent regarder fixement*, que le bon duc me pardonne.

Je ne pouvais pas, je ne peux aller plus loin. C'est une limite. Je ne raisonne pas l'expérience, je la vis ou non.

Lundi 15 février

J'oublie Constance, je n'oublie pas son corps. Du moins pas tout en même temps. Ce poignet, cet orteil, ces tempes, ce pli, ce grand vaisseau de son corps, ça s'en va, ça revient, fascinant puzzle, grimoire lancinant. De son corps au mien passe un courant qui n'est pas dans le monde des choses admises. Je désinvestis par lambeaux, je n'avance pas dans mon oubli partout à la même vitesse. Bref, j'oublie peu à peu Constance, mon corps n'oublie pas le sien. J'oublie à mon corps défendant. J'oublie Constance comme *il le veut.*

17 h 30

J'oublie, quel curieux verbe. Une fatalité si naturelle? Pourrais-je ne pas oublier? Je veux dire, est-ce une défaite ou une victoire? Je veux dire, est-ce que ce n'est pas parce que, à la limite même de ce qui s'appelle en prendre conscience, parce que donc c'est «bien vu» que j'oublie, que j'écris ici que j'oublie? Qu'est-ce qui fait ce «bien vu»? Les générations d'ouvriers qui m'ont précédé, qui diraient «quand ça ne va pas, on pousse dessus...»? La philosophie qui me dit que la joie est passage «vers une plus grande perfection»? Ou est-ce l'équation des particules du particulier P. Lebel? ou quoi? Mais je pourrais trouver des ouvriers et des philosophies qui disent que «tu dois te souvenir à tout prix», et peut-être trouvera-t-on des particules qui refusent de perdre de l'énergie et d'oublier, si ce n'est pas déjà fait...

Dimanche 21 février

Ai profité d'un léger redoux pour courir la distance du marathon, du moins approximativement. La course est ma dernière année en raccourci. Elle a fatigué le corps, libéré l'angoisse, barré la solitude. Elle a allégé les pensées du jour et fait descendre la nuit sur celles du soir. Elle a dépouillé. Courir pour pouvoir te dire «c'est supportable, je continue». Pour que le minimum soit aussi le maximum, tout en fixant le stroboscope hallucinant de mes Brooks, ma façon de retrouver le sage du *Képos:* celui qui a peu possède tout, alors que celui qui a tout en veut toujours plus.

Jeudi 25 février

Je fais une tentative à La Petite Ardoise, il est tard, le nez dans mon muffin au son. Fort heureusement, un spectacle m'y attendait. Une jeune fille porte un maillot noir genre danseuse dont elle fait une espèce de robe soleil, les épaules complètement nues, on se demande ce qui lui prend, des épaules brésiliennes par moins dix degrés. Elle a des seins pleins, qui restent bien ronds sous leur emballage de lycra. Au milieu de ce tableau, un pli noir et net qui s'évanouit dans sa chaleur. La peau qui semble céder en surface sous la pression d'un mystère plus profond, que j'ai l'impression de voir à l'œuvre là sous mes yeux, une usine qui s'active et vient des profondeurs fabriquer toujours plus de cellules de ce corps, de cette beauté femme, de cette peau à la couleur indéfinissable, ni mate ni rose, un peu des deux, animée d'un seul grain de beauté au creux de l'épaule, sous la clavicule droite, l'impression d'assister, chaque fois que ces épaules se soulèvent, à la pression intérieure de la «vie». Je la regarde discrètement par en dessous dix-huit fois. Ce n'est pas «elle» parfois qu'on regarde dans une femme, mais ce qui est plus fort qu'elle. — Noter ceci: jamais d'érection quand je regarde, quand j'assiste à un spectacle public semblable, ou même au cinéma. Il faut le fantasme; c'est le possible qui fait bander.

Lundi 29 février

Petit après-midi brumeux, ça sent la farine grillée dans le coin de Saint-Laurent et Roy. Un peu étourdi, trop habillé ou trop entraîné probablement, après quelques bouffées de chaleur, j'entre dans un petit café dont j'oublie le nom. Est-ce le manque d'énergie ou de cran, sitôt assis, j'adhère successivement à tous les posters que je vois sur les murs. Images plus ou moins connues, routes de campagne, voitures et déjeuners sur l'herbe des années trente. Je démarre: à cette époque, l'absence de nez, était-ce montrable...

Puis je me retourne enfin. Une table, et puis une autre, trois tables occupées, trois filles intéressantes. La plus proche, accompagnée de sa mère, est aussi la plus belle, mais elle est loin de collaborer... Mère et fille se lèvent aussitôt, par hasard peut-être. Reste cette autre, là, qui est fort jolie, avec une amie ou sa sœur. Bientôt, elles se lèvent à leur tour. Bon, reste encore cette brunette là-bas, absorbée par sa lecture. Mignonne décidément, plus je la regarde... Je reviens aux posters, sur l'un d'eux, tiens, une jeune femme lui ressemble, dans la joie d'une décapotable pour l'éternité.

Que suis-je? Je suis un appareil. Quelle est ma règle de fonctionnement? Je suis l'appareil qui s'ajuste. Qui pense choisir, mais qui en fait s'ajuste constamment. L'appareil technique qui domine notre époque, qui résume l'époque, le dispositif à lumière dont l'œil avance, recule, sélectionne ceci et oublie le reste, je l'ai déjà dans le cerveau, dans le cœur, dans le... Le dispositif dont l'ouverture ou la fermeture garde mon désir en vie, qui garde la mémoire universelle en vie, et celui qui garde le bon et rejette le méchant, qui nous maintient tous en vie, diable! c'est bel et bien le même: sphincters.

Mercredi 2 mars

Je me fais des réflexions comme quoi au fond la vérité existe toujours, mais comme une *esthétique*. Comme quoi seule l'esthétique survit des valeurs passées; qu'est-ce qu'on ne fait pas pour la «beauté du geste», il n'y a plus que pour elle qu'on meurt à petit feu tous les jours, etc. J'écris cela après quelques pages de Nietzsche où il s'efforce d'avoir l'air au-dessus de toute vérité et de tout problème, le mien itou, de ces pages où il a le secret d'agacer son lecteur — une des marques de son génie. Je suis déjà plutôt content de ma pensée au sens où même lui, me semble-t-il, la prouve par son œuvre. Mais voici qu'au moment de fermer le livre, les notes de mon édition viennent sceller mon contentement: à l'époque de ces pages, Friedrich dans ses lettres se dit enchanté d'avoir finalement trouvé une auberge et un accueil dignes de lui, avec une jolie vue, puis enfin un tailleur à son goût, une belle promenade... Mon semblable, mon frère.

Samedi 5 mars

Rue Mont-Royal, en face du métro, je marche de biais dans la fin d'après-midi peuplée, lorsqu'une sirène d'ambulance se pointe au loin, bienvenue en un sens, elle distrait. Elle se précise, monte, monte, stridente, tasse la foule contre elle-même. Je frissonne, les trottoirs frissonnent, mais ces frissons unanimes sont réprimés, annulés par la plainte qui continue, déchire la rue, rouge sur gris, interdit de penser, interdit de fuir. Effrayante maintenant dans le trafic qui la contrarie, elle dure, dure, se reprend, crie, se lamente, crie encore plus haut, N'EXISTE PLUS QU'ELLE. Obscurément fascinées, mues on dirait par un même ressort, des têtes se tournent, des cous s'étirent, pendant que sur les visages semble passer un rien de volupté.

Me baladant avec Constance dans la même lumière printanière, parfois les regards se tournaient ainsi (en avais-je alors vraiment l'impression, ou me vient-elle aujourd'hui de cette étrange volupté?).

La beauté est une sirène d'ambulance fendant la foule. Le chant d'une sirène stridente, unanime et fatale, qui monte et sidère sur place.

Ce qui au moins n'est pas une impression, ce que je dois constater: il y a de ces heures encore où tout me ramène à Elle: une allumette, un compte de taxes, un rhododendron, une ambulance...

Vendredi 11 mars

... Je cours déjà depuis longtemps il me semble. De chaque côté, des rues à angle droit, parfois en biais, Exeter, Gloucester, Hereford, Berkeley semblent m'inviter avec leurs bras ouverts. Qui est John Hancock? Je veux de plus en plus faire autre chose que ce que je fais. Courir est agréable mais il y a des gens assis à des terrasses qui semblent si bien. Soudain je ralentis, j'ai l'impression de faire un travelling avant, de belles femmes assises sur des chaises de plastique blanc me font des sourires. Je bois une gorgée essoufflée tour à tour dans le verre de chacune. Elles rient très fort, d'un rire anglais sonore et nasillard, je garde ma contenance, elles me trouvent distrayant et insistent pour que je reste, je leur explique que je perds des places et du temps, elles rient encore plus fort. Comme c'est joli Boston! Qui est Samuel Adams? Qui est Peter Faneuilh? un millionnaire, un magnat de la presse? je cours parmi des noms fameux que j'ignore, qui est donc Beacon Hill? un homme, une bière, une colline, et Bunker Hill? son frère je suppose — décidément c'est amusant Boston! Je cours de plus belle, traverse toujours des intersections, je vois au loin des voitures, des camions de livraison s'y engouffrer, j'ai envie de conduire, où vont-ils? j'aimerais les suivre là-bas mais la course m'appelle, ma course, comme elle tire en avant l'âme de bien d'autres types à moitié nus et un peu bizarres, je ne croyais pas que ce serait ainsi. Sur les côtés du couloir où nous fonçons, des gens frétillent dans une étrange rumeur de casseroles. Un bar. J'entre et commande une bière, comme si de rien n'était, on me l'apporte, comme si de rien n'était. À la table d'à côté, comme si j'étais au Cherrier, en fait j'ai un instant l'impression d'y être, deux jeunes femmes assises, l'une se lève, sourit et s'en va, l'autre semble vouloir rester, délicieuse. Je me tourne effrontément vers elle et lui demande: «où vous ai-je déjà rencontrée?» Elle répond: «je m'appelle Jeanne-Mance Fournier, je suis infirmière à l'hôpital Notre-Dame.» Je cours toujours. Nous entrons en peloton dans Cambridge, je suis si heureux de voir enfin Cambridge, que je ne pensais jamais visiter en marathonien. Soudain il fait nuit, je m'égare. Me voici dans Harvard Yard tranquille, j'entends minuit sonner. C'est exactement comme je pensais sauf les trois différentes lueurs, la lune blanche, la Elkin Wiedener Library en rosâtre, et les lampes plus beiges des allées, tout cet archiromantisme, je n'avais pas prévu non

plus les deux fenêtres éclairées côte à côte du pavillon ancien et ce grand poster d'Einstein, et cette photo de R. Mapplethorpe. Ces légères différences rendent tout si semblable et si différent, je n'avais pas prévu non plus ces grands enfants sortant des restaurants, ni cette superbe fille assise seule dans la nuit sur les marches du pavillon Emerson, le pavillon de la philosophie, je n'avais pas prévu, je m'approche d'elle, non je continue. Me revoici dans le peloton. Il fait jour à nouveau, nous traversons des intersections de plus en plus vite, je dévore des noms de rues comme si la vie était de traverser des intersections et dévorer des noms de rues. Un paraplégique me dépasse dans son fauteuil roulant, la langue sortie, je l'applaudis tout en courant, je ne voudrais pas être comme lui, un clochard édenté court devant moi à toute vitesse en haillons de cinéma, c'est un bal costumé ou quoi, j'essaie de le rattraper pour lui expliquer qu'il n'a pas le droit, qu'il est ridicule... Je suis de plus en plus fatigué, quelle température pour un mois de mars, on se croirait en été. L'heure sonne de nouveau à l'horloge. Je vois des coupoles dorées qui défilent et tournent devant mes yeux, on se croirait en Russie. J'entends une voix sourde dans le haut-parleur. L'énergie me revient, ce doit être la fin de la course. Le fil d'arrivée là-bas ondule. Je ne veux que bien finir la course, et partir après, n'importe où. Quel est donc ce cliquetis insolite? Mais oui, des gens qui applaudissent! Des gens qui ne me connaissent pas applaudissent, je ne sais si c'est de moi qu'il s'agit ou de ce type à mes côtés qui peine fort, il a une infirmité bizarre à la figure. Le fil grossit, je le vois grossir anormalement comme il est impossible de le voir grossir. Sur une affiche numérique, je lis 2 h 59 m 10 s qui se rapproche, je regarde mes chaussures qui se battent toujours au bout de ce qui m'apparaît deux masses de carton glacé. Je me vois alors comme détaché, dédoublé, un gars qui court délivré d'il ne sait quoi. Le cliquetis insolite est maintenant noyé, ce sont des cris qui dominent, des cris lui chauffent le cœur, massent ses jambes, 2 h 59 m 41 s. On comprend qu'il court! Des gens qui ne le connaissent pas. Il a voulu cela. Personne de complaisant, personne à saluer. Dans une ville où il n'est jamais venu, ô Joie! La ligne s'en vient à vingt-cinq mètres. Les cris sont pour un autre, c'est pourquoi ils sont si bons. Il franchit enfin le fil, 2 h 59 m 54 s! Tout est calme soudain malgré le haut-parleur et la mer houleuse de monde. Tout danse et flotte. Cinéma exquis, caméra qui tourne au ralenti, panne de son dans la salle. Il sourit, seul, l'an-

née est terminée. Bonne et heureuse année! Un préposé s'approche et lui demande «How d'you feel sir? — Fine, very fine thank you.» *L'Homme sujet sourit, l'espace-temps est distendu, le ralenti s'accentue comme dans l'imminence de quelque chose, le cordon de sécurité s'éclaircit, alors c'est une main, une épaule, un corps, puis un sourire qui apparaît en plan rapproché, puis en gros plan, tout le reste effacé et cette foule et ce corps lui-même derrière ce sourire qui me sourit les yeux en larmes et dit «bonjour monsieur Lebel, je m'appelle Constance Dubreuil»...*

«... scuse me sir, would you please fasten your seatbelt? We are landing at Boston airport in five minutes.»

J'ai finalement compris où j'étais, j'ai obéi avant de me frotter les yeux, au moment où glissait par terre mon guide de Boston. Je me suis mis à regarder par le hublot, sans le ramasser.

Boston, le 16 mars

3 HEURES 45 MINUTES 32 SECONDES hein pépére qu'en penses-tu, hein? Comme je sais que tu n'as pas le temps de regarder la télévision... Au verso, c'est Boston. Il n'y avait pas assez de place pour y mettre ma tête. Je t'embrasse.

PONEY PETER

Fin mars

Fort Lauderdale

Cher Christo,

Je n'ai rien dit à C., j'ai survécu, j'ai marché, j'ai couru, je reste vivant — maintenant qu'est-ce que je fais? *Voilà qui t'en dit long sur mon humeur n'est-ce pas? Ne t'en fais pas, il y a des jours où ça va, il y a des jours où ça va moins. Voilà surtout pourquoi je me retrouve ici à prendre des cours de voile. Pas mal comme marina hein? Je marine, tu marines, on marina...*

PETER

Fin avril (cachet de la poste du 27 avril)

Fort Lauderdale

... Tu ne peux pas savoir comme je me surprends moi-même à aimer le grand espace et un bateau qui bouge au gré du vent; autant que j'aimais me trimbaler d'un bloc à l'autre de la Main. J'ai envie de

retourner à l'enseignement, voui, voui. Il me semble que, plus qu'avant, je pourrais leur donner quelque chose — du moins leur montrer du doigt! Les derniers mois m'ont fait amorcer je pense un détricotage des vingt ans qui nous séparent, eux autres et moi. Tu ne penses pas? Je serai en classe aussi frais qu'ils le sont, sachant pourtant ce que je sais — combinaison pédagogique difficile à battre, admets-le. Mais m'en laisseront-ils la chance?

Ils seront gênés; je les comprends tellement. Si j'avais à choisir encore aujourd'hui, est-ce que je ne choisirais pas moi aussi les dents blanches, les sourires à vide, les muscles, l'air pressé d'aller travailler, ou l'air d'avoir un autre air, toujours un autre! Le bon vieux narcissisme quoi! Je n'irai pas leur dire qu'il faut commencer par oublier ça, au contraire. Je veux leur conseiller d'en faire un désir, une philosophie — disons que j'ai surtout quelques idées de cours. Bougez, bougez, le pire est d'accoster une fois pour toutes, où que ce soit. Donnez-vous comme si vous pouviez vous retenir et faites ce que vous voulez.

Mais auparavant, quelque chose de bizarre m'appelle, comme un défi, un autre, qui doit passer avant. Je ne pourrai vraiment rentrer en classe il me semble qu'en disant: «Je reviens de loin, de très loin.» Comprends-tu? je ne suis pas encore rendu assez loin. Si j'en juge d'après les derniers mois, j'ai besoin de m'éloigner des miroirs pour quelque temps, particulièrement des yeux des autres, particulièrement des yeux des femmes.

Je suis amarré depuis quelques minutes à peine dans une petite baie où une dizaine de marins d'eau douce comme bibi ont décidé de mouiller l'ancre pour passer la nuit. Il s'en va dix-neuf heures, une odeur de charbon de bois vient de la coque voisine me provoquer sous la forme d'une fine fumée blanche vicieuse pendant que ma soupe en boîte mijote. L'heure est grise et tranquille, le vent est tombé et le soleil aussi dans la brume. «Still life» *comme on dit en français. Je suis seul et plutôt bien... Pas tout à fait, pas assez pour ne pas penser à toi cher homme, la preuve...*

(...) J'arrive à faire la plupart des manœuvres en solitaire après une semaine de cours intensifs. J'apprends ainsi sur le tas et surtout sur le bateau usagé d'un autre — qui en loue quinze comme celui-ci! Si j'avais investi les soixante-quinze mille dollars, je voudrais être deux! Au fait, quand prends-tu tes vacances? (...)

~

Fort Lauderdale, le 22 juin

Mon Christo Reno Nevado,

À vingt-cinq kilomètres des côtes, je fais un drôle de voyage. Vois-tu, je ne pourrais le dire autrement: sur la mer à la fin on se sent parvenu. Comme si on avait déjà été célèbre, comme si on avait accompli ce dont on rêvait. Comme si la beauté n'était plus imaginaire mais bien réelle, on peut lâcher prise, laisser aller, perdre le contrôle. C'est la mer. Il suffit de suivre ce «comme si» pendant quelques instants chaque jour, et l'horizon au loin change, une vapeur joyeuse semble monter lentement.

Je me sens plus dépouillé que jamais, je me fais l'effet d'une espèce de soldat, prêt à tout, disponible, sauvage, je serais prêt pour la révolution! Bref, j'ai un peu l'impression que des espaces infinis s'ouvrent devant moi, que je vais devenir un autre homme, tu as connu, mon cher, le garçon d'un certain âge. On entend souvent dire après un accident, même chez des gens âgés, «pourquoi moi?» Je sais maintenant qu'il faut se dire «pourquoi moi?» tous les jours, quand tout va bien. Et tout s'inverse. Si l'accident survient, on ne peut que dire: «j'ai été si chanceux si longtemps!» Ce ne sont pas des propositions logiques dont nous avons besoin, elles ne sont que probablement probables, ce sont des choses simples et profondes comme la mer, qui nous font avancer en nous soulevant.

Cela fait beaucoup à découdre, j'en conviens. Je dois bien convenir aussi de la difficulté qu'il y a à érotiser chaque jour le présent et surtout le prévisible. Est-ce possible? Peut-être que partout dans le monde les hommes vont à la pêche, jouent aux cartes ou à l'ambition, bref travaillent tranquillement à mourir? Si c'est le cas, j'ai envie d'en guérir, rien que pour n'être pas comme les autres!

Vois-tu, notre corps, notre image nous affecte de l'extérieur. Il y en a qui à dix-huit ans ont l'air assuré de leurs quarante ans, d'autres c'est le contraire. On fait avec, on est bien mieux, si on cherche à lutter contre, à se durcir par exemple quand on n'a pas la tête qu'il faut, c'est la comédie caractérielle, on en connaît, et beaucoup. Le problème c'est que je cherche encore mon nouveau rôle, mon nouvel air. Il faut que j'apprenne d'abord à vivre sous mon propre regard, oui justement, il faut que je le nettoie. J'en étais venu à oublier Constance elle-même derrière son image. Maintenant j'ai l'impression de comprendre mieux qu'une femme réelle est une femme possible ou imaginaire — regardée seulement un peu plus longtemps. Qu'une femme fatale cache une femme réelle encore trop peu regardée — regardez plus longtemps encore! Sauf que tout cela, je le vois mieux à distance. *Car mon châer, tout en contemplant l'écran rose de l'immense* drive-in *qui depuis cinq minutes se répand autour du bateau, je peux me souvenir* qu'une femme peut être trop belle. *Je ne sais d'ailleurs si je pourrais me passer de ce trop, absolument, définitivement. Comme les Américains font sur leurs emballages,* less sugar, *ils ne peuvent se priver de la douceur complètement. Pas encore assez sage, pas assez mûr... Hum hum!*

Parlant d'immaturité, j'ai eu une crise de paupières humides hier durant une escale; comme je mettais les pieds dans un snack-bar, le juke-box a laissé partir Twilight Time *des Platters, je n'avais pas entendu ça depuis des années, tu connais mon faible pour cette chanson, son incroyable attaque:* «Heavenly shades of night are falling...» *Tout à coup mes treize ans, les cuisses de mes cousines assises dans l'escalier, toute la préhistoire de nos histoires..., bref les larmes aux yeux, va savoir pourquoi.*

Vois-tu, finalement, j'aime le beau et les corps, je suis grec comme la fin du siècle, je sais bien qu'il n'est pas prouvé que la beauté d'une femme rende heureux comme il n'est pas prouvé non plus que ce soit en tant que belle qu'une femme nous rende malheureux. Mais j'ai toujours cru qu'il y a un rapport entre la beauté d'une femme et «la Beauté», je crois qu'il y a un rapport entre la beauté et la joie et je veux continuer à le croire. Malgré les apparences, si tu vois ce que je veux dire. Évidemment, quand on colle à la beauté d'une femme la passion commence, et comme le rapport sexuel implique la colle! Après un an et demi à essayer de voir un peu plus clair dans tout ça, j'ai besoin d'au moins une autre année tu comprends... Conclusion provisoire: 1. Tu désires en toute ignorance de cause; 2. Tu ne peux ni connaître les causes, ni cesser de désirer; 3. Qu'est-ce que tu veux que je te dise?

On ne peut pas dépasser son imaginaire, on ne peut que le reconnaître. Cela implique vois-tu qu'un jour dans une vie il faudrait savoir s'arrêter et dire: l'Absolu, je l'ai connu. Avec Elle, j'ai touché le fond. L'Absolu, c'est ça. *Ne cherche plus, elle était la perfection, comme la vie, elle, est parfaite. Un balancier, s'il va plus loin il va trop loin, il ne va pas plus profond, il n'y aura pas de futur plus plein que le passé. Il n'y a rien d'autre à faire que ce que tu faisais, mais tu le sais qu'il n'y a rien d'autre à faire. Il suffit parfois de durer. Il suffit toujours de durer. On change mon vieux à la fois moins qu'on ne voudrait et plus qu'on ne remarque. Si la perte de Constance, avec laquelle je lutte encore, avait été transportée, congelée, et aujourd'hui revécue à vif, je souffrirais pareillement; sauf que c'est le propre du temps qu'on ne puisse souffrir deux fois de la même chose de la même manière, tout comme on ne peut désirer toujours le même objet, surtout si on l'a obtenu.*

Je vais venir au collège leur dire que la vie est ronde, et sans limites, qu'elle communique avec elle-même, comme l'oiseau du soir avec celui du matin, le ruisseau avec la mer, la douleur avec la joie, de ne pas se construire de cages, de chercher des passages, il y en a toujours. Alors les cages disparaissent, comme chaque fois que je m'échappais dans la ville, chaque fois que je revenais ensuite l'écrire, ou que j'observais sans rien écrire, c'était comme sortir du brouillard, des sorties qui m'ont permis de respirer, de me faufiler, mine de rien, de trouver une issue, de continuer. Mais la rentrée est pour plus tard cher docteur, de toute façon les cicatrices ont besoin de temps. J'ai été trop passif devant la beauté, il me faut maintenant aller au-devant, il faut que je risque autre chose, c'est seulement en rentrant de loin que j'aurai l'impression d'être guéri complètement. Un homme est ce qu'il a vu, non, ce qu'il a regardé, il y en a trop qui ont tout vu sans rien regarder. À quoi sert d'avoir duré jusqu'ici s'il n'y a pas ce petit défi, aller loin, plus loin, là où il n'y a pas de souvenirs, pas de miroirs ni d'images, seulement des gestes et du vent, seulement la mer et l'odeur du sel marin. Puisque la vie est ronde!

Ouf! tu vois que j'ai amené mes livres, philosophiquement à toi.

Socrate alias Bouddha alias Peter

Note de l'éditeur

Pierre Lebel était porté officiellement disparu le 29 juin 1988, alors que son ketch de douze mètres a été trouvé «sans équipage, les voiles au vent, après un après-midi de gros temps, à environ dix-huit milles marins de la côte de Floride. La radio était en état de fonctionnement normal et il n'y avait à bord aucun désordre particulier ni traces ou messages dignes de mention», suivant le rapport du commissaire de la Old County Beach Marina (Dade's County). L'orage, était-il précisé, avait été assez violent, comme une demi-douzaine de semblables chaque hiver. Un temps pareil n'aurait pu normalement, au dire du commissaire, mettre en péril un équipage le moindrement aguerri de deux ou trois hommes: «Mais évidemment, un seul homme à bord, même un marin d'expérience, aurait pu être amené à faire une manœuvre l'ayant placé en déséquilibre sur le pont, *just one second is a second too much*, et alors on ne peut compter sur le copain pour vous envoyer la bouée.»

Nous devons ces précisions à M. Christophe Renaud qui s'est chargé de rétablir tout au plus certains détails du manuscrit, y ajoutant les dernières lettres que lui avait envoyées P. Lebel. Du texte accompagnant l'envoi de M. Renaud, lequel nous est parvenu un an jour pour jour après la disparition de P. Lebel, nous extrayons les lignes qui suivent:

«... c'est que Pierre comptait recommencer l'hiver dernier, après sa deuxième opération prévue pour le début de l'automne. En attendant, il voulait à tout prix passer l'été en mer, il me l'a répété au téléphone, à entendre sa voix c'était important, et d'autant plus significatif qu'il n'aimait pas l'enthousiasme, le meilleur signe, selon lui, qu'une déception se prépare.

«Qu'il me soit permis de terminer par une note plus personnelle. "*Tu as connu,* écrivait Pierre dans sa dernière lettre, *le garçon d'un certain âge.*" Cette phrase à elle seule évoque pour moi toute une ribambelle d'images, comme si elles étaient tombées à l'instant de mon portefeuille. J'aurais apprécié le nouvel homme certainement, mais c'est bel et bien ce garçon que j'aimerais voir surgir au coin d'une rue. En tant qu'ami, je voudrais qu'on considère ceci comme l'expression d'un vœu en quelque sorte pédagogique. Relisant ces pages, souvent je voyais Pierre entrer en classe pour la première fois, le nez rouge respirant encore la mer. Il aurait eu certainement le trac, comme à chaque session. J'ai imaginé le premier cours qu'il aurait donné à ses élèves après deux ans de ce voyage en congé forcé. (Peut-être que cette expression, que Pierre utilisait à l'occasion pour décrire sa situation, ne ferait pas un mauvais titre.) Ils pourront du moins, j'espère, trouver ici un écho de cette parole perdue.»

TITRES PARUS DANS LA COLLECTION FICTIONS

Abel, Alain	*Les vacances de M. Morlante*
Archambault, Gilles	*Stupeurs*
Asselin, Luc	*Guerre*
Baillie, Robert	*La nuit de la Saint-Basile*
Baillie, Robert	*Soir de danse à Varennes*
Baillie, Robert	*Les voyants*
Barcelo, François	*Aaa, Aâh, Ha ou les amours malaisées*
Barcelo, François	*Agénor, Agénor, Agénor et Agénor*
Beausoleil, Claude	*Fort Sauvage*
Bélanger, Marcel	*La dérive et la chute*
Bélanger, Marcel	*Orf Effendi, chroniqueur*
Bigras, Léon	*L'hypothèque*
Boisvert, France	*Les samourailles*
Boisvert, France	*Li Tsing-Tao ou Le grand avoir*
Bonenfant, Christine	*Pour l'amour d'Émilie*
Bonenfant, Réjean et Jacob, Louis	*Les trains d'exils*
Boulerice, Jacques	*Le vêtement de jade*
Brossard, Nicole	*Le désert mauve*
Brossard, Nicole	*Baroque d'aube*
Calle-Gruber, Mireille	*La division de l'intérieur*
Choquette, Gilbert	*L'étrangère ou Un printemps condamné*
Choquette, Gilbert	*La nuit yougoslave*
Choquette, Gilbert	*Une affaire de vol*
Chung, Ook	*Nouvelles orientales et désorientées*
Cloutier, Guy	*La cavée*
Côté, Diane-Jocelyne	*Chameau et Cie*
Côté, Diane-Jocelyne	*Lobe d'oreille*
Cyr, Richard	*Appelez-moi Isaac*
Cyr, Richard	*Ma sirène*
Daigle, France	*La vraie vie*
Descheneaux, Norman	*Rosaire Bontemps*
Descheneaux, Norman	*Fou de Cornélia*
Désy, Jean	*La saga de Freydis Karlsevni*
Drapeau, Renée-Berthe	*N'entendre qu'un son*
Étienne, Gérard	*La pacotille*
Ferretti, Andrée	*Renaissance en Paganie*

Ferretti, Andrée	*La vie partisane*
Fontaine, Lise	*États du lieu*
Gaudreault Labrecque, Madeleine	*La dame de pique*
Gendron, Marc	*Opération New York*
Gobeil, Pierre	*Dessins et cartes du territoire*
Godin, Gérald	*L'ange exterminé*
Godin, Marcel	*Après l'Éden*
Godin, Marcel	*Maude et les fantômes*
Gravel, Pierre	*La fin de l'Histoire*
Harvey, Pauline	*Pitié pour les salauds!*
Jacob, Louis	*Les temps qui courent*
Jacob, Louis	*La vie qui penche*
Jasmin, Claude	*Le gamin*
Juteau, Monique	*En moins de deux*
La France, Micheline	*Le visage d'Antoine Rivière*
La France, Micheline	*Vol de vie*
Lecompte, Luc	*Le dentier d'Énée*
Legault, Réjean	*Gaspard au Lézard*
Legault, Réjean	*Lapocalypse*
Lemay, Francine	*La falaise*
Lévesque, Raymond	*Lettres à Ephrem*
Lévesque, Raymond	*De voyages et d'orages*
Martel, Émile	*Le dictionnaire de cristal*
Mercure, Luc	*Entre l'aleph et l'oméga*
Marchand, Jacques	*Le premier mouvement*
Monette, Madeleine	*Amandes et melon*
Moreau, François	*Les écorchés*
Morosoli, Joëlle	*Le ressac des ombres*
Nadeau, Vincent	*La fondue*
Ollivier, Émile	*Passages*
Paul, Raymond	*La félicité*
Paul, Raymond	*Six visages de Charles*
Piché, Alphonse	*Fables*
Piuze, Simone	*Les noces de Sarah*
Poissant, Isabelle	*La fabrication d'un meurtrier*
Racine, Rober	*Le mal de Vienne*
Richard, Jean-Jules	*La femme du Portage*
Saint-Martin, Lori	*Lettre imaginaire à la femme de mon amant*
Savoie, Pierre	*Autobiographie d'un bavard*
Stanton, Julie	*Miljours*
Tourigny, Claire	*Modeste Taillefer*

Vaillancourt, Claude	*Le conservatoire*
Vaillancourt, Claude	*La déchirure*
Vallières, Pierre	*Noces obscures*
Villemaire, Yolande	*Vava*
Villemaire, Yolande	*Le dieu dansant*
Voyer, Pierre	*Fabula fibulæ*
Zumthor, Paul	*Les contrebandiers*
Zumthor, Paul	*La fête des fous*
Zumthor, Paul	*La porte à côté*
Zumthor, Paul	*La traversée*

Cet ouvrage composé en New Baskerville corps 11
a été achevé d'imprimer
le sept mars mil neuf cent quatre-vingt-seize
sur les presses de l'Imprimerie Gagné
à Louiseville
pour le compte des
Éditions de l'Hexagone.

Imprimé au Québec (Canada)